FONÉTICA ACÚSTICA DE LA LENGUA ESPAÑOLA

BIBLIOTECA ROMÁNICA HISPÁNICA

DIRIGIDA POR DÁMASO ALONSO

III. MANUALES, 49

ANTONIO QUILIS

"FONÉTICA ACÚSTICA DE LA LENGUA ESPAÑOLA"

BIBLIOTECA ROMÁNICA HISPÁNICA

EDITORIAL GREDOS

MADRID

© ANTONIO QUILIS, 1981.

EDITORIAL GREDOS, S. A.

Sánchez Pacheco, 81, Madrid. España.

Depósito Legal: M. 34718 - 1981.

ISBN 84-249-0131-2. Rústica.
ISBN 84-249-0132-0. Tela.

Impreso en España. Printed in Spain.

Gráficas Cóndor, S. A., Sánchez Pacheco, 81, Madrid, 1981. — 5250.

A mis padres

PRÓLOGO

Dos motivos nos han movido a redactar este trabajo: en primer lugar, proporcionar a los estudiosos —especialmente de nuestro gran mundo hispánico— unos elementos de fonética acústica que les puedan servir de base para sus investigaciones; en segundo lugar, tratar de establecer las características acústicas de nuestra lengua.

En el momento actual, la aplicación de la fonética acústica a los estudios descriptivos de una lengua o de un dialecto es cada vez más importante, llegando a ser prácticamente imprescindible. Todo el mundo conoce, con mayor o menor precisión, la existencia de unos instrumentos que reflejan con absoluta objetividad las características o las cualidades de los sonidos; características que antes se establecían subjetivamente a través del oído del o de los investigadores. Como es lógico, cuando se conoce la existencia de tales medios, surge el deseo de aplicarlos para solucionar los problemas planteados. Pero, ¿cómo hacerlo? Aunque se disponga —muchos centros de investigación los tienen ya— de los aparatos, ¿cómo usarlos?, ¿cómo hacerlos funcionar?, ¿cómo realizar los análisis?, ¿cómo interpretar los documentos para obtener los datos útiles? Éstas y otras muchas preguntas similares se plantean los investigadores ante la existencia de estos instrumentos.

¿Es que no existen descripciones adecuadas que respondan a estas cuestiones? Sí y no. Hay bibliografía, abundante bibliografía, pero muy desigual; muchas veces demasiada, y aplicada a lenguas que no son el español (principalmente al inglés). Su desigualdad es bien manifiesta: por ejemplo, sobre las vocales y las consonantes explosivas los trabajos son abundantísimos, algunas veces redundantes, y otras contradictorios; sobre las fricativas, africadas y líquidas sólo hay unas cuantas fichas. Pero ninguno conviene totalmente a nuestra lengua: ¿Cómo comparar los fonemas /p-, t-, k-/ o /b-, d-, g-/ del inglés americano con los españoles? Los primeros son aspirados y los segundos ensordecidos en inglés, mientras que en español son no aspirados y plenamente sonoros. ¿Cómo comparar nuestros diptongos a los «glides» ingleses? ¿Nuestros cinco fonemas vocálicos al abundante número del inglés? Nuestras variantes alofónicas son más numerosas, y más ancho nuestro canal de percepción, con menor riesgo de una mala descodificación del mensaje. ¿Dónde aparecen descripciones de nuestras [β, ð, γ, x, r̄, λ]? ¿Es que es comparable nuestro /ǰ/ al del inglés?, etc.

Por otra parte, las descripciones técnicas, no sólo de los instrumentos, sino de los medios usados para obtener conclusiones teóricas, no están, la mayoría de las veces, al alcance físico de los lingüistas, bien por publicarse en revistas no usadas normalmente por nosotros, bien porque su contenido teórico escapa a nuestra preparación.

Para obviar, en lo posible, las mencionadas dificultades hemos preparado este trabajo. Por eso, la parte que podríamos llamar didáctica ocupa los cuatro capítulos primeros del libro. Pese a que es una parte eminentemente general, pensamos que no está de más en esta obra: casi nunca se han estudiado en nuestras facultades la onda acústica ni la percepción del sonido, y si no se conocen estos dos aspectos, malamente se podrán comprender las características acústicas del sonido. La única fonética que se suele enseñar es la fisiológica, y ésta bien pobre y con graves equívocos.

Este aspecto didáctico se hace también patente en la insistencia, ante numerosos espectrogramas, de los rasgos que caracterizan nuestros sonidos, y en la comparación de unos con otros.

Daríamos por bien pagado nuestro esfuerzo, si al final del estudio de esta modesta introducción a la fonética acústica, el lector pudiese interpretar espectrogramas y acometer los análisis por su cuenta. Este aspecto no es nada difícil, y las dificultades que se presentan se resuelven con la práctica, como siempre.

Este trabajo no podría llevar la adjetivación *española* si no hubiésemos reflejado toda la teoría y toda la didáctica sobre nuestro sistema fónico, si no hubiésemos buscado los índices acústicos de las realizaciones de nuestros fonemas. Establecer de modo definitivo y por igual las características acústicas de una lengua tan extendida como la nuestra es una labor ardua y larga, que pasa desapercibida, la mayoría de las veces, al leer las características de un sonido. Cuando al describir por ejemplo [θ], decimos que los formantes muestran determinadas transiciones, que es mate, que es menos intensa que [s], que su frecuencia aparece a los 6.400 Hz, aproximadamente, en un contorno determinado, y referimos estos datos a un espectro determinado que damos en la figura correspondiente, no quiere decir que el único ejemplo analizado sea el del espectrograma que aparece junto a la descripción; por el contrario, ese espectrograma es uno que hemos elegido porque responde mejor que ningún otro a las características medias de muchos espectrogramas analizados —a veces cientos— de muchos informantes. Cuando afirmamos que nuestros alófonos vocálicos se realizan en distribución libre, no deducimos esta afirmación de los análisis de los informantes que aparecen en la obra: ellos son sólo una ejemplificación; detrás quedan muchísimas otras vocales, muchísimos otros informantes y muchos análisis cinerradiográficos que apoyan lo que aquí podría parecer una conclusión ligera de unos cuantos datos.

Pese a nuestro esfuerzo, a los muchos años que llevamos trabajando en este proyecto, esta obra es aún incompleta. Quedan problemas por resolver: unos, en el ámbito de la fonética general; otros, en el de la española; ambos, en definitiva, afectan a nuestra lengua. Pensemos, por ejemplo, en la nasalidad y en la entonación, con tantas teorías tan contradictorias, pero que casi todas, de un modo o de otro, demuestran una verdad; verdad a medias, porque cuesta llegar a un común denominador. Otros problemas, como la sílaba, parecen estar resueltos de un modo teórico, pero sobre el terreno, sobre un sonograma, los problemas siguen siendo numerosos.

El problema de los diptongos, y con él el de las llamadas semivocales y semiconsonantes creemos tenerlo resuelto, pero aún no poseemos la seguridad absoluta. Por ello, no es de extrañar que algunas partes del libro como, por ejemplo, las referidas aparezcan sólo esbozadas.

Este trabajo también es desigual en cuanto a la procedencia de los materiales allegados: la mayoría pertenecen al español europeo, aunque también es preciso decir que los principales fenómenos fónicos de Hispanoamérica encuentran su representación adecuada.

Estas lagunas se irán rellenando poco a poco; que no hay mejor acicate en la investigación que saberse a medio camino de problemas por resolver.

Conocedor de lo que quedaba aún por hacer, hemos estado tentados muchas veces de interrumpir la recopilación de datos y su ordenación, así como su presentación sistemática hasta tener resueltos todos los problemas; pero, ¿cuándo hubiese sido esto? No lo sabemos: muchas veces es la técnica, ese ansiado diosecillo que, de cuando en cuando, trae algún ingeniero de la mano —como en el caso del acento, o en el de los índices acústicos de las explosivas—, la que demora su aparición y, por lo tanto, la solución del problema; otras es la larga acumulación de datos resultantes de mediciones de innumerables documentos acústicos lo que retrasa la elaboración final de un trabajo; otras, en fin, es la intuición, que llega inesperadamente. Pero pensando que los datos que conocíamos en este momento eran muchos más que los que ignorábamos, y que podían ser útiles para muchas personas —como ya lo fueron, los mismos que aquí damos, desde hace mucho tiempo, en resolución de juicios, en la elaboración de tests de inteligibilidad, en mejorar procedimientos de comunicación en condiciones normales y adversas—, hemos decidido recopilarlos y hacerlos públicos.

Los avances de las investigaciones, propias y ajenas, irán completando o modificando el panorama de este vasto campo. Mientras tanto, aquí ofrecemos lo que hasta hoy conocemos con el deseo de ser útil a los investigadores y estudiosos de la teoría de la comunicación que se interesan por nuestra lengua [1].

Agradezco a mi amigo y compañero Miguel José Pérez el cuidado que ha puesto en la corrección de las pruebas y sus valiosas sugerencias.

---

[1] Para la descripción fonológica de la lengua española, remitimos a la *Fonología española*, de Emilio Alarcos Llorach.

SIGLAS USADAS

AJPs = *American Journal of Psychologie*. Austin, Texas.

ANPhE = *Archives Néerlandaises de Phonétique Expérimentale*. La Haya.

BFUCh = *Boletín de Filología*. Universidad de Santiago de Chile.

BICC = *Thesaurus. Boletín del Instituto Caro y Cuervo*. Bogotá.

BSLP = *Bulletin de la Société de Linguistique de Paris*.

CFS = *Cahiers Ferdinand de Saussure*. Genève.

CILFR = *Congrès International de Linguistique et Philologie Romanes*.

CPh = *Collectanea Phonetica*. Madrid, C. S. I. C.

FR = *The French Review*. Baltimore.

IRAL = *International Review of Applied Linguistics in Language Teaching*. Frankfurt.

JASA = *Journal of Acoustical Society of America*. New York.

JEP = *Journal of Experimental Psychology*. Washington.

L and S = *Language and Speech*. London.

MFE = *Memoirs of the Faculty of Engineering*. Nagoya University. Japón.

MLJ = *Modern Language Journal*. Michigan.

MPh = *Le maître phonétique*. Londres.

MSLL = *Monograph Series on Languages and Linguistics*. Georgetown University. Washington, D. C.

NSpr = *Die Neueren Sprachen*. Marburg.

PMLA = *Publications of the Modern Language Association of America*. Washington.

P 3th ICA = *Proc. of the Third Int. Congr. of Acoustics*. Stuttgart, 1959. Amsterdam, 1961.

P 5th ICA = *Proc. of the Fifth Int. Congr. of Acoustics*. Liège, 1965.

P 7th ICL = *Proc. of the Seventh Int. Congr. of Linguists*. London, 1952. London, 1956.

P 8th ICL = *Proc. of the Eighth Int. Congr. of Linguists*. Oslo, 1957.

P 9th ICL = *Proc. of the Ninth Int. Congr. of Linguists.* Mass., 1962. The Hague, Mouton, 1964.

P 10th ICL = *Proc. of the Xth Int. Congr. of Linguists.* Bucarest, 1967. Editions de l'Académie de la République Socialiste de Roumanie, 1970.

P 4th ICPhS = *Proc. of the Fourth Int. Congr. of Phonetic Sciences.* Helsinki, 1961. The Hague, 1962.

P 5th ICPhS = *Proc. of the Fifth Int. Congr. of Phonetic Sciences.* Münster, 16-22 august, 1964. Ed. by E. Zwirner. Basel, New York, S. Karger.

P 6th ICPhS = *Proc. of the Sixth Int. Congr. of Phonetic Sciences.* Praga, 1967.

P 7th ICPhS = *Proc. of the Seventh Int. Congr. of Phonetic Sciences.* Montréal, 1971. The Hague, Mouton, 1972.

RDTP = *Revista de Dialectología y Tradiciones Populares.* Madrid.

RFE = *Revista de Filología Española.* Madrid.

RLA = *Revista de Lingüística Teórica y Aplicada.* Universidad de Concepción. Chile.

SL = *Studia Linguistica.* Lund.

SoI = *Symposium on Intonology.* Praga, octubre 1970; ed. Milan Romportl y P. Janota. *Phonetica Pragensia,* III, 1972.

SPh = *Studia Phonetica.* Montréal, Paris, Bruxelles.

TCLC = *Travaux du Cercle Linguistique de Copenhague.*

TCLP = *Travaux du Cercle Linguistique de Prague.*

TIPhS = *Travaux de l'Institut de Phonétique de Strasbourg.*

TrLiLi = *Travaux de Linguistique et de Littérature.* Strasbourg.

ZfPh = *Zeitschrift für Phonetik.* Hamburg.

I

INTRODUCCIÓN

1.0. En 1948, el lingüista americano Martin Joos declaraba: «Acoustics is now in its infancy» [1]. Han pasado desde entonces treinta y dos largos años. A partir de aquel momento, la bibliografía sobre la fonética acústica ha aumentado considerablemente; a pesar de ello, aún queda mucho camino por recorrer, sobre todo, teniendo en cuenta que los estudios monográficos realizados tienen una repartición muy desigual: hay aspectos o partes de esta moderna disciplina abundantemente tratados y casi perfectamente conocidos, mientras que sobre otros apenas si existe alguna monografía [2].

El comienzo tan tardío de la fonética acústica, con el sentido que hoy le damos, no nos puede extrañar: debemos tener en cuenta que su desarrollo ha seguido muy de cerca los pasos de la moderna electroacústica, y ésta surgió, realmente, muy pocos años antes de la segunda contienda mundial [3]. La fonética anterior a esta época era totalmente fisiológica o articulatoria; el progreso de la anatomía permitió conocer muy pronto los órganos de fonación y realizar las descripciones de los sonidos ar-

---

[1] *Acoustic Phonetics*, pág. 5.

[2] Una importante visión de conjunto con abundantes datos bibliográficos nos proporcionó el trabajo de Pierre Delattre, 1958, vigente en el momento actual.

[3] Pensemos que el primer magnetófono, tal como nosotros lo conocemos hoy, apareció en 1940, debido a los alemanes Braunmühl y Weber.

ticulados; de ahí que todos los manuales de fonética e incluso los de fonología basasen sus explicaciones o estableciesen sus contrastes sobre los rasgos articulatorios. La obra de R. Jakobson, G. Fant y M. Halle, *Preliminaries to Speech Analysis* [4], cambió por completo el panorama: en ella, los autores establecieron toda una serie de oposiciones binarias basadas exclusivamente en los rasgos acústicos de las realizaciones fonemáticas. La *Fonología española*, de Emilio Alarcos Llorach [5], siguió en sus descripciones acústicas la obra anteriormente mencionada, y del mismo modo, todas las modernas fonologías generativas especifican sus morfofonemas por medio de rasgos acústicos [6].

Por otro lado, ya en las *Thèses* publicadas en los *Travaux du Cercle Linguistique de Prague*, 1, 1929, se dice: «*Importancia del aspecto acústico*. El problema del finalismo de los fenómenos fonológicos hace que, en el estudio del aspecto exterior de estos fenómenos, sea el análisis acústico el que deba destacarse en el primer plano, pues es precisamente la imagen acústica y no la imagen motriz la que es enfocada por el sujeto hablante» (pág. 10).

1.1. FONÉTICA ACÚSTICA Y FONÉTICA AUDITIVA

Se ha dicho algunas veces que la fonética acústica existió desde la más remota antigüedad, ya que la descripción que del sonido articulado hicieron los gramáticos griegos se basaba sobre todo en la impresión auditiva que les causaba su percepción. Nosotros no estamos totalmente de acuerdo con esta afirmación. Creemos que es necesario hacer hoy una distinción, tan necesaria como imprescindible, entre fonética acústica y fonética auditiva: la *fonética acústica* deberá ocuparse de estudiar los componentes que conforman la onda sonora compleja de los sonidos articulados, y de buscar cuál o cuáles de ellos son im-

---

[4] Cambridge, Mass., 1952.
[5] 4.ª ed., reimpresión, Madrid, 1968.
[6] Robert T. Harms: *Introduction to Phonological Theory*, New York, 1968; N. Chomsky y M. Halle: *The Sound Pattern of English*, New York, 1968; M. Halle: *The Sound Pattern of Russian*, La Haya, 1959, etc.

prescindibles para su reconocimiento. Por otro lado, la *fonética auditiva* se interesará por la percepción del sonido con toda la problemática que esto lleva consigo. Hecha esta distinción es fácil comprender que las clasificaciones realizadas en la antigua Grecia y transmitidas al mundo occidental, a través de los textos gramaticales latinos, fueron clasificaciones auditivas, no acústicas; descripciones, si queremos, meramente impresionistas, como las que se han hecho, y aún se hacen, en los trabajos de Geografía Lingüística y de Dialectología.

1.2. FONÉTICA ACÚSTICA Y FONÉTICA ARTICULATORIA

La fonética articulatoria o genética ha sido la única utilizada durante mucho tiempo, y la que aún hoy se utiliza en las descripciones de lenguas, sobre todo con un carácter pedagógico. Todavía le falta tiempo a la fonética acústica para alcanzar la generalización de la articulatoria.

Al existir dos aspectos de la misma disciplina, si prescindimos del auditivo, se plantea inmediatamente la cuestión de saber cuál de ellos es más adecuado para la descripción de los sonidos del lenguaje y para el establecimiento de los rasgos distintivos de los fonemas.

Evidentemente, la aceptación de uno no implica la negación del otro: los dos se complementan; la fonética articulatoria es el origen de la acústica; por otra parte, la fonética articulatoria de hoy no es la fonética estática tradicional, del mero análisis radiográfico y palatográfico de las articulaciones intencionadas, y con los órganos en posición de reposo, sino una fonética «dinámica», realizada sobre documentos obtenidos de filmes radiológicos, donde los procesos de asimilación, de anticipación articulatoria, etc., son bien patentes.

Comparemos algunos aspectos de ambas:

1. Las dos fonéticas están, en definitiva, involucradas en un fenómeno más amplio que es el proceso de comunicación. En él, lo que importa es la identificación de los fonemas por parte

del oyente. Si nos fijamos en la fig. 1.1, la realización acústica
es la más próxima al receptor del mensaje, es la que llega a sus
órganos auditivos y se dirige directamente, bajo otra forma,
como ya veremos, a su cerebro.

Pero, si es cierto que en la comunicación el aspecto acústico
parece ser el más importante, no es menos cierto que los hábitos motrices articulatorios desempeñan un papel importante
en la identificación lingüística de la onda acústica recibida [7].

2. Para la fonética articulatoria tradicional, cada posición
de los órganos articulatorios daba origen a un sonido determinado, y la más leve modificación de ese estado originaba uno
nuevo. De ahí el concepto de *punto de articulación*, vital en la
época. Pero la aparición de la acústica, y la aparición, en el
propio campo de la fonética articulatoria, de los filmes radiológicos, han puesto de relieve la inexactitud de esos criterios.
Veamos algunos ejemplos:

Los manuales de fonética nos dicen que la diferencia entre
[s] y [ʃ] reside en el lugar de articulación: [s]: dental o alveolar; [ʃ]: prepalatal. Sin embargo, podemos articular una
[s] prepalatal y una [ʃ] dental o alveolar. Lo importante no es
el lugar de articulación, sino la diferente posición articulatoria
de la lengua para ambas consonantes: en la articulación de [s],
la parte posterior del dorso de la lengua está baja, formando
una concavidad, mientras que para [ʃ] está alta, formando una
convexidad. Esta diferente posición lingual origina diferencias
en los resonadores bucales; y estas distintas resonancias corresponden a una diferencia acústica, que se traduce, como veremos
más adelante, en que el comienzo de la zona de turbulencias
propias de [s] tiene una frecuencia más elevada que el de [ʃ].
Es, por lo tanto, más importante para el reconocimiento de [s]
y [ʃ] su estructura acústica que su lugar de articulación (Malmberg, *1952*, 72-73).

En el inglés americano existen dos tipos de realizaciones individuales de /r/, cuya articulación es muy diferente: uno, el
retroflejo, con el ápice de la lengua elevado hacia la región pre-

---

[7]   Véase, por ejemplo, A. M. Liberman *(1957)*.

palatal (lengua cóncava), y otro, con el mediodorso lingual elevado hacia la región mediopalatal (lengua convexa). Ambas realizaciones son percibidas como fonemas idénticos y, además, su espectro acústico es también idéntico (Delattre, *1967*).

La diferencia en la estructura acústica, y no la posición de los órganos articulatorios, es lo que distingue [ø] de [e]. Normalmente, el [ə] francés inacentuado se caracteriza como una vocal anterior labializada y el [ə] inglés como una vocal mixta no labializada. Desde el punto de vista articulatorio, ambos [ə] son dos tipos vocálicos totalmente diferentes, y, sin embargo, su semejanza acústica es indiscutible. El [ə:] inglés de *girl* es también una vocal mixta no labializada, pero el oído lo atribuye sin duda alguna al mismo tipo acústico que el [œ] francés de *heure* (Malmberg, *1952*, citado por *1971*, 99).

La cuestión del reconocimiento de dos posiciones articulatorias diferentes como un mismo fonema, y el que den como resultado un mismo espectro acústico se debe al conocido fenómeno de la compensación, que nos permite realizar la misma imagen acústica de diferentes maneras: una [e] puede convertirse en [ø] reduciendo el orificio labial, pero puede obtenerse el mismo efecto retrasando la posición de la lengua: el resultado acústico es idéntico y se traduce en el espectro por medio del descenso del segundo formante, como veremos más adelante [8]. Por ello, una de las funciones de la fonética articulatoria actual será la determinación de la forma y volumen de los

---

[8] V. Malmberg, *1952*, 73-102. Delattre *(1967*, 177) dice sobre el fenómeno de la compensación: «Ahora, los avances técnicos en el campo de la cinerradiografía han proporcionado una nueva evidencia al sugerir que movimientos articulatorios muy diferentes pueden producir sonidos que se perciben como un mismo fonema.»

Armando de Lacerda ya indicó también que «La continua diferenciación articulatoria no provoca una continua diferenciación acústica. En primer lugar, se comprueban los movimientos de compensación. Sabemos que un sonido puede ser emitido de varias formas sin que tal hecho motive una diferenciación acústica, articulando el sonido distintamente. El hecho de que los fonemas presenten una zona media más o menos estable confirma el principio de la compensación articulatoria» *(Estructura fónica,* Coimbra, 1939, pág. 12).

resonadores que se forman en la cavidad bucal, en la realización de las diferentes articulaciones.

3. Los datos proporcionados por los análisis acústicos son más objetivos, más fáciles de manejar y menos numerosos que los articulatorios. El dato acústico se refleja en el formante del espectro del sonido, mientras que para el dato articulatorio es necesario un número muy elevado de mediciones —teóricamente infinito— que reflejen las distintas distancias entre los órganos articulatorios, órganos que, por otra parte, adoptan curvas muy complejas.

Por ello, parece que los datos proporcionados por la fonética acústica son más objetivos, adecuados y más constantes que los de la fonética articulatoria para la descripción fónica y para la comunicación humana, sin que por ello queramos decir que esta última sea menos interesante ni menos importante que aquélla [9].

1.3. EL PROCESO DE COMUNICACIÓN

1.3.0. El proceso de la comunicación lingüística, sumamente complicado, lo podríamos reducir, simplificándolo mucho, al siguiente esquema [10]:

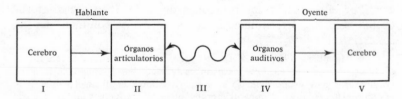

FIG. 1.1. *Esquema de la comunicación humana*

---

[9] V. también B. Hála: «L'importance de la phonétique acoustique, son état actuel et ses tâches». *TrLiLi*, V, 1967, 161-167.

[10] Un esquema más completo de la producción y percepción del sonido puede verse en Georges Straka, 1965, 3.

En él hemos supuesto el caso más común, el de dos personas: un hablante y un oyente. El mismo ciclo se puede establecer sobre una misma persona.

En la figura, las fases I y II corresponden al hablante, y las IV y V, al oyente. Entre estas fases está la III que es la que sirve de unión, de enlace o de vehículo de comunicación. Estas fases pueden dividirse del siguiente modo:

a) *Dos fases psíquicas:* la I y la V. El punto de partida del acto de habla es un hecho eminentemente psíquico, que crea impulsos de orden neurofisiológico, los cuales se transmiten a los órganos de la fonación; esto constituye la fase I. La fase V es la de conversión de ciertos impulsos de orden material, físico, como ya veremos, en un aspecto neurofisiológico, y a su vez su traducción nuevamente en un fenómeno psíquico que conlleva la comprensión del mensaje percibido.

b) *Dos fases fisiológicas:* la II y la IV. La fase II comprende todos los órganos de la fonación y es la sede de la producción del sonido articulado. Esta es la fase que más adelante llamaremos *productora*, fase sin la cual no puede existir comunicación exterior. Esta fase es, además, por las razones que hemos dado más arriba, la mejor conocida, y su estudio, desde el punto de vista lingüístico, lo realiza la fonética articulatoria. La fase IV es la auditiva, es la perceptora de la onda acústica en toda su complejidad, considerada no de un modo analítico, sino sintético.

c) *Una fase acústica:* la III. Esta fase está constituida por las distintas ondas acústicas complejas que conforman cada uno de los sonidos.

1.3.1. Desde el punto de vista psicológico, la comunicación fue definida por S. S. Stevens *(1950,* 689-690) como la «respuesta discriminatoria de un organismo a un estímulo». C. Cherry *(1961,* 6-7) puntualiza esta amplia definición, alegando que no es estrictamente una respuesta, sino más bien la relación que se establece entre la transmisión de los estímulos y la evocación de las respuestas, señalando, además, que en la noción de estímulo es necesario distinguir por lo menos entre el lenguaje humano y los signos comunicativos de los animales, y entre las lenguas, los códigos y los sistemas de signos lógicos.

Los lingüistas y los teóricos de la comunicación la definen como la transmisión de un lugar a otro de una determinada información. Todos los elementos que intervienen en esta transmisión integran el *sistema de comunicación*, constituido por los siguientes componentes:

1. Un *emisor* o *fuente de información*, que es el origen de lo que se va a comunicar; en nuestro caso, el hombre. La fuente de información debe seleccionar los distintos signos que forman un conjunto de alternativas, que denominamos, de un modo general, un *alfabeto* (letras, números, palabras impresas, alfabeto Morse, etc.). Esta selección, por medio de determinadas reglas, de signos convenidos previamente con el objeto de comunicar una información, constituye el *mensaje*.

2. Un *destino*, donde se recibe el mensaje. En nuestro caso, el *destinatario* también es el hombre.

3. La fuente de información y el destino están unidos en el espacio o en el tiempo por medio de un *canal* de transmisión, que es el medio material usado para la viabilidad de la información.

4. Entre la fuente y el canal se encuentra el *transmisor*, cuya misión es la de hacer pasar la información de la primera al segundo. La operación que efectúa el transmisor se denomina *codificación*, es decir, la conversión del mensaje estructurado en un código. El *código* es un conjunto de reglas no ambiguas, previamente convenidas, por medio de las cuales los mensajes se convierten de una representación en otra. Este código está formado por una serie de señales: sonidos, en el código del lenguaje hablado; signos gráficos, en el código del lenguaje escrito; gestos o símbolos, en cuanto convencionales, como los de la circulación. De este modo, toda lengua es un código: el español es uno, el francés otro, etc.

5. Un *receptor*, entre el canal y el destino, que realiza una nueva transformación al convertir la información transmitida

en su forma original; es decir, realiza una operación inversa a
la del transmisor: la *descodificación* del mensaje[11].

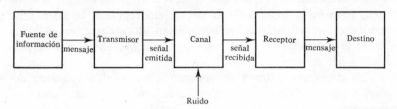

Fig. 1.2. *Esquema de la comunicación*

El transmisor es, en el caso de la comunicación oral, el aparato vocal (fonador) del hombre, que transforma la información
en ondas sonoras; en la comunicación escrita sería el acto de
escribir. El receptor, en la comunicación oral, es el oído, que
transforma las ondas sonoras en actividad nerviosa, en su punto
de destino; en la comunicación escrita, son los ojos del lector.
El canal, en la comunicación oral, es el aire, portador de las
ondas acústicas; en la comunicación escrita, el lugar donde hemos escrito. Este canal puede tener una dimensión espacial
(información visual o acústica), temporal (escritura, grabaciones
sonoras), o una combinación de las dos. Al mismo tiempo, puede ser: natural, cuando el receptor es un órgano de percepción
del hombre (o más de uno), y artificial, cuando el receptor in-
mediato es una máquina (magnetófono)[12].

En el caso de la comunicación hablada, el proceso es como
sigue: en el cerebro del sujeto emisor se produce la codificación: los fenómenos extralingüísticos se estructuran lingüísticamente de acuerdo con el código de la lengua empleada; esta

---

[11] Un magnífico esquema de las fases principales de un proceso de
comunicación puede verse en Malmberg, *1969*, 52-53.

[12] Otro sistema de comunicación es, por ejemplo, el telégrafo: la fuente proporciona un sistema de letras; el transmisor las transforma en puntos, rayas e intervalos; el canal es el aire o el hilo conductor; el receptor
transforma la señal de puntos, rayas e intervalos en letras y la información
llega a su destino.

codificación se traduce en una secuencia de fonemas diferenciados, que son transferidos en forma de impulsos nerviosos a los órganos fonadores, los que, a su vez, originan una onda acústica. Esta onda llega al oído del sujeto receptor en forma de estímulos acústicos que se transmiten al cerebro; en él tiene lugar la descodificación del mensaje, que precede a la interpretación del mismo.

En cualquier sistema de comunicación pueden aparecer defectos que originen una pérdida de información. Estos defectos o errores se producen en la codificación o descodificación del mensaje, a causa del defectuoso conocimiento del código por parte de alguno de los polos de la comunicación o por algún defecto en el propio canal. Todos estos errores se conocen con el nombre de *ruido*. Si un sistema de comunicación tiene muchas posibilidades de errores, se dice que es ruidoso, y, lógicamente, cuanto más elevado es el ruido en el sistema más difícil es el logro de una buena información.

El proceso de comunicación en las lenguas naturales se ve complicado por una serie de factores que es menester tener en cuenta. En primer lugar, las unidades del lenguaje están jerarquizadas: las unidades de nivel inferior se reúnen para formar unidades de nivel superior: los fonemas, en morfemas; los morfemas en lexías, etc. En cada uno de estos niveles, estas unidades tienen una cierta frecuencia de aparición, y esta frecuencia condiciona la posibilidad combinatoria de las unidades del nivel inferior, a partir de las cuales se construyen las unidades correspondientes. En segundo lugar, hay que tener en cuenta el aspecto psicológico del comportamiento humano, que reacciona más favorablemente a determinadas series de estímulos que a otras [13].

1.3.2. Hemos analizado antes reiteradamente el término información, con el sentido de ser el objeto de la comunicación. La información representa la medida de nuestra libertad de elección al escoger un mensaje del conjunto de mensajes dispo-

[13] V. G. Ungeheuer, *1967*, 161-163.

nibles. Ahora bien, esta información no se puede llevar a cabo si los elementos que la forman no son oponibles. Según Miller *(1956, 59 y sgs.)*, el término información se refiere a «la aparición de un estímulo que pertenece a un conjunto de estímulos discriminativos oponibles. Un estímulo discriminativo es un estímulo que está arbitraria, simbólicamente, asociado a un objeto (o a un estado, un acontecimiento o una cualidad) y que permite al organismo estimulado distinguir este objeto de otros objetos. El *contenido de la información* se refiere a este estímulo de discriminación particular que aparece. La *cantidad de información* se refiere al campo de alternativas que podrían aparecer».

La cantidad de información que es capaz de suministrar un estímulo depende del número de elecciones posibles o alternativas y de la probabilidad de ocurrencia.

a) *La cantidad de información es directamente proporcional al número de elecciones posibles.* Si existen solamente dos estímulos oponibles, cada uno de ellos aporta muy poca información, pero si existen 10.000 alternativas (el número de ideogramas chinos, por ejemplo), la información que proporciona cada uno de ellos es mucho mayor. Como lo que nos interesa en la teoría de la información es la información distintiva, como hemos dicho, no podemos determinar la cantidad de información que transmite un estímulo, por el examen de ese estímulo sólo, sino por su relación con los demás, es decir, teniendo en cuenta el número de elecciones que podría haber realizado el hablante y las que ha efectuado en realidad. O, dicho de otro modo, la cantidad de información mide la libertad de elección del que habla cuando escoge un mensaje. Es una media, no de un mensaje particular, sino de una situación global.

Desde el punto de vista matemático, se puede definir *la cantidad de información como el logaritmo del número de elecciones* (Shannon). Por ejemplo, un estímulo que pertenezca a un conjunto de 10 elecciones posibles dará la mitad de cantidad de información que si perteneciese a un conjunto de 100 elecciones posibles, y la tercera parte de cantidad de información si perteneciese a un conjunto de 1.000 elecciones posibles.

b) Pero además de este número de elecciones posibles, hay que tener en cuenta la frecuencia relativa (probabilidad) de aparición de cada estímulo. Cualquier unidad que tomemos (letra, fonema, parte del discurso, etc.) tiene mayores probabilidades de aparecer en una posición determinada en una secuencia que en otra. Esta frecuencia relativa, según pone de manifiesto la estadística, es diferente para cada unidad y para cada lengua. Por lo tanto, la cantidad de información de una unidad determinada se define en función de su *probabilidad*.

Vamos a suponer el caso más fácil: el de una lengua cuyas unidades tengan la misma probabilidad de aparición, y se puedan elegir independientemente unas de otras: si estas unidades son equiprobables en un contexto dado, todas tienen la misma cantidad de información en ese contexto. Si esta lengua tiene n unidades diferentes y, si al ser equiprobables, la aparición de una de estas n unidades no influye en la siguiente, la probabilidad px de aparición de una unidad x en cualquier posición de la sucesión de unidades es siempre $1/n$. Supongamos que hay dos unidades equiprobables x e y que pueden figurar en el contexto; cada una de ellas aparecerá, por término medio, la mitad de veces en ese contexto: su probabilidad es $1/2$; por lo tanto, en este caso $px = 1/2$ y $py = 1/2$. Si fuesen 100 las unidades, la probabilidad de una de ellas, pz, sería $pz = 1/100$. De un modo general, cada unidad de un conjunto de n unidades equiprobables $(x_1, x_2, x_3, x_4 \dots x_n)$ tiene una probabilidad de $1/n$. Hay que tener en cuenta, además, que la suma de todas las probabilidades de un conjunto, independientemente de que sean equiprobables o no, es 1. Por ello, si son equiprobables, la cantidad de información de cada una de ellas es la misma.

Evidentemente, esta lengua es utópica: las secuencias se construirían sacando al azar de una urna (y volviéndolas a introducir otra vez), una por una, todas las unidades. Estas secuencias serían ininteligibles. La única ventaja de esta lengua es la facilidad de determinación de la cantidad de información de cada unidad que codifica.

Pero en las lenguas naturales esto no ocurre: sus unidades no son equiprobables y, además, existen preferencias por determinadas secuencias de unidades, preferencias que se traducen en una mayor frecuencia relativa y, por consiguiente, en una mayor predictibilidad. Por lo tanto, las unidades sucesivas no son independientes.

Supongamos que en una lengua, en la que sus unidades no son equiprobables, existen dos unidades x e y; x aparece, por término medio, con una frecuencia dos veces mayor que y; entonces $px = 2/3$ y $py = 1/3$. La cantidad de información de x es la mitad que la de y. Es decir, que la *cantidad de información es inversamente proporcional a la probabilidad:* la información transmitida por un signo disminuye conforme aumenta su probabilidad de ocurrencia. Por ejemplo, en el español la aparición de la preposición *a* en secuencias como *voy... comer,* etc., es totalmente predecible; como no está en oposición paradigmática en ese contexto con otra unidad, su probabilidad es 1, y su cantidad de información, 0; si se omitiese, no se perdería ninguna información: es totalmente *redundante.* En los casos mencionados más arriba de $px = 2/3$ y $py = 1/3$, evidentemente, ninguna de las dos unidades es redundante, pero podemos ver que la omisión de x tiene menos importancia que la de y: como la frecuencia de aparición de x es dos veces mayor que la de y, el receptor de un mensaje tiene dos posibilidades más de predecir la posición de x que la de y. La redundancia es una cuestión de proporción: la de x es el doble que la de y. En general, cuanto mayor sea la probabilidad de una unidad, tanto mayor será su proporción de redundancia, y más bajo es su contenido de información [14].

---

[14] Lyons, *1973,* 67. La redundancia tiene sus ventajas. Si existe una relación entre las unidades del mensaje, de tal modo que la probabilidad de aparición de una unidad depende de la unidad que precede o sigue, se reduce la cantidad de información que transmite esa unidad; pero gracias a esta dependencia, si se pierde o deforma (a causa del ruido, por ejemplo) alguna parte del mensaje, no se pierde la comunicación. El receptor puede adivinar lo perdido con la ayuda de las unidades vecinas. Si todas las unidades fuesen totalmente independientes, sin relación alguna entre ellas, las posibilidades de pérdida de comunicación serían enormes. Por ello, las lenguas naturales poseen una gran cantidad de redundancia.

La cantidad de información se mide generalmente en *bits* (*binary digits, dígitos binarios;* algunas veces también se denominan *binits*). Esta medida de la información está basada en un sistema de principio binario, o sistema con dos estados, que es el más usado en los sistemas físicos de almacenaje y transmisión de información. De este modo, cualquier información puede ser codificada en el alfabeto Morse, por ejemplo, bajo la forma de una señal de duración larga o corta; en otro tipo de transmisión por medio de carga eléctrica positiva o negativa; en cinta magnetofónica, por medio de una serie de posiciones magnetizadas o no magnetizadas. El clásico juego de adivinar algo por medio de preguntas que sólo pueden tener respuesta *sí* o *no* es también un sistema binario; etc.

Según la teoría de Hartley [15], la información consiste en una serie de instrucciones lógicas que hacen posible la selección por parte del receptor. Tomemos, como muestra la fig. 1.3, un alfabeto compuesto sólo de ocho signos:

Signo	1.ª	2.ª	3.ª	selecciones
A	1	1	1	
B	1	1	0	
C	1	0	1	
D	1	0	0	
E	0	1	1	
F	0	1	0	
G	0	0	1	
H	0	0	0	

FIG. 1.3. *Código binario de selecciones (en el texto)*

A, B, C..., H. La fuente selecciona un signo, y la pregunta es: ¿Cuánta información debe dar el receptor para identificar co-

---

[15] V. Colin Cherry, *1961*, 171.

rrectamente el signo? (la probabilidad de seleccionar cada signo de este alfabeto es la misma, o sea, 1/8). El receptor para seleccionar pregunta: ¿Está en la primera mitad del alfabeto, *sí* o *no*? (en la figura, *sí* = 1, *no* = 0). La duda se reduce a la mitad. Una segunda pregunta del mismo tipo divide cada mitad en otras dos, y una tercera, nuevamente en otras dos. En el caso propuesto, sólo tres instrucciones *sí*, *no* sirven para identificar uno cualquiera de estos ocho signos. Estas instrucciones *sí*, *no* reducen a la mitad el grado de duda: son los dígitos binarios o bits, que se usan como *unidades de cantidad de información.* En la fig. 1.3, cada signo se identifica por una secuencia diferente de dígitos 1, 0: así, *E* por 011, *H* por 000, etc.

En este caso, hemos codificado un conjunto de 8 elementos en grupos de 3 cifras binarias, o lo que es lo mismo: necesitamos 3 bits de información para la selección de cada uno de estos 8 signos, es decir: $2^3 = 8$ (siendo 2 la base del sistema binario), o $\log_2 8 = 3$. De un modo general, podemos decir que

[1] $$H = \log_2 n$$

(siendo H = cantidad de información en bits; n = número de unidades que es necesario distinguir).

Hemos visto antes que la probabilidad, p, de aparición de una unidad determinada es inversamente proporcional al número de unidades o de posibilidades equiprobables, n:

$$p = \frac{1}{n} \qquad o \qquad n = \frac{1}{p}$$

De este modo, la cantidad de información sería

[2] $$H = \log_2 \frac{1}{p}$$

Si las distintas unidades no son equiprobables, cada una tiene su propia cantidad de información; la de la unidad x sería:

$$h_x = \log_2 \frac{1}{p_x}$$

la de la unidad y:

$$h_y = log_2 \frac{1}{p_y}$$

El valor medio, H, vendría dado por la suma de los productos de la probabilidad por la cantidad de información de cada unidad:

$$H = p_x \, h_x + p_y \, h_y + \dots p_z \, h_z$$

de donde

$$H = \sum_i p_i \, h_i$$

(i = cada unidad; H es, en este caso, la suma de todos los productos ph).

Si $h = log_2 \dfrac{1}{p}$,

[3]
$$H = \sum_i p_i \, log_2 \frac{1}{p_i}$$

o, lo que es lo mismo,

[4]
$$H = - \sum_i p_i \, log_2 \, pi$$

(El signo — hace H positivo, porque los logs. de pi son fracciones.)

Supongamos que dos unidades x e y no son equiprobables: x tiene un 90 % de posibilidades de aparición, e y un 10 %. La probabilidad de x es: $p_x = 0,9$; la de y: $p_y = 0,1$. La cantidad de información de x es:

$$h_x = log_2 \frac{1}{p_x} = log_2 \frac{1}{0,9} = log_2 \, 1,11 = 0,15 \text{ bit}$$

La cantidad de información de y es:

$$h_y = log_2 \frac{1}{p_y} = log_2 \frac{1}{0,1} = log_2 \, 10 = 3,22 \text{ bits}$$

La posibilidad x, con su 90 %, proporciona menos cantidad de información que la posibilidad y.

La cantidad de información media para una serie de apariciones de x e y vendría dada por la cantidad de información de cada unidad multiplicada por su probabilidad:

$$(0,15 \cdot 0,9) + (3,22 \cdot 0,1) = 0,457 \text{ bit.}$$

Más arriba hemos aludido muy rápidamente al fenómeno de la *redundancia*. Volvamos a él de nuevo, ya que, a pesar de lo poco feliz del término, es muy útil en los procesos de comunicación. La simple repetición de una señal es el modo más elemental de introducir redundancia. Recordemos que cuando hay un código de dos unidades equiprobables, x e y, su probabilidad es de 1/2: $p_x = 1/2$ y $p_y = 1/2$. La cantidad de información sería, en virtud de la fórmula [2], de 1 bit. Si estas dos unidades, que ahora llamamos A y B, se pueden emitir a un ritmo de una unidad por segundo, la capacidad de información de este código es de 1 bit por segundo. Si emitiésemos durante cuatro segundos, aparecería cualquiera de los mensajes siguientes, todos equiprobables:

AAAA AAAB AABA AABB ABAA ABAB ABBA ABBB
BAAA BAAB BABA BABB BBAA BBAB BBBA BBBB

Son 16 señales equiprobables que en virtud de [2] dan una capacidad de 4 bits. Como hemos emitido durante 4 segundos los 4 bits, resulta el cálculo anterior de 1 bit por segundo.

Si cada señal se repite dos veces, en cuatro segundos podemos emitir cualquiera de los siguientes cuatro mensajes:

AAAA AABB BBAA BBBB

reduciéndose la capacidad del código a 2 bits en cuatro segundos o, lo que es lo mismo, a la mitad: 1/2 bit por segundo.

La capacidad del código inutilizada al repetir la señal es la redundancia, que se puede definir como la diferencia entre la capacidad teórica de cualquier código y la media de la información transmitida. La fórmula de esta redundancia, según Shannon y Weaver, es:

$$r = \frac{Hmáx - H}{Hmáx} \times 100$$

o lo que es lo mismo

$$r = 1 - \frac{H}{Hmáx}$$

donde

H = cantidad de información (bits por unidad o por segundo).

$Hmáx$ = máximo de cantidad de información si todas las unidades fuesen equiprobables.

r se expresa en porcientos.

De este modo, podemos ahora definir la redundancia como la unidad menos la razón entre la cantidad de información transmitida y su hipotética cantidad máxima. En el caso anterior, al repetir cada señal dos veces, hemos introducido una redundancia del 50 %.

La redundancia es una propiedad de las lenguas, de los códigos y de los sistemas de signos que se origina por una serie de reglas superfluas, pero que contribuyen a facilitar la comunicación, a pesar de todos los factores de inseguridad que puedan surgir. Las lenguas humanas han llegado a tener tal número de reglas fonológicas, sintácticas, lexicales, etc., que algunas pueden ser violadas sin un detrimento serio para la comunicación; claro es que cuanto más las rompamos, más bajas son las posibilidades de una comunicación con éxito. Las reglas que se duplican o suplementan a otra proporcionan un gran margen de seguridad. Se pueden romper algunas reglas, pero no todas, si queremos permanecer dentro de la comunidad social [16]. Por ejemplo, refiriéndonos al campo de este trabajo, se ha calculado que la capacidad total del canal usado cuando hablamos (todas

---

[16] V. C. Cherry, *1961*, 18-19.

las frecuencias que nuestro aparato fonador puede producir y nuestro oído captar) es de 50.000 bits por segundo. Considerando los fonemas como los mensajes que hay que transmitir, utilizamos aproximadamente 50 bits por segundo. Es decir, la redundancia en el habla está situada alrededor de un 99,9 %. Pero esta redundancia es la que garantiza la transmisión del mensaje, pese a todos los ruidos que se puedan producir.

Tenemos sólo un conocimiento parcial de una fuente de información: podemos conocer sus propiedades en conjunto, el código, y determinadas restricciones de los mensajes y de las señales, pero no podemos conocer, a priori, las condiciones de la fuente, ni los mensajes exactos que puede revelar, etc.; por ello, queda siempre un grado de incertidumbre en la recepción del mensaje. Este grado de incertidumbre se conoce con el nombre de *entropía*, que a veces se define como lo opuesto de la información, ya que, por ejemplo, de un conjunto de señales que pueden aparecer, cada una que aparece proporciona una información que elimina la incertidumbre antes existente. Por eso, cuando todas las señales tienen la misma probabilidad, la entropía es máxima; cuando algunas tienen una probabilidad elevada y otras baja, la entropía es menor: la entropía de cada señal es directamente proporcional a la información que lleva consigo [17]. La misma medida se adopta para la entropía y para la información.

1.3.3. CANTIDAD DE INFORMACIÓN PROPORCIONADA POR LOS FONEMAS ESPAÑOLES.

El valor medio de la información de un número x_i de fonemas de una lengua, cuya probabilidad de ocurrencia es $p(x_i)$, sería, como hemos visto antes,

$$H = - \sum_i p(x_i) \log_2 p(x_i)$$

[17] V. Malmberg, *1969*, 62; Cherry, *1961*, 212-216; Ungeheuer, *1967*, 164-165.

Rango	Vocales			Consonantes		
	Fonema	*Frecuencia relativa de ocurrencia %*	$-p(x_i)\ log_2\ p(x_i)$	*Fonema*	*Frecuencia relativa de ocurrencia %*	$-p(x_i)\ log_2\ p(x_i)$
1	e	14,67	0,4062	s	8,32	0,2984
2	a	12,19	0,3701	N	4,86	0,2120
3	o	9,98	0,3318	t	4,53	0,2022
4	i	7,38	0,2775	d	4,24	0,1933
5	u	3,33	0,1634	l	4,23	0,1930
6				k	3,98	0,1851
7				r	3,26	0,1610
8				m	3,06	0,1539
9				n	2,78	0,1436
10				p	2,77	0,1433
11				b	2,37	0,1279
12				R	1,93	0,1099
13				θ	1,45	0,0885
14				g	0,94	0,0633
15				x	0,57	0,0425
16				f	0,55	0,0413
17				r̄	0,43	0,0338
18				ĵ	0,41	0,0325
19				λ	0,38	0,0306
20				ǰ	0,37	0,0299
21				D	0,31	0,0258
22				G	0,28	0,0237
23				ɲ	0,25	0,0216
24				B	0,03	0,0035
	Totales	47,55		Totales	52,30	

Frecuencia y cantidad de información de los fonemas españoles.

y la información de cada fonema, que tiene una frecuencia de ocurrencia propia,

$$I = -p(x_i) \ log_2 \ p(x_i)$$

Consideremos estos valores en el cuadro adjunto (Quilis, *1976*). La frecuencia de los fonemas está tomada del recuento estadístico realizado sobre 160.000 fonemas, en la lengua oral, efectuado por A. Quilis y M. Esgueva *(1980 a)* [18].

Si todos los fonemas fuesen equiprobables, el promedio de información por fonema hubiese sido aproximadamente

$$H = log_2 \ 29 = 4{,}85 \ bits$$

Si los fonemas se seleccionan independientemente, pero con probabilidades iguales a las frecuencias relativas que aparecen en el cuadro anterior, entonces

$$H = -\sum_i p(x_i) \ log_2 \ p(x_i) = 4{,}1 \ bits$$

lo que supone menos información y menor entropía que cuando son equiprobables.

---

[18] /B/: archifonema resultante de la neutralización p/b; /D/: archifonema resultante de la neutralización t/d; /G/: archifonema resultante de la neutralización k/g; /N/: archifonema resultante de la neutralización de las nasales en posición postnuclear; /R/: archifonema resultante de la neutralización r/r̄.

II

ACÚSTICA DEL SONIDO

Entre la producción del sonido por los órganos articulatorios y su percepción por los auditivos media un espacio que es el de su transmisión a través de un medio portador, que, en nuestro caso, es el aire. Realmente, la naturaleza de la transmisión del sonido articulado no difiere en nada, desde el punto de vista físico, de la de cualquier otro.

En la producción de cualquier sonido existen ciertas fases sin las cuales éste no se puede realizar:

1. Una *fase productora* o *fuente*, que es la creación de un movimiento, por cualquier agente, en un cuerpo determinado (sólido, líquido o gaseoso).

2. Una *fase de radiación*, que es la comunicación de este movimiento al cuerpo que nos va a servir de transmisor, de intermediario.

3. Una *fase de propagación* de este movimiento a través del cuerpo transmisor, en nuestro caso el aire.

4. Una *fase de recepción*: la llegada al oído de ese movimiento bajo la forma de cambios de presión en las partículas del aire; en el oído, el sonido ejerce su acción sobre los nervios auditivos, que a su vez provocan una determinada sensación sobre el cerebro.

5. Una *fase de percepción:* la identificación e interpretación de esas sensaciones que llegan al cerebro. Esta fase, a la que nos referiremos más adelante, está dentro del campo de la psicología experimental (o más limitadamente, de lo que algunos llaman psicofonética).

Para que se pueda efectuar la transmisión del sonido es totalmente imprescindible la existencia de un medio portador, cualquiera que sea; en el vacío nunca se transmite. Este es el límite máximo de incapacidad transmisora; pero entre los buenos conductores, como el aire, el agua, etc., y el vacío absoluto existen cuerpos que son muy malos transmisores: por ejemplo, los cuerpos blandos, como la cera, la manteca, o los cuerpos porosos, como el tejido, el algodón, etc.

El sonido se propaga a través del aire a una velocidad aproximada de 340 m/s (metros por segundo). En el agua, su velocidad es de 1.500 m/s; en el acero, de 5.000 m/s, aproximadamente, etc.

2.1. LAS ONDAS SONORAS

El sonido se puede definir como la descodificación que efectúa nuestro cerebro de las vibraciones percibidas a través de los órganos de la audición. Estas vibraciones se transmiten en forma de *ondas sonoras.*

Las ondas sonoras se originan, como hemos dicho, por la creación de un movimiento vibratorio en un cuerpo. Supongamos un diapasón. A causa de una percusión, sus puntas se ponen en movimiento y vibran, tal como lo muestra la fig. 2.1. Este movimiento produce una serie de choques contra las partículas de aire que hay a su alrededor. En la representación de la figura, las puntas del diapasón se mueven hacia afuera, ejercen una presión sobre las partículas de aire que hay a su alrededor y las comprimen. Estas partículas comprimen, a su vez, a las que están en su vecindad inmediata, y así sucesivamente. Cuando las puntas del diapasón han llegado a su punto de máxima separación comienzan a moverse hacia adentro. Las partículas de aire que están próximas se mueven hacia atrás, produciéndose lo que se denomina rarefacción. Esta rarefacción arrastra de fuera adentro (de adelante atrás), en capas sucesivas, las partículas de aire vecinas, que siguen el mismo camino que hicieron en la anterior compresión. Existen, por lo tanto, dos movimientos: el de compresión, debido a la presión del aire, y el

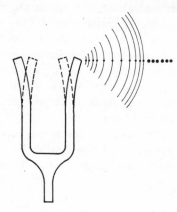

FIG. 2.1. *Representación esquemática de un diapasón en vibración*

de rarefacción, debido a la ausencia de presión; estos dos movimientos se expanden esféricamente desde el punto de producción. De este modo se transmite el movimiento vibratorio a través del aire. Cada una de las partículas se mueve hacia adelante y hacia atrás, longitudinalmente, mientras que las ondas de compresión se mueven hacia adelante progresivamente. De este modo, el oído del oyente experimenta momentos sucesivos de alta y baja presión, que afectan al tímpano, resultando de ello la sensación de sonido.

Cada partícula de aire se comporta como la bola de un péndulo. Si cuando el péndulo se encuentra en la posición de reposo *1* (fig. 2.2) recibe un cierto impulso, rápidamente se pondrá en movimiento trasladándose de la posición *1* a la posición *2*. La cantidad de impulso que ha recibido para iniciar su movimiento no le permite pasar del punto *2*; en este caso, el mencionado punto *2* es el de máximo alejamiento de su posición *1*, de reposo. Si hubiese recibido un impulso menor, no habría llegado al punto *2*. Cuando el péndulo ha llegado a este punto comienza su movimiento de regreso hacia la posición de reposo, *1*, pero como viene animado de una fuerza inicial, y de una velocidad determinada, no se detendrá en el punto *1*, sino que lo sobrepasará, y llegará al punto *5* que es de nuevo la posición de máximo alejamiento respecto al punto de reposo; de nuevo comenzará su camino de regreso hasta alcanzar el estado de reposo primitivo. Si no existiese el roce del aire, la acción de la gravedad, y toda otra serie de factores, el péndulo continuaría describiendo indefinidamente el movimiento *1-2-3-1-4-5-4-1*.

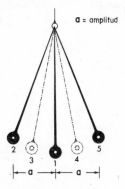

FIG. 2.2. *Movimiento de un péndulo*

El camino recorrido por este péndulo en una ida y vuelta completas *(1-2-3-1-4-5-4-1*, de la fig. 2.2) recibe el nombre de *ciclo*.

El número de ciclos que realiza este péndulo en una determinada unidad de tiempo se llama *frecuencia;* como unidad de tiempo se toma el segundo, pero ello no quiere decir que las vibraciones tengan que durar necesariamente un segundo: pueden tener un tiempo mayor o menor. Lo que quiere indicar la referencia convencional al segundo es que, en este tiempo, el cuerpo hubiese realizado un número determinado de vibraciones.

La frecuencia se suele representar del siguiente modo:

1.000 cps (ciclos por segundo), o 1.000 Hz (Hertzios), o 1 KHz (Kilohertzio, múltiplo del hertzio).

La distancia desde la posición de reposo hasta el punto de máximo alejamiento (o de máxima presión) alcanzada por la bola del péndulo o por la partícula de aire en vibración (el punto 2 o el 5 de la fig. 2.2) recibe el nombre de *amplitud*. La amplitud es una medida de la fuerza de la onda. Su valor dependerá de la potencia con que el péndulo haya sido separado de su posición de reposo, o de la potencia de la presión de la onda sobre la partícula de aire: cuanto mayor sea esta potencia, mayor será la amplitud.

Al propagarse este movimiento oscilatorio, se origina una onda que llamamos sinusoidal. Si nos fijamos en la fig. 2.3, ve-

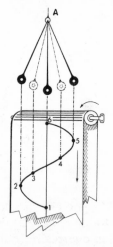

Fig. 2.3. *Onda periódica simple originada por el movimiento vibratorio de un péndulo*

remos cómo el movimiento pendular puede convertirse en una línea curva. Supongamos que por encima del punto *A* de apoyo del péndulo, y a una distancia infinita, existe un foco, el sol, por ejemplo, que proyecta la sombra de la bolita, animada de un movimiento constante, sobre una pantalla que se va deslizando con movimiento uniforme según el sentido de la flecha. Cuando el péndulo se encuentra en posición de reposo, su sombra se proyectará sobre el punto *1* de la pantalla. Si a medida que el péndulo se va desplazando hacia la izquierda se mueve también la pantalla, la trayectoria irá recorriendo la línea *1-2*, punto este último que corresponde al valor de la amplitud. Desde aquí el péndulo va retrocediendo hacia su antigua posición, iniciando también la curva el camino *2-3*; sobrepasa el punto de origen, pasa por el *4*, alcanza el *5*, que corresponde, como el *2*, a la proyección del punto de máximo alejamiento del centro (amplitud), hasta que llega al *6*, donde termina la vibración doble o ciclo. La curva así creada recibe el nombre de *sinusoidal*, porque es el resultado real del seno del ángulo que forma la bolita en sus desplazamientos.

La proyección del movimiento realizado por el péndulo es idéntica a la de un punto que recorriese una circunferencia.

Supongamos que el punto *P* de la fig. 2.4 se va a mover sobre la circunferencia en dirección contraria a las manecillas de un reloj, con una velocidad uniforme. En su recorrido, irá marcando una serie de valores angulares que se extienden desde los 0°, en el punto de partida *A*, hasta los 360°, cuando haya dado una vuelta completa a la circunferencia.

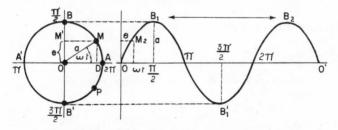

FIG. 2.4. *Formación de la onda periódica simple*

Al cabo de un tiempo determinado *t*, el punto *P* que lo vamos a suponer situado en el lugar de partida *A*, y que se mueve con una velocidad uniforme ω, se encontrará en *M*. La proyección de este movimiento circular sobre el diámetro *BB′* constituye, como en el caso del péndulo, un movimiento vibratorio simple. Cuando el punto P se hallaba en *A* su proyección era *0*. En el arco *AM* realizado en su movimiento, la proyección *0* ha recorrido el camino *OM'*. Cuando el punto describe el arco *MB* su proyección ha recorrido el segmento *M'B*. Cuando *P* sigue el arco *BA'*, su proyección sigue el camino *BO*. Cuando el punto *P* siga en su movimiento el arco *A'B'*, su proyección recorrerá el camino *OB'*; y cuando recorra el arco *B'A*, su proyección lo hará en el sentido *B'O*. Es decir, que mientras el punto *P* da una vuelta completa a la circunferencia, su proyección ha recorrido el camino *OBOB'O*.

Cuando el punto *P* se encuentra situado en su recorrido desde *A*, y al cabo de un tiempo *t*, en *M*, forma con el centro de la circunferencia el ángulo *AOM*. Siendo, como ya hemos dicho, ω su velocidad angular, tendremos que $AOM = \omega t$.

La proyección *OM'* es la *elongación*, es decir, la distancia a *O* de la proyección del punto *P* en un momento determinado de su camino. Esta elongación *OM'* es igual a *DM*, proyección *M* sobre el eje de abscisas.

Entonces, $DM = OM$ sen ω*t*, o, lo que es lo mismo, llamando a *DM*, *e*, por ser la elongación, y a *OM*, *r*, por ser el radio:

$$e = r \text{ sen } \omega t$$

Dando valores a ω*t*, tendremos que

cuando ω *t* = 0, *P* está en *A*, *e* = 0

» $\omega t = \dfrac{\pi}{2}$, *P* está en *B*, *e* = *r* (sen $\dfrac{\pi}{2}$ = sen 90 = 1)

» $\omega t = \pi$, *P* está en *A'*, *e* = 0

» $\omega t = \dfrac{3\pi}{2}$, *P* está en *B'*, *e* = — *r* (sen $\dfrac{3\pi}{2}$ = sen — 90 = — 1)

» $\omega t = 2\pi$, *P* está en *A*, *e* = 0

El ángulo ω*t* nos ha ido dando el número de grados que ha recorrido el punto *P* entre *A* y *M*; el seno de este ángulo es proporcional, por lo tanto, a *MD* = *e*; cuando *P* se encuentra en

B, $e = r$, y es su valor máximo; cuando P se halla en B', $e = -r$ y es su valor mínimo. Estos valores, máximo y mínimo, representan la *amplitud* de este movimiento, es decir, el valor máximo de la elongación.

Llevando los valores de estas proyecciones sobre un eje de coordenadas, de tal modo que en ordenadas representemos las distintas posiciones del recorrido del punto P, y en abscisas, los diferentes valores angulares, obtendremos la onda sinusoidal OB_1 B'_1 B_2 O', periódica simple, de la fig. 2.4.

En una onda sinusoidal, el *ciclo* es cada repetición completa de la forma de la onda: *6-5-2-1* de la fig. 2.3; O-B_1-B'_1-2π de la figura 2.4.

El lapso de tiempo que hay entre dos máximos de presión o de alejamiento del punto de reposo se denomina *período:* B_1-B_2 de la fig. 2.4. El mismo tiempo transcurrirá entre cualesquiera dos puntos alternativos de la onda: *0-2π* ó *π-0'*. Este periodo, P, es inversamente proporcional a la frecuencia, F. Si la frecuencia de una onda es de 100 cps, el período será de 1/100, 1 c.s. (centésima de segundo). De ahí que

$$F = \frac{1}{P} \qquad y \qquad P = \frac{1}{F}$$

Cuanto menor sea el período, mayor será la frecuencia.

La *amplitud* viene dada por a en las figs. 2.2 y 2.4.

Como hemos dicho, las partículas de aire se ponen en movimiento por una fuerza externa que actúa sobre ellas, y cada partícula ejerce de nuevo una fuerza sobre las que se encuentran en su vecindad.

La unidad de fuerza que se usa en acústica es la *dina.* La *presión* es la fuerza que actúa sobre una unidad de superficie, y se expresa en *dinas por centímetro cuadrado.* La presión que mueve las partículas de aire, y que origina, por lo tanto, ondas sonoras, es muy pequeña: 0,0002 dinas/cm² es aproximadamente la presión más pequeña capaz de producir una onda sonora audible. Un sonido cuya presión sea de 2.000 dinas/cm² es demasiado fuerte, y puede causar daños en el oído.

Ahora bien, para ejercer esa fuerza hay que realizar previamente un trabajo, y este trabajo gasta *energía*. El trabajo realizado es igual a la fuerza que se ejerce sobre un cuerpo multiplicada por la distancia que recorre: $T = F \times d$. La unidad de trabajo y energía vendrá dada por la unidad de fuerza, la dina, multiplicada por la unidad de longitud, el centímetro. Se toma como unidad de trabajo y energía el *ergio*: *1 ergio = 1 dina* $\times$ $\times$ *1 cm*.

Cualquier partícula en movimiento posee una *energía* cinética (debida a su velocidad) y una energía potencial (debida a la presión). Esta energía se propaga linealmente a lo largo de la onda, y considerada en cada unidad de tiempo se denomina *potencia* acústica, que se expresa en *ergios por segundo*.

Como esta unidad es muy pequeña, se toma como unidad práctica el *watio* ($= 10^7$ ergios/segundo).

En el ejemplo de la fig. 2.1, el diapasón, cuando vibra, transmite determinada cantidad de energía a las partículas de aire que están a su alrededor, y éstas, a su vez, transmiten energía a otras, y así sucesivamente. Como es lógico, la energía capaz de mover las partículas de aire es tanto menor cuanto más alejadas se encuentren del diapasón. Lo que nos interesa es la energía que llega en un momento dado a un punto, es decir, la potencia acústica que se transmite a través de una superficie, y que denominamos *intensidad*. Se mide en watios por cm². Un sonido que tenga una intensidad de 10^{-16} watios/cm² es suficiente para producir un sonido audible.

Esta medida de la intensidad es una unidad fija, en la que se supone siempre la referencia a una unidad: 1 watio/cm². Pero también se pueden medir las intensidades sonoras sin relación a una unidad fija, utilizando otra unidad, que expresa una razón de intensidades, llamada *bel*. (V. más adelante § 3.5.)

La intensidad está en función de la amplitud y de la frecuencia, pudiendo decir que la intensidad acústica es a la vez proporcional al cuadrado de la amplitud y al cuadrado de la frecuencia.

2.2. La onda compuesta

En el párrafo anterior hemos examinado la creación de las ondas sonoras y la composición de la onda sinusoidal o periódica simple. Pero el movimiento ondulatorio simple, al igual que el péndulo simple, es una concepción teórica de difícil realización práctica, ya que en su estudio se considera la oscilación de un solo punto y se hace abstracción del medio que lo rodea; en la práctica vibran sistemas de puntos materiales que no presentan una homogeneidad perfecta, ni en los que se puede prescindir de la influencia del medio en que se encuentran. Los movimientos vibratorios sonoros se aproximan al simple en mayor o menor grado, según las circunstancias en que se producen.

El sonido lingüístico que llega hasta nuestros oídos es siempre una onda compuesta, es decir, una onda que es el resultado de la adición de un número determinado de ondas simples.

Dos o más ondas simples pueden combinarse para originar una onda compuesta. Supongamos tres diapasones, muy próximos uno del otro, que vibran simultáneamente a 100, 200 y 300 cps y originan las tres ondas simples de la parte superior de la fig. 2.5. La suma de esas tres ondas simples origina la *onda compleja* o *compuesta* representada en la parte inferior de la mencionada figura (línea negra continuada, que en la figura aparece superpuesta a las ondas simples: líneas de puntos).

En un tiempo x (la línea de abscisas representa los tiempos), las dos primeras ondas sinusoidales se encuentran por encima de su eje (valor positivo, aumento de la presión), y sus valores en este tiempo están representados por las líneas a y b; la tercera sinusoide está por debajo del eje (valor negativo, disminución de la presión), y su valor viene representado por la línea c. El resultado de esta suma algebraica se encuentra representado en la línea d de la onda compuesta y cuyo valor es $a + b - c$. Del mismo modo, en un punto y del eje de tiempos, el valor de la primera sinusoide es negativo, y viene representado por la línea e; el de la segunda sinusoide no cuenta, ya que en ese momento su amplitud es cero; y el de la tercera es positivo, y viene representado por la línea *f*. El valor resultante en este caso es la línea *g* de la onda compuesta, que es negativo, ya que en esta suma algebraica el mayor sumando es negativo: $-g = -e + f$. De esta manera, realizando sucesivas sumas algebraicas en cada momento, podremos obtener la onda compuesta.

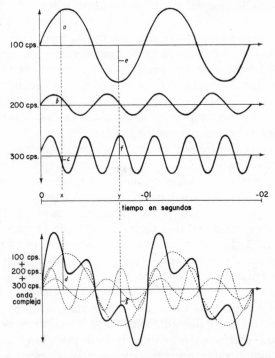

Fig. 2.5. *Parte superior de la figura: tres ondas periódicas simples de 100, 200 y 300 cps. Parte inferior: onda periódica compuesta (línea de trazo continuo) resultante de la suma algebraica de las ondas simples (líneas punteadas)*

Este método de análisis por el que una onda compuesta se considera como la combinación de un cierto número de ondas simples o tonos puros se conoce con el nombre de análisis de Fourier, matemático francés, que en 1822 demostró que toda onda que repite periódicamente su perfil se puede descomponer en un número limitado de sinusoides que tengan su amplitud, su frecuencia y su fase diferentes. La frecuencia de cada una de estas ondas sinusoidales integrantes es múltiplo de la frecuencia fundamental (la más baja), y la onda compleja resultante tendrá su mismo período. Por ello, se denomina *onda compuesta periódica*.

En el caso analizado, la primera onda sinusoidal de 100 cps es el *primer armónico* o *frecuencia fundamental;* la de 200 cps, el *segundo armónico*, y la de 300 cps, el *tercer armónico*. El segundo y tercer armónicos son el doble y el triple del fundamental, porque en el tiempo que dura un período del fundamental, el segundo armónico tiene dos períodos, y el tercero, tres.

La impresión auditiva que percibimos de la frecuencia fundamental es lo que se denomina *tonía, tono* o *altura tonal,* que se sitúa en una escala de *bajo* a *alto*.

Desde el punto de vista lingüístico, la función contrastiva de la frecuencia fundamental a nivel de palabra también se de-

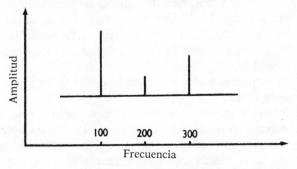

Fig. 2.6. *Espectro de la onda compuesta de la figura 2.5*

nomina tono, y las lenguas que poseen esta función, lenguas tonales; la función de la frecuencia fundamental a nivel de oración es la entonación.

El número, audibilidad y conformación de los armónicos da como resultado el *timbre* de un sonido. Cuando los armónicos de mayor amplitud son los más bajos, el tiembre es *grave*; mientras que si son los superiores los que tienen una amplitud mayor, o hay concentración de armónicos de amplitud considerable en las frecuencias superiores, el timbre es *agudo*.

Un análisis más minucioso de una onda compuesta lleva consigo el indicar también las amplitudes de sus ondas simples integrantes. La fig. 2.6 muestra un gráfico en el que sobre el eje de ordenadas se han llevado los valores de las amplitudes de las tres ondas sinusoidales de la fig. 2.5 y en el de abscisas la frecuencia en cps de cada una de ellas. Los gráficos que condensan estos dos valores de varias ondas simples componentes se denominan *espectros* del sonido. La fig. 2.6 es, por lo tanto, el espectro de la onda compuesta de la fig. 2.5.

En la fig. 2.7 aparecen tres ondas sinusoidales de diferentes frecuencias (*a*, *b*, *c*) y la onda compleja (*d*), no sinusoidal, suma de las otras tres. El comienzo de los ciclos de todas estas ondas se produce en el mismo punto. Decimos entonces que las tres ondas (*a*, *b*, *c*) están en *fase*. En la fig. 2.8 aparecen también tres ondas sinusoidales: (*a*) y (*b*) son las mismas que las de la fig. 2.7, pero (*c*), teniendo la misma frecuencia y amplitud que la (*c*) de la fig. 2.7, difiere en su fase. Por lo tanto, en las tres ondas de la fig. 2.8 (*c*) tiene distinta fase que (*a*) y (*b*), y por ello, la onda compleja resultante, (*d*), es diferente de la (*d*) de la fig. 2.7.

La *fase* se define como la situación del ciclo de vibración en un momento dado.

La adición de una onda sinusoidal con distinta fase, aunque tenga la misma frecuencia y amplitud de las demás componentes, cambia el perfil de la onda compleja resultante. Pero el oído no capta el efecto de una diferencia de fase: dos ondas complejas cuyas ondas componentes tienen la misma amplitud y frecuencia, pero que difieren en la fase, se perciben como iguales. En este caso, las dos ondas de las figs. 2.7 y 2.8 se percibirían como iguales. Por eso, el espectro de una onda compleja recoge sólo los datos referentes a amplitudes y frecuencias. La fig. 2.9 representa el espectro de las ondas complejas de las figs. 2.7 y 2.8.

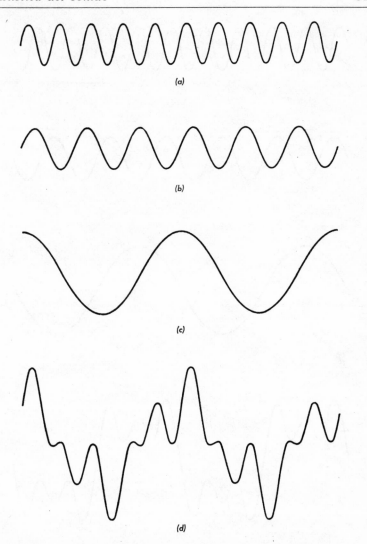

FIG. 2.7. *Parte superior de la figura: tres ondas periódicas simples* (a, b, c) *que están en fase. Las ondas* (a) *y* (b) *son, respectivamente, cinco y tres veces la frecuencia de la onda* (c). *Parte inferior de la figura: onda compleja resultante* (d). *(Según* DENES *y* PINSON *1963.)*

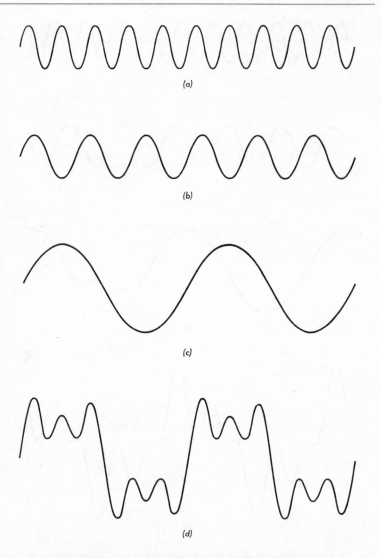

FIG. 2.8. *Las mismas ondas componentes de la figura 2.7, pero con distinta fase la onda* (c). *La onda compleja resultante* (d) *tiene diferente forma
que la correspondiente de la figura 2.7. (Según* DENES *y* PINSON, *1963.)*

En la onda periódica, como hemos visto, todas las componentes son múltiplos de la frecuencia fundamental, pero en las *ondas aperiódicas* existen componentes de todas las frecuencias. Esta es la causa de que la onda compuesta aperiódica tenga un perfil totalmente diferente de la periódica: no se repite el mismo perfil de un ciclo a lo largo del tiempo. Su espectro también es diferente: en la onda periódica, la potencia de la onda sonora aparece en determinadas posiciones de la escala de fre-

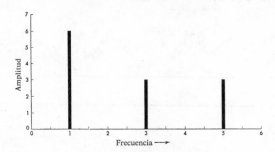

FIG. *2.9. Espectro de las ondas complejas de las figuras 2.7 y 2.8. (Según* DENES y PINSON, 1963.)

cuencias, sin que entre ellas pueda aparecer ninguna más; es decir, origina un *espectro de línea;* por el contrario, el espectro de la onda aperiódica, al no haber una repartición proporcional de frecuencias, presenta un *espectro continuo* (fig. 2.11).

Las vibraciones aperiódicas originan cambios irregulares en la presión del aire, y, por lo tanto, los movimientos que producen en el tímpano también son irregulares, al contrario de lo que ocurría, como vimos, en las ondas periódicas [1].

En la fig. 2.10 aparecen las representaciones oscilográficas de las ondas compuestas periódicas, de las vocales [i, e, a, o, u]; el perfil de cada ciclo se repite a lo largo del tiempo.

La fig. 2.11 muestra un oscilograma de [s], onda compuesta aperiódica.

---

[1] La aperiodicidad de estas ondas es lo que hace que se perciban como un *ruido.*

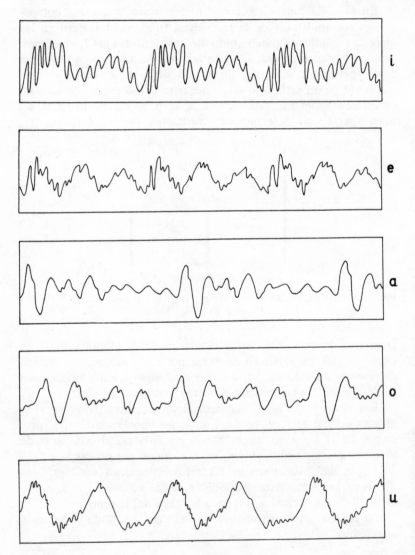

FIG. 2.10. *Oscilograma de las cinco vocales* [i, e, a, o, u]. *Voz masculina*

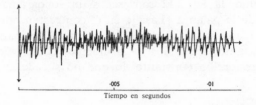

FIG. 2.11. *Oscilograma de una onda compuesta aperiódica* [s]

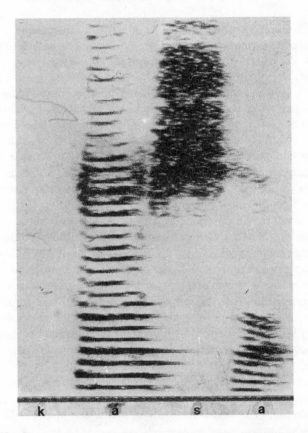

FIG. 2.12. *Sonograma de* [kása]. *Contrasta la armonicidad de las vcca-les* [a], *frente a la inarmonicidad de* [s]

Por último, la fig. 2.12 representa un sonograma (o espectrograma) de la palabra [kása]: en él contrastan notablemente la armonicidad de las vocales [a], frente a la inarmonicidad de la consonante [s]: todos los armónicos de las vocales guardan una proporción constante, lo que no sucede en la consonante.

2.3. RESONANCIA Y FILTROS

Toda fuente productora de sonido es un cuerpo que se mueve, vibra y origina cambios de presión (vibraciones) en las partículas del cuerpo que hay a su alrededor. Este cuerpo puede ponerse en movimiento por medio de un choque o un golpe o también por las vibraciones de otro cuerpo. Supongamos dos diapasones, *A* y *B*, cuya frecuencia de vibración es la misma. Percutimos el *A*. Se pone en movimiento, originando una onda sonora (cambios de presión). Acercamos *A* a *B*, y éste, alcanzado por la presión de las partículas de aire, comienza a vibrar, al principio, lentamente, hasta que alcanza el régimen de vibración de su frecuencia natural, y genera una onda sonora del mismo tipo que la de *A*.

La primera vibración de *A* que llega a *B* es como un golpecito que empieza a moverlo. Las sucesivas vibraciones de *A* van aumentando el movimiento de *B*, que las recibe como sucesivos golpecitos. Como *A* y *B* tienen la misma frecuencia, las vibraciones de *A* llegan exactamente en el momento preciso, y refuerzan el total de las vibraciones. Si *A* hubiese tenido una frecuencia totalmente distinta de la frecuencia natural de *B*, éste no hubiese comenzado a vibrar, o sus vibraciones hubiesen sido pequeñas y esporádicas. Del mismo modo, si cuando *B* está vibrando se acerca otro diapasón vibrando a una frecuencia diferente, las vibraciones de *B* se amortiguan rápidamente. Si el diapasón *A* se para de repente, sujetándolo con los dedos, por ejemplo, el *B* seguirá vibrando, hasta que al cabo de cierto tiempo se pare.

El fenómeno por el que el diapasón *B* (o cualquier cuerpo)

se pone en movimiento a causa de las vibraciones del diapasón *A* (o de cualquier otro cuerpo) se denomina *resonancia*. *A resuena* a *B*. *B* actúa como *resonador*.

El caso de los diapasones es el más simple, pero lo mismo puede ocurrir con una onda compleja. Una nota del piano es una de ellas. Si alguna de sus componentes coincide en la frecuencia con la del diapasón, éste comenzará también a vibrar.

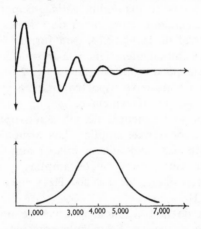

Fig. 2.13. *Parte superior: representación de una onda sonora (y de los movimientos de la fuente del sonido que produce la onda sonora). En abscisas, tiempo en segundos. Parte inferior: espectro de la onda sonora (y de los movimientos de la fuente del sonido). En abscisas, cps*

Un sonido es una serie de variaciones en la presión del aire; éstas se deben a pequeños movimientos de las partículas de aire, que, a su vez, son causados por los movimientos originados en la fuente del sonido. Una onda como la de la fig. 2.13 representa las variaciones en la presión del aire o los movimientos de la fase productora del sonido. Su espectro indica los componentes de la onda compleja y, al mismo tiempo, las frecuencias naturales de vibración de la fuente del sonido, o lo que es lo mismo, las frecuencias a las que responde cuando actúa como resonador. Este espectro se denomina *curva de respuesta*. En el caso expuesto en la fig. 2.13, el resonador responde mejor a las frecuencias próximas a los 4.000 cps, que es donde situamos el óptimo, que a las demás. Responde también algo a los 3.000 y 5.000 Hz, pero difícilmente a los 1.000 ó 7.000 Hz. La frecuencia de 4.000 Hz, que es en la que resuena con máxima eficacia, se denomina *frecuencia resonante*.

Las ondas que llegan a un resonador y lo ponen en movimiento constituyen la *entrada* del resonador. La respuesta del resonador a estas ondas se denomina *salida*. Supongamos que la entrada de un resonador, cuya curva de respuesta está situada en la parte central de la fig. 2.14, está formada por una onda compleja cuyos componentes tienen la misma amplitud. Su espectro está en la parte superior de la fig. 2.14. La salida del resonador es una onda cuyo espectro aparece en la parte inferior de la fig. 2.14. Su frecuencia resonante está situada a los 800 cps; ésta es su frecuencia de vibración óptima, y la que origina las vibraciones más amplias. Los armónicos situados a los 700 ó 900 Hz, aun teniendo la misma amplitud que el de 800 Hz, originan vibraciones menos amplias, y tanto menores son cuanto más se alejen de los 800 Hz y más se acerquen a los 600 ó 1.000 Hz.

La extensión de la frecuencia efectiva de un resonador se denomina *ancho de banda*. Se calcula convencionalmente considerando sus límites entre aquellos armónicos cuya amplitud a la salida es el 70,7 % de la amplitud de salida de la frecuencia resonante. En la fig. 2.14 estos límites están situados entre los armónicos de 700 y 900 Hz (señalados sobre la curva en el diagrama central de la figura). Entre esos 700 y 900 Hz se sitúa la eficacia del resonador.

En resumen, la principal misión de un resonador es reforzar las frecuencias de una onda compleja que llegue a él.

Hemos aludido principalmente a resonadores sólidos (diapasón), pero un cuerpo de aire contenido en un tubo es capaz también de vibrar y de actuar como un resonador: es el caso del aire contenido en la caja de una guitarra, de un violín o en las cavidades supraglóticas. La curva de respuesta de estos resonadores depende de la forma y tamaño de la cavidad que contenga el aire.

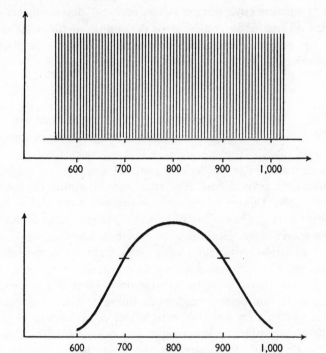

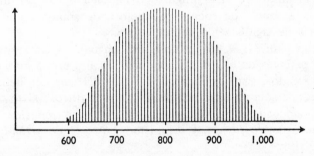

Fig. 2.14. *Diagrama superior: espectro de una onda compleja. En abscisas, cps. Diagrama central: curva de respuesta de un resonador. Diagrama inferior: salida del resonador de la onda de la parte superior. (Según* Ladefoged, 1962.)

Un resonador cuya misión sea seleccionar determinadas frecuencias de una onda compleja se denomina un *filtro* acústico. Todas sus propiedades (ancho de banda y curva de respuesta) son las mismas que hemos visto en un resonador.

2.4. LA PRODUCCIÓN DE LOS SONIDOS DEL LENGUAJE DESDE EL PUNTO DE VISTA ACÚSTICO

Los sonidos del lenguaje, que son ondas acústicas, necesitan una fuente de producción. Hay tres tipos distintos de fuentes de producción. Una es la fuente que produce los sonidos sonoros: se origina gracias a los impulsos de la corriente de aire al pasar a través de la glotis puesta en vibración. Otra es la que produce el ruido como un efecto secundario de la turbulenta corriente de aire al pasar a través de constricciones, como ocurre en las fricativas, o en las aspiraciones. Otra fuente de producción es la que ocurre cuando se libera el aire comprimido por una obstrucción del conducto vocal, como ocurre al principio de la explosión de las consonantes oclusivas. Este tipo de fuente es de la misma naturaleza que la excitación que se produce en el conducto vocal a causa de un solo impulso glotal. Desde el punto de vista lingüístico también puede ser importante la ausencia de fuente productora de sonido como una categoría de significación comunicativa.

Según Fant *(1960,* 15), la onda del lenguaje es «la respuesta de los sistemas de filtros del conducto vocal a una o más fuentes de sonido». Esto implica que la onda del lenguaje debe ser especificada sólo en términos de *fuente* y de *filtro*. Existe cierta correspondencia entre el término articulatorio *fonación* y el término acústico *fuente,* y, asimismo, entre el de *articulación* y el de *filtro*.

La cavidad bucal, que es como un tubo lleno de aire, un cuerpo de aire, actúa como un filtro. Es lo que se denomina la función de transferencia o de filtro del conducto vocal: T (f).

Esta función tiene, según Fant *(1968,* 203), tres componentes principales, que se pueden escribir simbólicamente del siguiente modo:

$$T \; (f) = T \; \text{(polos)} \; T \; \text{(ceros)} \; T \; \text{(radiación)}$$

La función de radiación está siempre presente. Es directamente proporcional a la frecuencia, e inversamente proporcional a la distancia desde la boca del hablante al micrófono.

El factor de transferencia T (polos) interviene también en todas las categorías de los sonidos del lenguaje y se puede especificar como una suma de curvas elementales de resonancia representada cada una tanto como un factor de aumento en decibeles, tanto como una función de la frecuencia.

El factor T (ceros) se representa por medio de un conjunto similar de curvas elementales de antirresonancia. Una antirresonancia elimina una resonancia de la misma frecuencia y reduce el efecto de una resonancia adyacente. Las antirresonancias —o los ceros, en la terminología matemática— aparecen siempre que hay un conducto lateral del conducto acústico principal, o cuando la fuente no se localiza en el final posterior del conducto vocal (es lo que ocurre en las consonantes nasales y en las vocales nasalizadas).

Los órganos articulatorios cambian de posición, formando en la región supraglótica cavidades de volumen y forma diferentes; al ser estas cavidades (resonadores) diferentes, la frecuencia de respuesta es también diferente, y con ello, el espectro de la onda que salga del resonador. De este modo, se crean las distintas ondas sonoras que conforman los sonidos del lenguaje.

Los máximos de la función de transferencia del conducto vocal originan los *formantes* del espectro del sonido, que pueden ser definidos también como las resonancias del conducto vocal. Las frecuencias de estos formantes se denominan *frecuencias formánticas.*

Es necesario no confundir las frecuencias de los formantes con la frecuencia de cualquier armónico de la onda sonora compleja, aunque puedan coincidir en algún caso. Las frecuencias de los armónicos dependen de la frecuencia fundamental, mientras que las frecuencias de los formantes dependen de los resonadores. Si la frecuencia fundamental de la onda sonora aumenta o disminuye, pero no se modifican los resonadores, los formantes de las ondas, a la salida del resonador, serán idénticos.

De la configuración de estos formantes depende el *timbre* del sonido [2].

---

[2] Para este capítulo puede consultarse la siguiente bibliografía: Chrétien (*1964*), Essen (*1961*), Fry (*1979*), Joos (*1948*), Ladefoged (*1962*), Matras (*1948, 1961*).

III

EL MECANISMO DE LA AUDICIÓN
Y DE LA PERCEPCIÓN DEL SONIDO

3.1. EL OÍDO

Una fase de la comunicación, como ya dijimos, es la de la recepción de la onda sonora a través del órgano receptor que conocemos con el nombre de oído. El aparato auditivo es un transductor extraordinariamente complejo que, para su estudio, se divide en tres partes: el *oído externo*, el *medio* y el *interno*.

3.1.1. El *oído externo* está constituido por el *pabellón auditivo* (*1* de la fig. 3.1), cuya misión es recoger la onda acústica y canalizarla hacia el oído medio. En el hombre, el pabellón auditivo no se encuentra muy desarrollado; lo contrario sucede en los animales, que al ser, incluso, orientable, aumenta la capacidad de recepción y búsqueda del sonido. El pabellón auditivo desemboca en el *conducto acústico externo* (*2* de la figura 3.1), que es una especie de resonador de unos 25 mm. de largo y 8 mm. de diámetro. En su parte interior termina en el tímpano.

Este conducto acústico externo actúa como un resonador, que refuerza las ondas sonoras que coinciden con sus frecuencias de resonancia: aproximadamente entre los 3.000 y 4.000 cps; la sensibilidad del oído mejora en esta gama de frecuencias. Por otra parte, la presión del sonido es de 5 a 10 db mayor en el tímpano que en la entrada del conducto acústico externo.

El oído puede así captar sonidos que por su debilidad no percibiría si el tímpano estuviese situado en el mismo pabellón auditivo, donde comienza el conducto acústico externo[1].

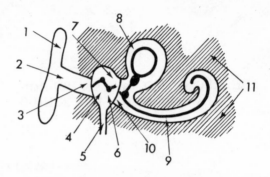

Fig. 3.1. *Esquema del oído:* 1: *pabellón auditivo;* 2: *conducto acústico externo;* 3: *tímpano;* 4: *oído medio;* 5: *trompa de Eustaquio;* 6: *cadena de huesecillos;* 7: *ventana oval;* 8: *canales semicirculares;* 9: *caracol óseo;* 10: *ventana redonda;* 11: *peñasco*

3.1.2. El *oído medio* empieza en el tímpano (*3* de la fig. 3.1), su órgano esencial, que es una delgada membrana elástica, relativamente rígida, con forma de cono dirigido hacia el interior. Cierra el conducto acústico externo. Tiene aproximadamente 1 cm. de diámetro y una superficie de unos 0,8 cm². El tímpano transforma la vibración aérea en vibración sólida, que es encaminada hacia la cóclea a través de la cadena de huesecillos.

El oído medio es una cavidad llena de aire (*4* de la fig. 3.1); está atravesado por una cadena de huesecillos, que después examinaremos. Termina en el oído interno hacia el cual se abre por medio de la *ventana oval* (*7* de la fig. 3.1) y de la *ventana redonda* (*10* de la fig. 3.1). La cadena de huesecillos (*6* de la figura 3.1) que atraviesa el oído medio va desde el tímpano hasta la ventana oval.

El tímpano es sensible a cualquier variación de la presión

---

[1] También sirve para mantener uniformes la temperatura y la humedad del aire que se encuentra en su vecindad, protegiendo así la sensibilidad del tímpano.

exterior: por ejemplo, a la llegada de una onda acústica. Esta presión se comunica al primero de los huesecillos, al *martillo* (v. fig. 3.2), que, al estar unido al tímpano, es sensible a todas sus variaciones. La cabeza del martillo se mueve sobre la super-

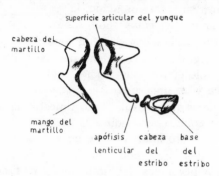

FIG. 3.2. *Cadena de huesecillos*

ficie articulatoria del *yunque* (segundo huesecillo), el que en su parte inferior se prolonga por medio de la *apófisis lenticular* (así llamada por su forma), que es la que enlaza con la cabeza del *estribo* (tercer huesecillo). La base del estribo cierra la ventana oval del oído medio. De este modo, cualquier variación de presión sobre el tímpano se transmite por medio del martillo, del yunque y del estribo hasta el oído interno (v. fig. 3.3).

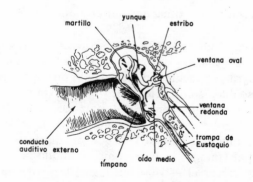

FIG. 3.3. *Oído medio*

La caja del tímpano está cerrada por los huesos del cráneo, pero abierta hacia la faringe por medio de la *trompa de Eustaquio* (5 de la fig. 3.1 y fig. 3.3); este conducto sirve para igualar la presión del aire contenido en el oído medio con la presión del aire exterior; sin esta condición, la membrana del tímpano no podría vibrar en perfectas condiciones.

El oído medio desempeña dos funciones:

a) Aumenta, gracias a la cadena de huesecillos, la energía acústica que desde el tímpano llega al oído interno. El tímpano, muy flexible y de una superficie unas veinticinco veces mayor que la de la ventana oval, como muestra la fig. 3.4, entra en vibración en cuanto se produce la menor diferencia de presión entre el conducto auditivo externo y el oído medio. La cadena de huesecillos actúa como un conjunto de palancas que transforma las vibraciones del tímpano en vibraciones de mayor presión sobre la ventana oval. Este aumento de presión es unas veinte o treinta veces mayor que la que llega al tímpano. Según Denes y Pinson (1963, 69-71), si aplicamos la relación de dos fuerzas de una palanca a las presiones y superficies del tímpano y de la ventana oval, esquematizadas en la fig. 3.4, tendríamos que:

$$P_1 \cdot A_1 = P_2 \cdot A_2 \; ; \; P_2 = \frac{P_1 \, A_1}{A_2}$$

lo que representa aproximadamente el aumento de presión antes indicado.

b) Protege el oído interno de los ruidos fuertes que llegan al tímpano. La ganancia de sensibilidad para los sonidos débiles que se logra por medio del oído medio puede ser perjudicial cuando los sonidos son fuertes. Para evitar este peligro, por un lado, existe el músculo tensor del tímpano, cuya finalidad es aumentar la rigidez de éste para que vibre menos; por otro lado, está el músculo del estribo, que modifica su disposición con relación al yunque; esto da como resultado la modificación del modo de vibrar el estribo: en lugar de apoyarse como un pistón sobre la ventana oval, oscila alrededor del eje longitudinal de esta última, neutralizando la vibración transmitida por la cadena de huesecillos. La acción de estos dos músculos es en parte refleja y en parte voluntaria: parece que esté unida a la previsión de la señal acústica. La extensión de la regulación del nivel sonoro que permite este mecanismo es aproximadamente de unos treinta decibeles (Liénard, 1977, 135-136).

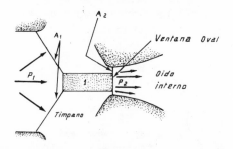

FIG. 3.4. *Esquema figurado del aumento de presión a través del oído medio.* (Según DENES y PINSON, 1963.) *1: huesecillos; A_1: superficie del tímpano; P_1: presión de la onda acústica sobre A_1; A_2: superficie de la ventana oval; P_2: presión que se transmite al oído interno*

3.1.3. El *oído interno* se llama también, a causa de su complicación, *laberinto*. Comprende dos partes: el óseo y el membranoso; este último dentro del anterior.

El laberinto óseo, de paredes óseas, comprende en su interior todas las estructuras membranosas y sensoriales que forman el oído interno. Consta de tres partes bien delimitadas:

a) el *vestíbulo*, que comunica con la caja del tímpano por medio de la ventana oval;

b) los tres *canales semicirculares* (*8* de la fig. 3.1), óseos, de forma semicircular, situados en tres planos perpendiculares; están abiertos por sus dos extremidades a la parte posterior del vestíbulo; a estos tres canales llegan las ramificaciones del *nervio vestibular* [2];

c) el *caracol óseo* (*9* de la fig. 3.1). Está alojado en los hue-

---

[2] Los tres canales semicirculares y el nervio vestibular son los responsables del sentido del equilibrio.

sos del cráneo. Recibe esta denominación por su forma heli-
coidal, que le hace semejante a la concha del molusco. Está
enrollado sobre sí mismo dos veces y media. Es la sede de las
transformaciones de las vibraciones mecánicas en impulsos nerviosos.

El caracol está dividido en dos regiones *(rampas)* por medio de la *lámina espiral.* (Véase en la fig. 3.5 un esquema del
caracol desenrollado.) La lámina espiral es ósea en su parte
interna, y membranosa, en la externa. El interior de la lámina
espiral forma una tercera región.

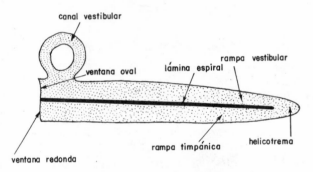

FIG. 3.5. *Esquema del caracol*

La región superior se comunica libremente con el vestíbulo,
y está en contacto con la ventana oval; recibe la denominación
de *rampa vestibular* (fig. 3.5 y *B* de la fig. 3.6). La región inferior comunica con la ventana redonda; recibe el nombre de
rampa timpánica (fig. 3.5 y *A* de la fig. 3.6). Estas dos rampas
se comunican por el extremo del caracol, por la parte denomi-
nada *helicotrema* (fig. 3.5). Ambas están llenas de un líquido
denominado perilinfa.

Las ondas sonoras provenientes del exterior ejercen cierta
presión sobre el tímpano; esta presión se transmite, multiplicada, a través de la cadena de huesecillos a la ventana oval, la
que se mueve hacia el interior presionando sobre el líquido,
que a su vez se desplaza hacia la parte final del caracol, a tra-

vés del helicotrema, poniendo también en movimiento la perilinfa que se encuentra en la rampa timpánica.

Si en el caracol hacemos un corte transversal, tal como
muestra la fig. 3.6, nos encontramos con las siguientes partes:

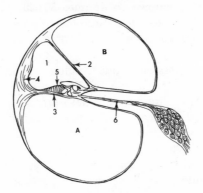

FIG. 3.6. *Sección del caracol:* A: *rampa timpánica;* B: *rampa vestibular;*
1: *conducto coclear;* 2: *membrana de Reissner;* 3: *membrana basilar;* 4:
ligamento espiral; 5: *órgano de Corti;* 6: *nervio auditivo o coclear*

rampa vestibular en la parte superior (*B*); rampa timpánica en
la parte inferior (*A*); la parte central está ocupada por el *conducto coclear* (*1*), que está lleno de un líquido muy viscoso
llamado endolinfa; la membrana de Reissner (*2*) separa la rampa vestibular del conducto coclear; la *membrana basilar* (*3*)
separa el conducto coclear de la rampa timpánica; por un lado,
se une al *ligamento espiral* (*4*) que envuelve la pared externa
de la cóclea. La membrana basilar va ensanchándose a medida
que se aproxima al helicotrema. Contiene unas 24.000 fibras
elásticas, transversalmente colocadas, que son las que perciben
los primeros cambios de presión.

Los movimientos mecánicos que recibe la membrana basilar
se convierten en señales que se transmiten al cerebro. Esta conversión se realiza del siguiente modo: por encima de la membrana basilar se encuentra el *órgano de Corti* (*5* de la fig. 3.6),
que está constituido por unas 25.000 células ciliadas; uno de
los extremos de estas células ciliadas se encuentra en la mem-

brana basilar. De estas células ciliadas parten después las fibras nerviosas que, reunidas en haz, dan lugar al *nervio auditivo* o *coclear* (*6* de la fig. 3.6). El movimiento que percibe la membrana basilar se transmite a través de las células ciliadas hasta el nervio auditivo, compuesto de unas 30.000 neuronas. Bajo la acción de un estímulo, una neurona responde transmitiendo una serie de impulsos u ondas de actividad de naturaleza electroquímica.

El nervio auditivo es el que conduce los influjos recibidos en el oído interno hasta la zona auditiva cerebral. Atraviesa, por el conducto auditivo interno, el hueso que separa el oído interno de la cavidad craneana, para penetrar inmediatamente en los centros nerviosos al nivel del bulbo raquídeo. Las fibras de cada nervio auditivo suben hasta el cerebro; una parte de ellas se dirigen hacia el hemisferio cerebral situado en el mismo lado del oído de donde proceden, y la otra parte atraviesa el bulbo raquídeo y va a parar al otro hemisferio cerebral. En cada uno de los dos hemisferios, las fibras auditivas llegan a la *zona auditiva*, región localizada en la corteza cerebral. Así, cada uno de los dos hemisferios, por separado, recibe las sensaciones de cada uno de los oídos, de tal modo, que la destrucción de una de esas zonas auditivas no impide la audición. Como es fácilmente comprensible, oímos siempre mejor con los dos oídos que con uno solo, hasta tal punto que se ha admitido que cuando un sonido llega a los dos oídos se percibe una sensación doble que si llega solamente a uno. En el momento actual no conocemos experimentalmente la transformación del fenómeno fisiológico en psíquico, ni cuáles puedan ser sus modalidades. Lo único que sabemos es que la zona auditiva del cerebro es el soporte material necesario para la audición.

3.2. TEORÍAS SOBRE LA AUDICIÓN

Desde hace mucho tiempo, los investigadores buscan el modo de explicar el proceso de la audición. Las teorías principales son:

a) La que pretende que el análisis de los sonidos se realiza en el oído. Esta es la teoría de Helmholtz o teoría de la resonancia.

b) La que admite que el análisis de los sonidos se realiza en el cerebro. La más representativa es la teoría telefónica de Rutherford.

c) La teoría de la descarga (Volley Theory) de Wever y Bray.

Teoría de la resonancia.

En la segunda mitad del s. xix, el gran científico alemán Hermann von Helmholtz aplicaba al mecanismo de la audición la teoría de los resonadores. Estos estarían situados a lo largo del caracol y entrarían en vibración según la frecuencia para la que fuesen sensibles. La membrana basilar, como ya hemos dicho, está formada por una serie de fibras elásticas situadas transversalmente. Cada una de estas fibras recogería las vibraciones del resonador a una determinada frecuencia. Esta frecuencia depende de la tensión de cada fibra y de la presión que llega a ellas a través del fluido existente en la cóclea. (Los cambios de presión del estribo sobre la ventana oval originan unas determinadas vibraciones que recogen las fibras.) Cada una de estas fibras transmite al nervio auditivo una frecuencia determinada; de este modo, el análisis frecuencial se realiza en la misma membrana basilar, limitándose el nervio auditivo a llevar al cerebro un mensaje sensorial ya analizado.

Esta teoría también se llama *periférica* por suponer localizado el análisis de los sonidos fuera del cerebro, y teoría de la *localización* por suponer que la percepción de cada frecuencia se efectúa en un punto particular de la membrana basilar.

El punto difícil de la teoría es la de encontrar toda esa serie de resonadores a lo largo del caracol. Por ello, Helmholtz consideró más tarde que las mismas fibras de la membrana basilar actuaban como resonadores. Pero estando tan estrechamente unidas ¿cómo podemos saber cuál es la que actúa para cada

frecuencia? ¿o es un grupo de fibras las que perciben una frecuencia determinada? En la actualidad, la teoría de Helmholtz
ha perdido interés en lo que se refiere a la función de los resonadores; de ella, sólo queda el aspecto de la localización: según
pruebas electrofisiológicas recientes, se ha demostrado que la
parte dorsal del nervio auditivo conduce los sonidos agudos,
mientras que la parte ventral conduce los graves. Esta división
parece ser el reflejo de una distribución existente en el órgano
de Corti, que a su vez debe recoger los movimientos de las
fibras de la membrana basilar.

Teoría telefónica.

Esta teoría supone que el nervio auditivo actúa como una
línea telefónica que transmite al cerebro unos influjos nerviosos, reproductores exactos de la vibración sonora.

Para Rutherford, cualquier célula ciliada puede vibrar para
todas las frecuencias, pudiendo una sola proporcionar todas.

El análisis de los sonidos se realiza, pues, en el cerebro: es
un fenómeno psíquico. Por su lugar de análisis, esta teoría, en
contraposición a la anterior, se denomina *central*.

Hoy, la teoría telefónica está totalmente abandonada, pues
no hay ningún procedimiento para afirmar sus supuestos.

Teoría de la descarga.

La teoría de la descarga se debe principalmente a Wever y
Bray, que intentan explicar por medio de los análisis electro-
fisiológicos la representación de la altura y de la intensidad de
los sonidos en los mensajes que transporta el nervio auditivo.
Esta teoría admite que la altura de los sonidos agudos viene
dada por la localización de sus frecuencias en la cóclea; la altura de los sonidos graves por la frecuencia de los influjos del
nervio auditivo, a causa del escalonamiento de la respuesta en
la membrana basilar; y la altura de los sonidos medios por la
combinación de las dos.

3.3. Límites del oído

Un oído medio [3] sólo percibe una escala de frecuencias comprendidas entre los 20 y los 20.000 cps; esto no quiere decir que no haya personas que perciban sonidos cuyas frecuencias sean inferiores a 20 cps o superiores a 20.000 cps. Por debajo de los 15 cps se encuentran los *infrasonidos*, sonidos no audibles, y que no tienen ninguna aplicación práctica. Por encima de los 20.000 cps se encuentran los *ultrasonidos*, sonidos también inaudibles, pero cuya importancia y aplicación son cada día mayores.

La voz humana se extiende en una gama de frecuencias que oscila entre los 80 cps (bajos profundos) y los 1.150 cps (sopranos ligeras). La escala sería aproximadamente la siguiente:

Bajo: entre los 92 cps y los 185 cps.
Tenor: entre los 130 cps y los 260 cps.
Alto: entre los 185 cps y los 370 cps.
Soprano: entre los 260 cps y los 520 cps.

Entre los instrumentos musicales, el piano utiliza las frecuencias comprendidas entre 27 cps (la_{-1}) y 4.150 cps (ut_7); la nota más grave del órgano parece ser un infrasonido; a pesar de ello, algunas personas la perciben.

Con la edad, la sensibilidad del oído disminuye. Esta disminución afecta principalmente a las frecuencias superiores, que son las que se van perdiendo paulatinamente, a medida que aumentan los años; por ello, los ancianos son poco sensibles a los sonidos agudos. A los 60 años, el límite superior de audición está situado a unos 12.000 cps, aproximadamente.

El oído medio es de una sensibilidad extraordinaria, ya que el valor del umbral absoluto, expresado en variaciones de presión es de 1/1.000 de baria, es decir, de una milésima de presión atmosférica; si expresamos su valor en potencia vibratoria, se-

---

[3] Un oído medio es el resultado de los valores percibidos por un gran número de oídos.

ría menor que $1/10^{15}$ watios por cm^2 [4]. Este valor es apenas
diez veces superior a la agitación térmica de las moléculas del
aire. Si el valor de este umbral absoluto de percepción fuese
menor, oiríamos constantemente un ruido de fondo que nos
molestaría. Así, podemos hacernos una idea de la extraordinaria sensibilidad del oído.

La percepción de una onda sonora se encuentra entre dos
límites conocidos con el nombre de *umbrales*, entre los que se
extiende el llamado *campo de audición*. Estos umbrales son:
el *umbral de la audición* y el *umbral del dolor*.

Recibe el nombre de *umbral de la audición* la intensidad
sonora más débil capaz de suscitar una sensación.

El umbral absoluto de la audición es de unos 2.000 cps, con
una potencia de unos 10^{-16} watios; representa la mayor sensibilidad del oído. Este umbral depende de la frecuencia.

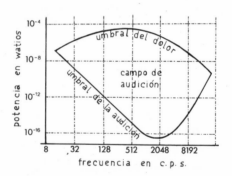

Fig. 3.7. *Umbrales y campo de audición*

La curva inferior de la figura 3.7 representa el umbral de la
audición: por debajo de ella no podemos percibir ningún sonido.

El *umbral del dolor* se manifiesta cuando el sonido es muy
intenso, y ejerce sobre nuestro oído una sensación desagrada-

---

[4] El *watio por cm²* sería la energía que las ondas comunican en un
segundo al tímpano.

ble, dolorosa, e incluso perjudicial, ya que nos puede ocasionar lesiones.

La curva superior de la fig. 3.7 representa el límite del umbral del dolor: por encima de ella percibimos sonidos molestos para nuestro oído.

Entre las curvas que representan los umbrales de la audición y del dolor se encuentra el llamado *campo de audición* de un oído medio: todos los puntos comprendidos en él, que tienen una localización bien definida en su relación ciclos-intensidad, son perfectamente audibles; los puntos situados sobre las curvas representan el límite de audición; y los que se encuentran fuera de las curvas son totalmente inaudibles.

3.4. CUALIDADES FÍSICAS Y CUALIDADES PSICOLÓGICAS DE LOS SONIDOS

En la percepción de un estímulo acústico existen dos aspectos de naturaleza muy diferente: uno es el físico, que se puede medir objetivamente en todos sus componentes; otro es el psicológico, es decir, el grado de sensación que ese estímulo produce en nosotros; este aspecto sensorial es subjetivo y mucho más difícil de controlar. Además, en los hechos del lenguaje hay que tener en cuenta que la sensación del estímulo físico se canaliza a través de las estructuras de cada lengua.

Un estímulo acústico cualquiera comprende cuatro elementos físicos constitutivos: cantidad, intensidad, frecuencia del armónico fundamental y estructura formántica de las ondas sonoras. Estos elementos físicos se complementan en un patrón complejo de dimensiones psicológicas:

DIMENSIÓN FÍSICA	DIMENSIÓN PSICOLÓGICA
cantidad	duración de la persistencia del sonido
intensidad	sonía o intensidad subjetiva
frecuencia fundamental	tonía, tono o percepción de la altura tonal del sonido
estructura acústica	timbre o cualidad del sonido.

La percepción de los sonidos del lenguaje es un complejo de estas dimensiones, y el juicio lingüístico depende de su interacción.

Del mismo modo que las dimensiones físicas disponen de determinadas unidades para su medida, las dimensiones psicológicas también las poseen, aunque, claro está, son subjetivas. A ellas nos referiremos más adelante.

3.5. EL UMBRAL DIFERENCIAL DE INTENSIDAD

En la percepción de los sonidos hay que tener en cuenta:

a) El *umbral absoluto de intensidad*, que se define como la intensidad mínima necesaria para distinguir un sonido del silencio.

b) El *umbral diferencial de intensidad*, que es el cambio más pequeño producido en un estímulo que puede percibir un oyente. Es, por lo tanto, el mínimo aumento de intensidad perceptible, es decir, la cantidad mínima, ΔI, de intensidad que es necesario aumentar en un sonido puro para que podamos percibir una variación en su percepción. Esta cantidad ΔI depende de la frecuencia (puesto que el oído es sensible a las variaciones de frecuencia) y de la intensidad.

El umbral diferencial relativo viene expresado por $\dfrac{\Delta I}{I}$, que es la relación que existe entre el más pequeño aumento de intensidad perceptible y la intensidad anterior del sonido; es sensiblemente constante a intensidades y frecuencias medias (100 a 4.000 cps); su valor oscila entre un 5 % y un 10 %; es necesario aumentar del 5 % al 10 % la intensidad para que sea percibido el aumento. La ley de Weber encuentra en este punto fácil justificación: *El mínimo aumento del estímulo capaz de provocar un aumento de la sensación es una fracción constante del estímulo primitivamente aplicado;* o dicho de otra manera: para que un estímulo se muestre como notablemente diferente del estímulo precedente, el aumento necesario debe ser siempre una fracción constante del primer estímulo.

La ley de Weber aplicada a los pesos se ejemplifica de la siguiente manera: si a un peso de 100 gr. es necesario añadirle 5 gr. para que parezca más pesado, a uno de 200 gr. habrá que añadirle 10 gr., y a uno de 500 gr., 25 gr., para percibir una sensación de mayor pesantez; luego la fracción constante es de $\frac{1}{25}$, o un 5 %.

El umbral diferencial relativo se mantiene constante, como ya hemos dicho, para frecuencias e intensidades medias, pero se eleva para los sonidos más graves y más agudos, así como para los sonidos más débiles (próximos al umbral de la audición) y para los más intensos (próximos al umbral del dolor); entre estos dos últimos extremos (sonidos débiles-intensos) se ha calculado que existen 325 sensaciones distintas de intensidad.

Esta ley de Weber fue la base real para la teoría de las sensaciones de Fechner.

Teniendo en cuenta Fechner las deducciones de la ley de Weber de que, a partir del umbral absoluto, la intensidad de la sensación se eleva a intervalos sucesivos, y que cada intervalo de sensación es debido a un aumento de estímulo igual al umbral diferencial de intensidad, $\frac{\Delta I}{I}$, demostró que todo crecimiento de la sensación, ΔS, es proporcional al crecimiento relativo $\frac{\Delta I}{I}$ de la intensidad sonora. De ahí que:

$$\Delta S = K \frac{\Delta I}{I}$$

o considerando aumentos infinitamente pequeños

$$dS = K \frac{dI}{I}$$

de donde se llega, por integración, a la relación específica propuesta finalmente por Fechner y que conocemos con el nombre de *ley de Fechner.*

$$S = K \log. I$$

en donde S es la magnitud de la sensación, I la dimensión del estímulo y K una constante de proporcionalidad que varía con el modo sensorial.

La *ley de Fechner*, por lo tanto, la enunciamos del siguiente modo: *La sensación varía como el logaritmo de la excitación*, o lo que es lo mismo: *La sensación crece en progresión aritmética, cuando la excitación crece en progresión geométrica.*

Como consecuencia de la *Ley de Fechner*, podemos medir en acústica las diferencias existentes entre dos intensidades sonoras; como unidad de esta diferencia tomamos el *bel:* la diferencia, *n*, expresada en beles, entre dos intensidades sonoras, I_1 e I_2 es igual al logaritmo decimal de la relación de las potencias vibratorias correspondientes, W_1 y W_2:

$$n \text{ beles} = \log \frac{W_1}{W_2}$$

Como el bel es una unidad muy grande, se utiliza su submúltiplo el *decibel* (db), pudiendo escribir entonces que

$$n \text{ (db)} = 10 \log \frac{W_2}{W_1}$$

Podemos comenzar a contar los decibeles a partir de una escala arbitrariamente escogida, según las necesidades que tengamos en cada caso; sin embargo, por acuerdo internacional, el cero de referencia se ha fijado en 10^{-16} watios por cm², es decir, en algunos decibeles por debajo del umbral absoluto de audición [5].

---

[5] Para hacernos una idea del valor de los decibeles, damos algunos ejemplos en los que podemos ver, aproximadamente, a cuántos decibeles corresponden ciertos ruidos más o menos conocidos por nosotros:

130 db	Umbral de la sensación dolorosa
120 db	Tormenta
110 db	Avión a algunos metros de distancia
100 db	Taller de calderería
90 db	Rugido de león a algunos metros
80 db	} Calle con mucho movimiento
70 db	

La unidad objetiva, física, de la intensidad es, como hemos visto, el *bel* o el *decibel*. Frente a ella, es necesario medir el nivel de intensidad subjetiva o sonía. Este nivel de sonía de un sonido puro dado se define como la intensidad, medida en db, de un sonido puro de 1.000 cps que se percibe por un oyente normal medio, con la misma intensidad que el sonido puro dado. Este nivel de sonía se denomina también *nivel de isosonía*. La unidad que sirve para medir el nivel de sonía es el *fono*. Esta unidad pertenece a la escala que los psicólogos llaman intensiva: ordena las sensaciones conforme a su magnitud: un sonido puro de 80 fonos, por ejemplo, es siempre más intenso que uno de 60 fonos, y éste más que uno de 20. La escala intensiva no nos dice el número de veces que una cantidad es mayor que otra. Por eso, se ha ideado la escala numérica, que expresa las relaciones entre las cantidades medidas. En esta escala se ha tomado como unidad de la sonía el *sono*. En virtud de esta unidad, un oyente considera que un sonido que tiene una sonía de 2 sonos es dos veces más intenso que un sonido de 1 sono, y éste, a su vez, es dos veces más intenso que un sonido de 1/2 sono. Se ha elegido arbitrariamente como 1 sono, la sonía de un sonido puro de 1.000 cps a un nivel de intensidad de 40 db.

El sono, unidad de sonía, que es puramente aritmético, está relacionado con el fono, unidad del nivel de isosonía, que es puramente logarítmico, por la relación siguiente:

$$\log. \; S = 0{,}03 \; P - 1{,}2$$

(S = sonía en sonos; P = nivel de isosonía en fonos).

---

60 db	Conversación corriente
50 db	Automóvil poco ruidoso
40 db	Calle en calma de una gran ciudad
30 db	Habitación media
20 db	Cuchicheo
10 db	Ruido de hojas movidas por la brisa

Por analogía con otras unidades físicas (amperio, voltio, etc.), se ha generalizado *decibelio* en lugar de *decibel*.

3.6. El umbral diferencial de frecuencia

La frecuencia, expresada en cps, es la dimensión física correspondiente a las vibraciones de un cuerpo. La dimensión psicológica que le corresponde es la *altura tonal, tonía* o *tono*, que depende de la frecuencia y de otros factores, tales como la intensidad y la duración.

La tonía es tanto más alta cuanto más alta sea la frecuencia. Aplicando a este caso particular la ley de Weber-Fechner, podemos decir que la tonía, T, varía como el logaritmo de la frecuencia:

$$T = \log. f$$

En este caso, la excitación es la frecuencia (fenómeno físico) y la sensación es la tonía (fenómeno psicológico).

El umbral diferencial para las diferencias de frecuencia no se expresa por el menor aumento de frecuencia perceptible Δf (como en el caso del umbral diferencial de la intensidad, ΔI), sino por el intervalo perceptible más pequeño [6], o, lo que es lo mismo, por la diferencia relativa más pequeña $\dfrac{\Delta f}{f}$.

La diferencia mínima relativa es constante para los sonidos comprendidos entre los 500 y 4.000 cps, y su valor es de $\dfrac{3}{1.000}$ aproximadamente, lo que indica que entre esas frecuencias medias basta con aumentar en un 3 ‰ la frecuencia de un sonido para percibir una nueva sensación de altura, a un nivel medio de 60 a 80 db.

---

[6] El *intervalo* es la diferencia de altura de dos sonidos. Esta diferencia de altura no se expresa por la diferencia aritmética de frecuencias, $f_2 - f_1$, sino por la relación de frecuencias $\dfrac{f_2}{f_1}$. Así, por ejemplo, los intervalos entre los sonidos de 100 y 200 cps son iguales, y constituyen el intervalo de una octava. Entre los 20 y 20.000 cps, que, como hemos dicho antes, constituyen la gama de frecuencias audibles, hay alrededor de diez octavas.

Para aquellos sonidos cuyas frecuencias son medias es donde se encuentra el óptimo de sensibilidad de un oído medio con relación a las variaciones de altura. Las sensaciones disminuyen en los extremos de la gama de frecuencias: así, a los 50 cps la diferencia relativa más pequeña para que pueda aumentar la sensación de altura es de un 10 ‰, y de un 8 ‰ a los 8.000 cps. La intensidad desempeña su papel también en el umbral diferencial de la frecuencia, lo que se explica por el hecho de que la sensibilidad del oído no es lineal en función de la intensidad. En el nivel de los sonidos graves, la tonía disminuye cuando aumenta la intensidad; en el nivel de los agudos ocurre lo contrario: la tonía aumenta cuando la intensidad lo hace también. Podemos percibir dos sonidos puros con la misma tonía compensando una diferencia de frecuencia con una diferencia de intensidad.

La duración es también un factor importante en la percepción de la tonía: un sonido debe tener cierta cantidad para ser reconocido totalmente, desde el punto de vista de la altura tonal. Este tiempo varía con la intensidad: disminuye cuando aumenta la intensidad; para los sonidos medios es del orden de 0,01 a 0,02 segundos.

En general, se puede decir que la tonía disminuye cuando la cantidad del sonido también disminuye. Pero la sensación de tonía permanece aproximadamente durante 0,15 segundos después de la interrupción del sonido.

La unidad de tonía, encuadrada en una escala numérica, es el *mel*. Arbitrariamente, se ha admitido que a un sonido que tenga una frecuencia de 1.000 cps, a 40 db, le corresponde una tonía de 1.000 meles. De este modo, un sonido que posea una tonía de 2.000 meles se percibirá con una tonía dos veces mayor que un sonido cuya tonía sea de 1.000 meles, manteniendo la misma intensidad.

3.7. LA PERCEPCIÓN DE LA CANTIDAD

El tiempo es, de todos los elementos considerados, el que mejor se percibe a través de la audición.

Según Liénard *(1977,* 144 y sgs.), la acuidad con la que percibimos dos fenómenos cercanos en el tiempo es el origen de un gran número de controversias: se dan valores que oscilan entre 1 y 200 milisegundos.

Hay dos acepciones principales de la constante de tiempo del oído:

a) el umbral de separación temporal: es el intervalo más pequeño que separa dos impulsiones discernibles entre sí. El análisis y la síntesis del sonido han puesto de manifiesto que son detectadas modificaciones temporales comprendidas entre 4 y 5 milisegundos;

b) constante de tiempo fisiológico: es la duración mínima (aproximadamente 60 ms.) necesaria para que un sonido pueda ser plenamente percibido con todos sus atributos (altura, intensidad, timbre, estructura interna, etc.) [7].

---

[7] Pueden consultarse para este capítulo las siguientes obras: Denes y Pinson *(1963),* Fletcher *(1958),* Gribenski *(1951),* Kaplan *(1960),* Matras *(1961),* Piéron *(1960).*

IV

MÉTODOS ELECTROACÚSTICOS APLICADOS A LA INVESTIGACIÓN FONÉTICA

4.0. Durante muchos años se utilizaron en el dominio de la fonética llamada experimental los procedimientos articulatorios o fisiológicos. La existencia de estos métodos llevaron al fonetista a profundizar en las descripciones fisiológicas, y a olvidar casi por completo la existencia de la fase acústica, derivada de la articulatoria; pero realmente este olvido era provocado por las circunstancias de aquel momento científico: la electroacústica prácticamente no existía, o existía sólo, a título experimental, en los laboratorios.

Ahora bien, el estudio de la faceta acústica de los sonidos era tan importante, o más, que el estudio de la faceta articulatoria: la clasificación de los sonidos en «tipos acústicos» es más exacta que la clasificación en «tipos articulatorios»; aquéllos son más netamente diferenciados y más estables que éstos. Como dice Bertil Malmberg *(1952)*, era errónea la opinión de toda la fonética clásica cuando postulaba que cada posición diferente de la lengua daba lugar a un nuevo sonido. Hoy podemos comprobar que en la cavidad de resonancia bucal se compensa la variación de un órgano articulatorio, *A*, que producía antes de su movimiento un sonido *x*, con la modificación de otro, *B*, para dar un resultado acústico análogo al primitivo *x*.

El desarrollo de la electroacústica permitió la creación de toda una serie de aparatos de inmediata aplicación a la investigación fonética: el oscilógrafo, el mingógrafo, el espectrógrafo, los sintetizadores del lenguaje, el mismo magnetófono, etc. [1].

En este capítulo nos limitaremos a describir solamente dos sistemas: el espectrógrafo o sonógrafo y los sintetizadores del lenguaje. El limitarnos a ellos obedece a las siguientes razones: en primer lugar, son los instrumentos que van a proporcionar toda la información contenida en este libro: continuamente analizaremos y daremos muestras de espectrogramas obtenidos con el primero de los aparatos citados; en segundo lugar, haremos comparaciones con los datos obtenidos por medio de la síntesis del lenguaje, y obtendremos de ésta los índices acústicos de los sonidos; en tercer lugar, son los dos procedimientos más utilizados hoy en la investigación fonética [2].

4.1. EL SONÓGRAFO

El espectrógrafo o sonógrafo tiene como misión la descomposición automática de la onda sonora compleja en cada uno de sus componentes integrantes, y suministrarnos, de este modo, todos los datos que nos interesa conocer.

El aparato que utilizamos está construido por la Kay Elec-

---

[1] Sería también necesario señalar, como previo y común a muchos de estos aparatos, la existencia del *micrófono*, que permitió recoger la onda sonora compuesta, en toda su complejidad, sin necesidad de fragmentarla, como ocurría, por ejemplo, en las investigaciones quimográficas.

[2] El oscilógrafo de rayos catódicos no ha tenido una gran aplicación en nuestras investigaciones, a causa de la complicación que suponía su empleo para el lingüista no iniciado en los análisis matemáticos.

Sobre este método pueden verse, entre otros, los siguientes trabajos: Harley Carter: *El oscilógrafo de rayos catódicos*, Madrid, 1957. Agostino Gemelli: *La strutturazione psicologica del linguaggio studiata mediante l'analisi elettroacustica*, Roma, 1950. Id.: *L'Analisi elettroacustica del linguaggio*, Milán, 1934. A. Gemelli y E. Pastori: «Analyse éléctrique du langage», *ANPhE*, X, 1934, págs. 1-29. C. E. Parmenter y S. N. Treviño: «A Technique for the Analysis of Pitch in Connected Discourse», *ANPhE*, VII, 1932, págs. 1-29.

tric Company. Los sonógrafos construidos por esta casa antes de 1948 alcanzaban una frecuencia de sólo 3.500 Hz, lo que hacía difícil el estudio completo de muchas consonantes, cuyos índices acústicos comienzan a esa frecuencia. A partir de la fecha mencionada, la escala de frecuencias fue aumentada hasta los 8.000 Hz y más recientemente hasta los 16.000 Hz; con esta nueva gama puede realizarse perfectamente el estudio de todos los sonidos.

4.1.1. ESQUEMA Y FUNCIONAMIENTO DEL APARATO.

En la figura 4.1 hemos representado un esquema muy simplificado del sonógrafo. Las tres partes más esenciales del aparato son: el sistema de filtros, F; el disco magnético, D, y el cilindro reproductor, CR. Como es natural, el sonógrafo lleva anejos toda otra serie de mecanismos, como el amplificador,

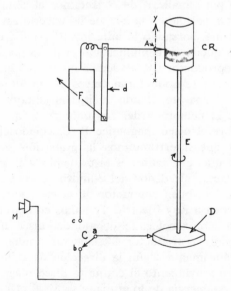

FIG. 4.1. *Esquema del sonógrafo:* M: *micrófono;* C: *conector;* D: *disco magnético;* F: *sistema de filtros;* d: *cursor;* A: *aguja inscriptora;* CR: *cilindro reproductor;* E: *eje de unión entre* D *y* CR

alimentador, motor de rotación, etc., que no aparecen en la figura.

Cuando el conmutador C se encuentra en la posición *a-b*, el aparato está a punto para efectuar la grabación sobre la superficie cilíndrica externa del disco magnético D. Para efectuar esta grabación se pueden seguir dos procedimientos: 1.º) directamente, hablando frente al micrófono M del espectrógrafo; 2.º) grabando antes sobre una cinta magnetofónica, y haciendo pasar esta grabación por el mismo conducto *a-b*, hasta el disco magnético D. Este segundo procedimiento es el más empleado, y el más recomendable, porque nos queda siempre, archivado, el problema analizado.

Ya tenemos la secuencia sonora grabada sobre el disco magnético. La duración máxima que podemos analizar en cada sonograma es de 2,4 segundos. Una vez que hemos llegado al final de este tiempo, donde hemos calculado que terminaba la frase o la palabra para analizar, desconectamos el conmutador C de la posición *a-b*, pasando a la *a-c*; de no hacerlo así, volveríamos a grabar encima, borrando lo anterior. Al establecerse la nueva conexión *a-c*, queda en comunicación el disco magnético D con el cilindro reproductor CR. Podemos oír lo que hemos grabado sobre el cilindro reproductor a través de un altavoz que lleva incorporado el aparato. Dando vueltas al cilindro buscamos el comienzo de la palabra o del conjunto de palabras que están grabadas sobre el disco magnético D. Calculado el punto *cero*, punto en el que interrumpimos la grabación sobre el disco magnético, y que, por tanto, es el principio y el final del sonograma, colocamos alrededor del cilindro reproductor un papel especial, sensible, buen conductor de la electricidad, fabricado por la misma casa Kay Electric. Ponemos en marcha el aparato mediante un motor colocado debajo del disco magnético D; éste y el cilindro reproductor CR, que van unidos por el eje E, giran simultáneamente según la dirección de la flecha.

Al estar en movimiento el conjunto disco magnético-cilindro reproductor, la energía de lo grabado sobre el primero pasa por los puntos de conexión *a-c* al sistema de filtros, y de aquí a la aguja inscriptora A. Esta, movida por un tornillo sin fin, se desliza por el cursor *d*, según la dirección *x-y*, paralela al cilindro, recogiendo en cada momento la frecuencia que proviene del filtro acústico. Al poner en contacto la aguja inscriptora A con el papel que está alrededor del cilindro reproductor CR, salta una descarga eléctrica desde la aguja A hasta CR a través del papel conductor, que queda quemado.

La aguja, en su camino ascendente, va trazando un helicoide sobre el papel; como está en contacto con el cursor, al que llega la tensión eléctrica que sale del filtro (proporcional, por otra parte, a los componentes de la onda sonora), lo va quemando en aquellos puntos donde hay energía. De esta manera, queda sobre él, a sus frecuencias determinadas, el sonograma o imagen del sonido.

4.1.2. FILTROS ACÚSTICOS.

La onda acústica de la palabra es un sonido complejo que necesitamos analizar para estudiar sus tres componentes más importantes: número, amplitud y frecuencia de las vibraciones. Este análisis, como dice Bertil Malmberg *(1962*, 13-14), puede hacerse empleando tres procedimientos:

1.° Por medio del análisis matemático de la curva compleja, según el teorema de Fourier, que nos enseña, como ya vimos antes, que cualquier onda compuesta puede ser analizada en un número de curvas sinusoidales, múltiplos de la fundamental.

2.° Con la ayuda de un filtro acústico.

3.° Por el oído, lo que exige que sea sumamente sutil para poder separar cada uno de los componentes que integran el conjunto total de la onda sonora.

El primer procedimiento es largo y complicado; el tercero, muy difícil, casi imposible de conseguir. Nos queda como más viable el segundo, el de los filtros acústicos; éste presenta con gran nitidez todos los armónicos, que pueden ser objeto de un estudio exacto y no muy complicado [3].

---

[3] La aparición de estos sistemas de filtros, con la consiguiente simplificación en el análisis de la onda acústica compuesta, es lo que ha mo-

Los filtros acústicos son, como hemos visto, resonadores; constituyen un sistema de transmisión pasiva que sólo permiten el paso de una determinada gama de frecuencias a través de ellos, es decir, que sólo dejan pasar aquellas ondas simples cuyas frecuencias coinciden con las de cada uno de los filtros. De este modo, las ondas cuyas frecuencias son superiores o inferiores a las frecuencias que puede dejar pasar un determinado filtro, no pasarán a través de éste, sino que se dirigirán a otro filtro, sensible para frecuencias superiores o inferiores.

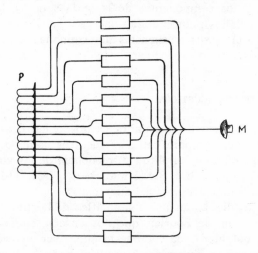

Fig. 4.2. *Sistema de filtros:* M: *micrófono;* P: *pantalla*

En la figura 4.2 está representado el dibujo esquemático de un sistema de filtros (doce, en el sonógrafo, de 300 Hz cada uno). A través del micrófono M penetra la onda acústica con toda su complejidad. Esta onda compuesta choca contra la muralla de filtros. Cada uno de estos filtros sólo va a dejar pasar las ondas simples cuyas frecuencias coinciden con las de él.

---

tivado la reducción del uso del oscilógrafo. Los filtros acústicos realizan automáticamente la descomposición, mientras que con el oscilógrafo tenía que realizarla el investigador, y esta operación era larga y complicada.

Después de atravesar el sistema de filtros, el resultado aparecerá sobre la pantalla P (v. figura 4.2), o sobre el papel del sonograma. En ambos podemos observar la misma onda compleja, pero descompuesta en sus ondas simples componentes, que aparecerán ordenadas, de abajo a arriba, conforme a su menor o mayor frecuencia. Este sistema de filtros que hemos descrito era el que poseía el aparato en su origen. Tenía el inconveniente de que cortaba la gama de frecuencias de la voz en bandas de frecuencias sucesivas. Los aparatos actuales vienen provistos de un solo filtro de paso de banda constante, cuya frecuencia se desplaza en toda la gama acústica de modo continuo (de 85 a 8.000 cps). Este filtro es de anchura regulable. En el sonógrafo de la Kay Electric hay dos sistemas de filtros: uno de banda estrecha, de 45 cps; otro de banda ancha, de 300 cps. Al desplazarse estos filtros de modo continuo sobre el espectro extraen toda la banda de frecuencias. Cuando se utiliza el filtro de banda estrecha, extrae una banda de frecuencia de 45 cps, que es inferior siempre a la distancia entre dos armónicos (normalmente, cualquier frecuencia fundamental es superior a los 45 cps). El sonograma que se obtiene con este filtro muestra una resolución del espectro en sus diferentes armónicos (v. figura 4.4): es un *sonograma de banda estrecha*. Cuando se utiliza el filtro de banda ancha, se obtiene una banda de frecuencias de 300 cps, que comprende varios armónicos. De este modo se ponen de relieve las zonas de frecuencias que han sido reforzadas en las cavidades supraglóticas (v. fig. 4.3). El sonograma resultante se denomina *sonograma de banda ancha*.

4.1.3. Datos proporcionados por un sonograma.

Un sonograma suministra los parámetros necesarios para el análisis acústico de los sonidos.

1. En el eje de abscisas viene dada la *cantidad* del estímulo. El tiempo total que puede abarcar un sonograma es de 2,4 segundos. Como la cantidad de cada sonido no llega a un segundo, se utiliza normalmente la centésima de segundo (c/s). Sobre

este eje de tiempos se puede realizar la delimitación de cada segmento. En las figuras 4.3 y 4.4 está representada la escala de tiempos, en el eje de abscisas.

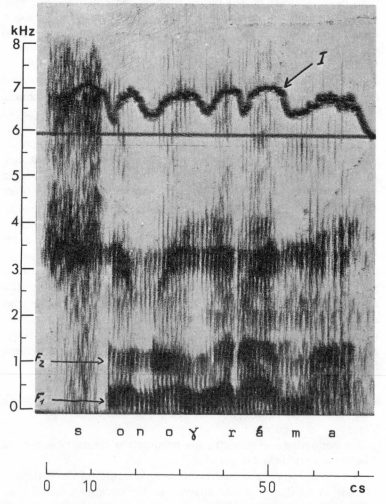

FIG. 4.3. *Sonograma de banda ancha (filtros de 300 Hz).* F_1: *primer formante;* F_2: *segundo formante;* I: *intensidad*

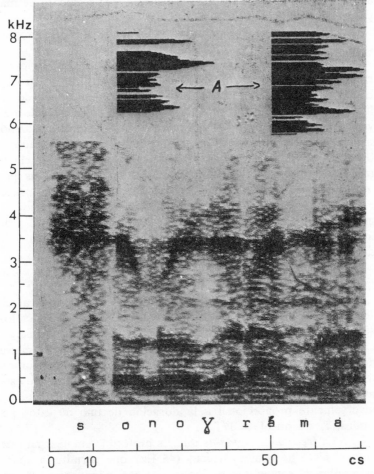

FIG. 4.4. *Sonograma de banda estrecha (filtros de 45 Hz).* A: *amplitudes*

2. En el eje de ordenadas se representan las *frecuencias*, en KHz, en las figuras mencionadas, desde 0 KHz hasta 8 KHz.

3. El grado de negror indica la *intensidad* de los componentes, aunque hay, como veremos, otros procedimientos para

analizarla. En el sonograma de la figura 4.3, el segmento de mayor ennegrecimiento es la [á].

Además de estos tres parámetros, el sonograma nos proporciona:

4. La *estructura formántica* de los componentes, cuyo correlato subjetivo es el *timbre*. Para ello, se utiliza el filtro de banda ancha (300 Hz). Con este procedimiento se ponen de relieve los *formantes*, que son las regiones de frecuencia de mayor intensidad, es decir, el conjunto de ondas simples o armónicos, cuyas frecuencias, al coincidir con las de los resonadores bucales, han sido reforzadas. Las formantes tienen una anchura media de aproximadamente 200 Hz. Están representados por medio de unas bandas negras, anchas, situadas horizontalmente. Poseen la mayor energía de todo el espectro. (Véanse en la figura 4.3 los distintos formantes: los dos primeros, F_1 y F_2, de la primera [o] de [sonoɣráma] están indicados por medio de dos flechas.)

En cada segmento la relación entre estos formantes es lo que produce la sensación de timbre.

En un sonograma de banda ancha, como el de la figura 4.3, se notan fácilmente unas estriaciones verticales, sobre todos los segmentos, menos [s], formadas por finísimas líneas negras. Cada línea refleja la excitación de las cavidades bucales a causa de un impulso de aire de la corriente glotal, producido por un movimiento de abertura y cierre de las cuerdas vocales. De este modo, se puede calcular la frecuencia fundamental F_o, que es inversamente proporcional a la duración de uno de estos períodos, T_o, ya que $F_o = 1/T_o$.

5. La *frecuencia fundamental*. Es preferible emplear en este caso el filtro de banda estrecha (45 Hz), que permite la aparición sobre el sonograma de los armónicos individuales; el primer armónico será la *frecuencia fundamental* y los demás (segundo, tercero, cuarto, etc., armónicos), de la onda periódica compuesta, serán múltiplos del fundamental. La figura 4.4 es el mismo sonograma de la 4.3, pero utilizando el filtro de banda estrecha; sobre él aparecen todos los armónicos; unos son más negros que otros, y algunos apenas se perciben. Los armónicos

más negros (más intensos) son aquellos cuyas frecuencias han coincidido con las de los resonadores bucales, y han sido reforzados. Si hacemos una extrapolación de ellos obtendremos los mismos formantes señalados en la figura 4.3.

La frecuencia fundamental, o la de cualquier armónico, se mide, como ya sabemos, en ciclos por segundo (Hz o cps), partiendo de la línea cero de frecuencias, y siguiendo, hacia arriba, el eje de ordenadas.

El armónico fundamental nos será de mucha utilidad en el momento de estudiar la curva melódica para obtener los patrones de entonación de cualquier lengua.

6. La *intensidad*. La intensidad global de cada segmento se representa, siguiendo el eje de abscisas, en la parte superior del sonograma, por medio de la línea I que aparece en la figura 4.3. La intensidad de cada segmento se mide en decibelios a partir de la línea cero de intensidad (inmediatamente por debajo de la línea I).

La *amplitud*. En la parte superior del espectrograma de la figura 4.4 están representadas las amplitudes de dos sonidos (señaladas por A). El perfil de la amplitud es el mejor medio de representar la intensidad de un sonido en un punto dado de su extensión en el tiempo. Así, en el punto temporal que hemos señalado para cada uno de estos sonidos obtenemos la amplitud de cada armónico. La escala de frecuencias de estos perfiles de amplitudes es inversa: comienza en la parte superior del espectro, siguiendo el eje de ordenadas; las amplitudes más altas son las de más baja frecuencia y corresponden, por lo tanto, a los primeros armónicos. Por medio de estas amplitudes, la intensidad de cada armónico es mensurable objetivamente en decibeles, en dirección al eje de abscisas, y de izquierda a derecha. El resultado, consecuentemente, es más exacto que el que podríamos obtener comparando el grado de ennegrecimiento de cada armónico.

La figura 4.5 representa el mismo sonograma de las dos figuras anteriores en función de tres parámetros: tiempo, frecuencia y amplitud. Esta última viene dada por las líneas que definen cada contorno de un determinado grado de ennegrecimiento: cada grado posee un intervalo de 6 db. De este modo, es posible contrastar las diferencias de amplitud en las distintas frecuencias o tiempos de un espectro dado [4].

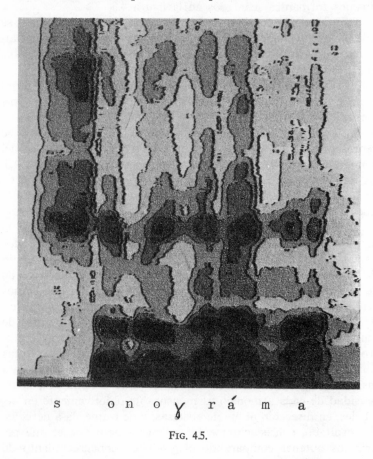

s   o n o y r á m a

FIG. 4.5.

---

[4] Puede verse la siguiente bibliografía: Cooper *(1965)*, Delattre *(1951)*, Fant *(1956, 1958, 1958 a, 1961, 1962)*, Flanagan *(1972)*, Hadding-Koch, K., y Petersson, L. *(1965)*, Koenig, Dunn y Lacy *(1946)*, Lindblom *(1962)*, Lindner *(1969)*, Peterson *(1954)*, Potter, Kopp y Green *(1947)*; Pulgram *(1959)*, Quilis *(1960)*, Sakai y Sei-Ichi *(1960)*.

4.2. Los sintetizadores del lenguaje

El espectrógrafo, como hemos visto, es el método analítico por excelencia: nos proporciona todos los datos que constituyen la onda sonora; pero esto que en sí mismo es una gran ventaja, si pensamos en los procedimientos anteriores, es también un inconveniente: la abundancia de datos suministrados nos impide conocer cuál o cuáles constituyen los rasgos lingüísticamente pertinentes, los que son imprescindibles para comprender el mensaje, y cuáles son los redundantes, los puramente ocasionales o individuales. Sólo la síntesis del lenguaje puede resolver el problema.

La síntesis del lenguaje tiene por objeto la elaboración de un lenguaje artificial, cuya calidad se puede controlar a través del juicio múltiple realizado por varios sujetos que lo perciben, y atestiguan si lo que perciben se asemeja o no a la realidad, en qué grado y cuál de las muestras que han oído es la mejor. Pero el objeto de los sintetizadores del lenguaje no es crear un lenguaje lo más real posible, sino el de servir para la investigación del lenguaje: si el espectrograma nos proporciona la representación de los componentes acústicos de la onda sonora con toda su complejidad, hay que buscar el procedimiento inverso: a partir de los índices que, después del análisis de numerosos espectrogramas, nos parecen constantes, reconstruir un lenguaje lo más comprensible posible. Sólo a través del sintetizador puedo saber qué parámetro o parámetros contribuyen al reconocimiento de una unidad fónica, ya que sólo en él es posible variar el número de parámetros o modificarlos. Por eso, con la síntesis del lenguaje comienza la verdadera *fonética experimental*.

Los sintetizadores más importantes son: el Pattern Playback, el Vocoder, el OVE, el PAT y la síntesis por medio de ordenadores.

4.2.1. El Pattern Playback.

La síntesis del lenguaje se realizó por primera vez de manera satisfactoria con el aparato llamado Playback, de los Laboratorios Haskins, construido por F. S. Cooper. El aparato permite «releer» un sonograma. Su funcionamiento es, en esencia, el siguiente: se dibuja sobre una banda transparente de celuloide un espectrograma, tomado directamente de uno natural, o creado de un modo totalmente artificial. Esta banda transparente pasa a una velocidad determinada delante de una célula fotoeléctrica, que recibe, por reflexión, la luz que, procedente de una determinada fuente luminosa, ha pasado a través de un *disco de frecuencias* (v. fig. 4.6); este disco de frecuencias tiene

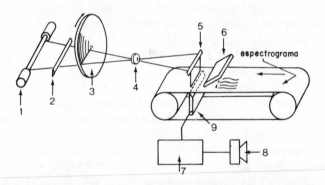

Fig. 4.6. *Sintetizador «pattern playback». 1. fuente de luz; 2. lente cilíndrica; 3. rueda de tono; 4. lente; 5. espejo (45°); 6. colector de luz y fotocélula (reflexión); 7. amplificador; 8. altavoz; 9. colector de luz (transmisión)*

por objeto la realización de 50 tonos puros de frecuencias variables, cuyo fundamental es un tono de 120 Hz, y cuya gama se extiende hasta los 6.000 Hz (120 Hz, 240 Hz, 360 Hz, 480 Hz, etcétera). Estos tonos puros se accionan por medio de 50 haces de luz de una anchura de 1/10 de pulgada cada uno. Estos 50 haces de luz cubren toda la altura de un espectrograma, y están dispuestos de tal modo que corresponden a las frecuencias de los 50 armónicos de un espectrograma real. Cuando el espectrograma pasa a una velocidad determinada, constante, bajo los rayos de luz se realiza la incidencia de tonos puros sobre los formantes del espectro; esta incidencia puede variar en un momento dado conforme a las amplitudes del espectro, y a lo largo del tiempo según las fluctuaciones que aparezcan en el esquema formántico. Cada formante corresponde normalmente a tres tonos puros, de los que el central es el más intenso.

Para hacer un espectrograma artificial, se pinta una línea para cada armónico, siguiendo el eje de abscisas. Cuanto más elevada esté situada la línea, la frecuencia será más alta; cuanto más ancha, su intensidad será mayor, y cuanto más larga, tanto mayor será su duración.

En el Pattern Playback, los sonidos periódicos se obtienen por medio de líneas continuas; los sonidos aperiódicos, dibujando sobre el espectro puntitos situados lo más irregularmente posible; los ruidos de explosión, pintando trazos breves más o menos verticales de una anchura de frecuencias de 600 Hz aproximadamente. Con este procedimiento no se pueden reproducir las variaciones de frecuencia del fundamental, siendo imposible, por lo tanto, reproducir la entonación.

Para remediar este obstáculo se construyó en los mismos laboratorios otro aparato, de las características básicas del Playback: el *Voback* o *Vocoder Playback*. Se diferencia del anterior en la posibilidad de variar la entonación de una frase sintetizada, controlando de este modo la altura tonal [5].

4.2.2. EL VOCODER.

El Vocoder (Voice Coder) fue ideado por Dudley en 1939. El fin perseguido con este sistema era el de economizar la transmisión de la palabra a través de las líneas telefónicas: como la cantidad de información de la banda de paso del habla es inferior a la que puede transmitir el canal telefónico, es conve-

---

[5] Véanse principalmente los siguientes trabajos: Borst *(1956)*, Cooper *(1962)*, Cooper, Delattre, Liberman, Borst y Gerstman *(1952)*, Cooper, Liberman y Borst *(1951)*, Delattre, Cooper, Liberman *(1952)*, Delattre, Cooper, Liberman, Gerstman *(1956)*, Stowe y Hampton *(1961)*.

niente descomponer los elementos que constituyen los sonidos del lenguaje y reducirlos a un número restringido, que facilite su codificación y transmisión. Es decir, se trata de realizar las operaciones de análisis y de síntesis; las dos de enorme interés para el conocimiento de los índices acústicos de los sonidos.

La secuencia fónica, convertida en señal eléctrica por el micrófono, entra en el analizador del aparato. Éste contiene una serie de 20 filtros yuxtapuestos, que cubren toda la gama vocal, y determinan la distribución de frecuencias de la energía espectral. La energía que pasa por cada filtro se convierte en una señal eléctrica, y el conjunto de estas señales eléctricas constituyen la codificación de la secuencia fónica. Esta codificación en forma de impulsos eléctricos pasa al sintetizador, que contiene una serie de filtros análoga a la del analizador, una fuente que genera sonidos periódicos o ruido blanco y unos moduladores que pueden amplificar cada banda de frecuencia proporcionalmente a la señal de salida del filtro correspondiente del analizador. Para los trabajos de síntesis no es necesario el uso de este elemento, pero siempre conviene tener un modelo para seleccionar los índices que se vayan a estudiar.

En el Vocoder, el trazo de una sola línea produce automáticamente un formante completo, de intensidad variable según su anchura. Es posible variar la frecuencia del fundamental y estudiar la entonación. También se utiliza para investigar la intensidad y los demás parámetros que pueden contribuir a la percepción del acento [6].

4.2.3. SINTETIZADORES DE FORMANTES.

En el Vocoder, la distribución espectral de los sonidos está representada por la relación tiempo-nivel de intensidad de cada una de las bandas de frecuencia, que son fijas. Por el contrario, en los sintetizadores de formantes, la distribución espectral de los sonidos viene dada por la relación tiempo-frecuencia. Es

---

[6] Véanse principalmente los siguientes trabajos: Borst y Cooper *(1957)*, Cooper *(1950, 1953)*, Dudley *(1939, 1955, 1958)*.

decir, se puede controlar en cada momento la frecuencia de los formantes (que tienen la forma de simples curvas de resonancia) y su intensidad. Estos sintetizadores de formantes se basan en el principio de que los elementos significativos de los sonidos del lenguaje radican en las variaciones de frecuencia de los resonadores bucales.

Existen varios tipos de sintetizadores de formantes, pero los más perfeccionados son el PAT (Parametric Artificial Talker), construido en Edimburgo por W. Lawrence, y el OVE II (Orator Verbis Electricis), de Gunnar Fant, en Estocolmo.

Estos aparatos comprenden: *a*) un generador de impulsos que origina una onda sonora periódica, semejante a la que produce la vibración de las cuerdas vocales sobre el aire que procede de los pulmones. Su amplitud y su frecuencia son regulables; *b*) un generador de ruido blanco para la producción de las fricativas; *c*) una serie de filtros.

Hay dos tipos de sintetizadores de formantes: a) los *sintetizadores en paralelo*, en los que los filtros que producen el espectro están situados en paralelo, como en el Vocoder; la frecuencia y la intensidad de cada formante se controlan por separado; b) los *sintetizadores en serie* o en *cascada:* los filtros están situados uno a continuación del otro; la salida del primero es la entrada del segundo, y así sucesivamente, semejando las sucesivas cavidades de resonancia de la cavidad bucal. Las amplitudes de cada formante no se controlan individualmente.

El OVE II de Estocolmo comprende tres ramas en serie separadas, y conectadas a una salida común. Una de las ramas está dedicada a la producción de los sonidos de tipo vocálico, definidos por las frecuencias formánticas F_1, F_2, F_3. Está conectada a un generador de impulsos, que produce la frecuencia fundamental F_0, o a un generador de ruido blanco, por si se quieren obtener sonidos vocálicos aspirados. La segunda rama comprende dos resonancias K_1 y K_2 y una antirresonancia K_0; se utiliza para la producción de los segmentos fricativos. La tercera rama está compuesta por una serie de resonancias nasales N_1-N_4 y una antirresonancia N_0; se utiliza para la producción de segmentos consonánticos nasales, o, con la adición

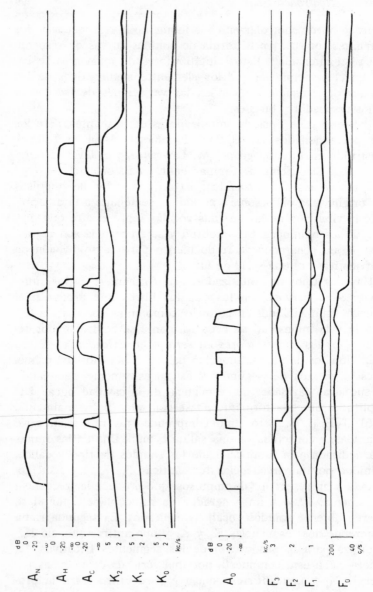

FIG. 4.7. *Variación temporal de los 11 parámetros de la frase* I enjoy the simple life, *sintetizada en el OVE II (según* FANT *y* MÁRTONY*)*

de la primera rama, para producir vocales nasalizadas. La amplitud de la fuente sonora (producida por el generador de impulsos), A_o, modula el nivel de intensidad global de los sonidos producidos por F_1, F_2...; sería semejante a la amplitud de las vibraciones de las cuerdas vocales. A_n controla la amplitud del sistema nasal; A_c, el de las fricativas, y A_h, el de las aspiraciones vocálicas producidas por F_1, F_2...

Sobre una hoja de plástico se trazan, con tinta conductora de la electricidad, las curvas de estos parámetros, conforme indica la figura 4.7. Cada parámetro varía a lo largo del tiempo dentro de su propia zona. En la figura mencionada se muestran las variaciones de los 11 parámetros de la frase sintetizada «I enjoy the simple life» en un OVE II (según Fant y Mártony, *1962*).

Como los sintetizadores de formantes permiten variar a voluntad cualquiera de los parámetros que representan el habla, son enormemente interesantes para estudios del lenguaje. Se estudia la influencia que la variación de uno o más parámetros puede tener sobre la percepción y comprensión de la frase sintetizada, poniendo de relieve de este modo la importancia de los distintos índices acústicos que conforman la secuencia fónica [7].

4.2.4. SÍNTESIS POR MEDIO DE ORDENADORES.

En los últimos tiempos se ha abierto una perspectiva nueva en las investigaciones fonéticas al aplicar ordenadores en el campo de la síntesis del lenguaje.

Los sintetizadores que hemos visto anteriormente se podrían incluir en la categoría de «máquinas de calcular *analógicas*», porque utilizan señales eléctricas variables en función del tiempo. Sin embargo, un ordenador es un aparato *digital*, porque funciona a base de impulsos *binarios*.

Se pueden realizar dos operaciones complementarias que

---

[7] Véase Anthony y W. Lawrence *(1962)*; Fant *(1958 a*, 72-74; *1968*, 262-272; *1962 a*, 53-59).

unan el conjunto de señales digitales al conjunto de magnitu-
des continuas que aparecen en un sistema fónico.

Una operación es la de transformar unas señales, como los
impulsos binarios, en una señal que estuviese en función de la
amplitud y del tiempo y que fuese traducible en un diagrama
oscilográfico o en una tensión eléctrica que se pudiese introducir en cualquier aparato reproductor de sonido. Esta operación
se puede realizar por medio del *convertidor digital analógico*.
Este aparato está acoplado a la salida de un ordenador. Recibe
un tren de impulsos codificados, es decir, una serie de cifras
binarias que expresan las variaciones de amplitud y tiempo.
Transforma estos impulsos codificados en una tensión eléctrica
que varía en función del tiempo. De este modo, se reconstruye
una señal acústica, que, si se ha programado de la debida forma, reproducirá una secuencia fónica.

Otra operación es la de codificar una señal eléctrica, continua, que procede, por ejemplo, de un micrófono, en una forma
binaria. Para realizarla se utiliza el *convertidor analógico digital:* parte de una función continua, analógica (amplitud en función del tiempo), y va a analizar el valor de la amplitud en
función del tiempo cada 0,0004 seg., por ejemplo; después ta-
bula los valores decimales de la amplitud y del tiempo en dos
columnas; posteriormente se transforman estas cifras decimales en cifras binarias.

Partiendo de estos cuadros de cifras binarias es posible dar
multitud de órdenes diferentes, con el fin de estudiar el valor
de los índices que nos interesen [8].

4.2.5. Modelos analógicos del sistema fonador.

Estos aparatos están destinados a investigar el aspecto articulatorio del habla y a estudiar las relaciones que existen entre las posiciones articulatorias y las propiedades acústicas de
la onda sonora. Como puede observarse en el esquema de la

[8] Véanse Denes *(1962)*, Holmes, Mattingly y Shearme *(1964)*, Mathews,
Pierce y Guttman *(1962)*, Peterson *(1961)*.

figura 4.8, un modelo analógico es una reproducción del sistema fonador del hombre. Este sistema se considera como un tubo acústico, limitado en su extremo inferior por las cuerdas vocales, y en el superior, por la abertura labial. Además, las paredes de este tubo se pueden tensar o contraer por medio de unos determinados músculos, y los órganos móviles —lengua, labios, maxilar— pueden estrecharlo o ensancharlo en diferentes puntos.

El modelo analógico pretende reproducir las operaciones del sistema fonador humano para la reproducción de sonidos. El aparato está compuesto fundamentalmente de un grupo de circuitos eléctricos variables cuyas propiedades eléctricas son análogas a las propiedades acústicas del sistema fonador humano.

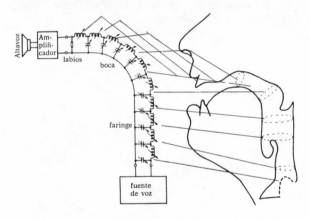

Fig. 4.8. *Modelo analógico del sistema fonador (Electrical Line Analog, LEA, de Estocolmo. Según* FANT)

Cada circuito eléctrico representa una sección determinada del sistema fonador. Si se modifica la dimensión de una de estas secciones es necesario modificar el circuito eléctrico correspondiente hasta hacerlo coincidir con las características acústicas de la sección. Posee también una fuente sonora eléctrica que simula la función de las cuerdas vocales, del mismo tipo que la del OVE. A la salida, un amplificador y un altavoz reproducen el sonido vocálico creado en el aparato [9].

Los ajustes de los diferentes circuitos eléctricos se realizan a partir de las dimensiones de las distintas secciones de la cavidad supraglótica para un determinado sonido.

Estas dimensiones se obtienen de radiografías de la articulación del correspondiente sonido [10].

---

[9] Fant *(1958,* 74-76), Dunn *(1950),* Rosen *(1958),* Rosen, Stevens, Heinz *(1956);* Stevens *(1953),* Stevens, House *(1955, 1956);* Stevens, Kasowski, Fant *(1953).*

[10] Puede consultarse, además, la siguiente bibliografía: Bell, Fujisaki, Heinz, Stevens, House *(1961),* Flanagan *(1956),* Fujimura *(1958),* Ladefoged *(1964),* Liberman, Ingemann, Lisker, Delattre, Cooper *(1959),* Liénard *(1970),* Lisker *(1957),* Mettas *(1965, 1971),* Mol, Uhlenbeck *(1957),* Moles *(1966),* Peterson, Wang, Sivertsen *(1958);* Peterson, Sivertsen *(1960),* Poncin *(1970),* Rabiner *(1968),* Sivertsen *(1961),* Strevens *(1958).*

V

LOS RASGOS DISTINTIVOS

5.1. Los rasgos distintivos

A nivel fonológico, como se sabe, operan unas unidades lingüísticas que no tienen significación en sí mismas, pero que son capaces de cambiar el significado de un morfema, una palabra o una frase por sustitución (*pipa, Pepa, Papa, popa, pupa*): los *fonemas*.

Así como el morfema está compuesto y se percibe por medio de varios fonemas, éste está constituido y se identifica por medio de varios *rasgos distintivos*, que funcionan normalmente por medio de varios correlatos acústicos o articulatorios.

Según Pierre Delattre (*1967*, 178-179), un rasgo distintivo «es una señal fonética compleja capaz de cambiar un fonema en otro por sustitución y, como consecuencia, de originar transformaciones significativas».

Un rasgo distintivo no debe confundirse con un índice acústico o con un movimiento articulatorio; estos últimos sólo contribuyen al funcionamiento lingüístico del rasgo distintivo.

La comunicación presentada por Roman Jakobson (*1939*) en el Tercer Congreso Internacional de las Ciencias Fonéticas (Gante) marcaba el nacimiento de la teoría que se iba a conocer en adelante con el nombre de *binarismo*. Esta teoría, que ha tenido aplicaciones en otros niveles de la lingüística, además del fonológico, y en otras disciplinas humanísticas —principalmente en antropología—, fundamenta sus principios en que las relaciones entre las unidades fónicas distintivas de las lenguas se basan en la presencia o ausencia de un rasgo distintivo (principio binario), lo que equivale a la elección entre dos cualidades polares de la misma categoría (denso/difuso) o entre la presencia y ausencia de una determinada cualidad (sonoro/sordo) [1].

En virtud del principio saussureano de la linealidad del significante, un fonema no puede dividirse en unidades distintivas sucesivas, pero sí en unidades distintivas simultáneas. Es decir, «así como los fonemas de una lengua dada forman un sistema de secuencias, así el sistema de fonemas, a su vez, está formado por sus constituyentes, esto es, por sus rasgos distintivos» (Jakobson, *1936*), y al dividir los fonemas en sus rasgos distintivos, seguimos el mismo procedimiento que cuando dividimos los morfemas en fonemas. Por tanto, los rasgos distintivos son los últimos constituyentes de una lengua. Así, por ejemplo, en español, /b/ posee el rasgo «sonoro» que lo distingue de /p/, el rasgo «oral» que lo distingue de /m/, el rasgo «grave» que lo distingue de /d/, el rasgo «difuso» que lo distingue de /g/.

El binarismo ha introducido algunos cambios y algunas precisiones en los conceptos lingüísticos, aportando, al mismo

---

[1] Los psicólogos han puesto de relieve la importancia del principio binario. Henri Wallon, en *Les origines de la pensée chez l'enfant*, París, 1945, págs. 41, 44, 67, 115, dice: «El pensamiento sólo existe a través de las estructuras que introduce en las cosas... Lo que es posible comprobar en el origen es la existencia de elementos emparejados. El elemento de pensamiento es esta estructura binaria, no los elementos que la constituyen... La pareja, o el par, son anteriores al elemento aislado... Sin esta relación inicial que es la pareja todo el edificio ulterior de relaciones sería imposible... No hay pensamiento puntiforme, sino, desde el origen, dualismo o desdoblamiento... Como regla general, toda expresión, toda noción está íntimamente unida a su contrario, de tal manera, que no puede ser pensada sin él... La delimitación más simple, la más sorprendente, es la oposición. Una idea se define antes y más fácilmente por su contraria. La unión llega a ser como automática entre sí-no, blanco-negro, padre-madre, de tal modo, que parece, a veces, que vienen a la lengua al mismo tiempo, y que es necesario como hacer una elección y rechazar aquel de los dos términos que no conviene... La pareja es a la vez identificación y diferenciación» (citado en Jakobson, *1962 a*).

tiempo, ventajas notables, sobre los procedimientos anteriores, pero no por ello ha dejado de ser criticado.

Uno de los cambios es el que se refiere al concepto de *oposición* [2]. Jakobson toma como base la caracterización de oposición formulada por H. J. Pos a raíz del Congreso de Gante. Decía el lingüista holandés: «La oposición en sí misma y separada de todo factor material es de naturaleza eminentemente lógica: es una relación que no se comprueba, pero que se piensa. Los opuestos son dos, pero de un modo particular: su dualidad no tiene el carácter indeterminado y contingente de dos objetos arbitrariamente reunidos por el pensamiento. La particularidad consiste en que dado uno de ellos, el pensamiento deduce el otro, lo que no es el caso de la dualidad contingente. En ésta, la enumeración es la que une los elementos... El primer elemento de una dualidad contingente no deja prever de ninguna manera cuál será el segundo. En la dualidad de oposición, por el contrario, dado uno, el otro, sin ser dado, es evocado por el pensamiento...» [3]. A la idea de blanco sólo se opone la de negro, a la de hermoso, feo, etc. De la definición saussureana de que «los fonemas son ante todo entidades opositivas, relativas y negativas» se desprende que el fonema no tiene un opuesto único y predecible. No es posible saber cuál es el opuesto del fonema /u/ del turco, por ejemplo, hasta que hayamos realizado el análisis de sus rasgos; éste muestra que /u/ es difuso, grave y bemolizado. Cada uno de estos rasgos distintivos que conforman /u/ es una dualidad de oposición dentro de esa lengua, y «cualquiera de estos constituyentes implica la coexistencia de su opuesto en el mismo sistema fonémico»: difuso/compacto, grave/agudo y bemolizado/normal. Por ello, Jakobson deduce que el valor de oposición debe trasladarse del fonema al rasgo distintivo, transferencia que no contradice el espíritu de Saussure, ya que, como han puesto de relieve las fuentes manuscritas del *Curso*, no son los fonemas, sino sus *elementos*

---

[2] R. Jakobson, *1962 a*, 441-442.
[3] H. J. Pos: «Perspectives du Structuralisme», *TCLP*, 8, 1939, pág. 75.

los que tienen «un valor puramente opositivo, relativo, negativo» [4].

El establecer un fonema en una lengua dada no es difícil: el principio de la conmutación pone de relieve las unidades fónicas que desempeñan un papel en una lengua determinada: *pipa/Pepa/Papa/popa/pupa*. Lo difícil empieza cuando se intenta la caracterización interna de esos fonemas (Jakobson, *1936*, 419), cuando queremos saber cuáles son las cualidades fónicas que entran en juego, y decidimos abandonar el impresionismo de las diversas descripciones: tanto de las que se limitan a registrar el número de los distintos fonemas, como de las que intentan hacer un análisis lingüístico, proponiendo unas definiciones más o menos congruentes. Es necesario, pues, dar una clasificación de esas cualidades fónicas, de los rasgos distintivos, que sea lo más simple y lo más universal posible. Hay que tener en cuenta, además, que cualquier rasgo distintivo existe «solamente como un término de relación» (Jakobson, *1962 a*, 446). Es decir, si oponemos /k/ y /t/ franceses en cuanto a velar/dental, los describimos bien articulatoriamente, pero no ponemos de relieve la relación que los une, mientras que si los describimos como compacto/difuso los unimos por medio de un mismo eje que va de lo más grave a la ausencia de gravedad. «En una lengua que posea estos dos fonemas [/k/ y /t/], cada uno posee uno de los dos atributos opuestos, compacto/difuso, y la existencia de una de estas propiedades distintivas implica necesariamente la existencia de la otra. Por otro lado, en un patrón consonántico que no tenga la oposición distintiva de compacidad y difusión, la presencia de /t/, evidentemente, no puede implicar la existencia de /k/. Por ejemplo, en tahitiano, el fonema oclusivo /t/ posee solamente el rasgo agudo por oposición al grave, /p/, mientras que en oneida, que no tiene consonantes labiales, /t/ no desempeña ningún papel en la oposición grave/agudo (/a/ : /e/ = /o/ : /i/ = /w/ : : /j/), sino que presenta sólo el rasgo difuso (/t/ : /k/ = /i/ :

---

[4] R. Godel: *Les sources manuscrites du Cours de linguistique générale de F. de Saussure*, Ginebra, 1957, págs. 269, 272. Citado por Jakobson.

: /e/ = /o/ : /a/ = /ũ/ : /ʎ/). Así, el análisis en rasgos distintivos pone de relieve la diferencia constitutiva cardinal entre el /t/ oneida y el /t/ tahitiano, a pesar de su semejanza fonética» (Jakobson, *1692 b*, 645).

Es de todo punto evidente que la selección de los rasgos ha de hacerse con todo cuidado, ya que sin un buen análisis de los rasgos distintivos no pueden inventariarse los fonemas de una lengua.

La determinación de los rasgos distintivos ha homogeneizado la nomenclatura fonética tradicional, en la que se producía una confusión entre los niveles articulatorios y acústicos. Como la descripción de los rasgos distintivos exige ser realizada, según Jakobson, a los niveles articulatorio, acústico y perceptivo, se debe dar la correspondencia terminológica en cada uno de ellos (del perceptivo hablaremos más adelante), siendo posible definir ahora los rasgos distintivos tanto en términos articulatorios como acústicos, aunque en algunos casos coincidan en un mismo término los dos aspectos.

Este paralelismo en los diferentes niveles que corresponden a las etapas sucesivas del proceso de comunicación, establecido por Jakobson, proporciona, como dice Ruwet [5], «una «metaestructura» que permite una traducción fácil de un nivel al otro».

La dicotomía de los rasgos distintivos aplicada sistemáticamente a todos los fonemas ha puesto de relieve que algunos son aplicables tanto a vocales como a consonantes, como, por ejemplo, grave/agudo: o/e; u/i; p, k/t; b, g/d; m/n, etc.

El principio binario es, por otra parte, el más económico y el más universal [6]. R. Jakobson *(1957, 521)* da un ejemplo ilustrativo de la economía que supone la organización binaria en una lengua: según los cálculos de Cantineau, basados sobre la descripción fonológica del árabe clásico, los 26 fonemas del sistema consonántico árabe proporcionan $(26 \times 25) : 2 = 325$ oposiciones. Por el contrario, «la aplicación del análisis compo-

---

[5] «Préface» a *Essais de Linguistique générale*, de R. Jakobson, París, 1963.

[6] Puede verse en Jakobson *(1962 a*, 440-441) la relación de lenguas a las que se ha aplicado el principio.

nencial a los 28 ó 29 fonemas no silábicos del árabe clásico...
da 9 oposiciones binarias. El contraste de estas dos cifras —325
y 9— ilustra la economía del análisis componencial, y nos permite suponer que los miembros de la comunidad lingüística
árabe, locutores y oyentes, en sus operaciones cotidianas de
codificación y de descodificación, alivian sus tareas de emisión
y de percepción recurriendo a los índices informativos de los
rasgos distintivos, que les suministran siempre ventajosas situaciones de elección binaria».

Pero, como era previsible, el binarismo no se ha visto libre
de duras críticas.

Una de ellas alcanza a la esencia misma de la teoría: ¿son
binarios los rasgos distintivos? A. Martinet *(1957-58)* opina que
la agrupación binaria puede utilizarse para ciertos rasgos como
«sonoridad» y «sordez» (presencia/ausencia de vibraciones de
las cuerdas vocales): b, d, g/p, t, k. Pero para otras dimensiones fonéticas, por ejemplo, para el lugar de articulación se im-
ponen más de dos términos: /p/, /t/, /k/ se distinguen entre
ellos porque su articulación es labial, dental y velar, respectivamente. Por ello, el lingüista francés piensa que hay a la vez
rasgos binarios, ternarios, cuaternarios, etc. Jakobson *(1962 a,*
448) responde brevemente a esta objeción diciendo que si es
un hecho consumado que la existencia de fonemas con sonoridad distintiva necesariamente implica la existencia de fonemas
con sordez distintiva, no hay ninguna razón para negar una
relación similar entre los /k/ y /t/ del francés. Estos dos fonemas se oponen como compacto/difuso, y como forma una
dualidad opositiva y no una dualidad contingente —recuérdese
lo dicho más arriba—, «la existencia de una de estas propiedades distintivas implica necesariamente la existencia de la otra».
Ahora bien, hay que tener en cuenta también que Jakobson
llega al binarismo a través de una descripción acústica fundada
en el análisis de la onda sonora, y no de una descripción articulatoria de la que difícilmente se pueden obtener propiedades
distintivas binarias.

Sin embargo, partiendo del análisis acústico de las vocales
suecas, Bertil Malmberg *(1956)* llegó a la conclusión de que el

binarismo es difícil de aplicar a determinados sistemas fonemáticamente más complejos, como el del vocalismo sueco, donde se da la presencia de dos grados de labialización [7].

Otra de las críticas formuladas contra los rasgos distintivos es la que se refiere al problema de la percepción. Según Jakobson, cualquier fonema será identificado como uno de los términos de una alternativa: presencia-ausencia de determinado rasgo pertinente. Sin embargo, es aún muy difícil establecer con seguridad el proceso mental de la interpretación de los rasgos.

Como dicen D. B. Fry *(1956)* y B. Malmberg *(1967)* parece que a veces se cruzan criterios diferentes en el establecimiento de los rasgos distintivos: por ejemplo, difuso/compacto pertenece al nivel acústico, agudo/grave al perceptivo, mientras que en el de bemolizado/normal parece que hay una referencia a los dos.

Para Fry, si el rasgo distintivo es una cualidad fónica, debe existir una correspondencia entre este hecho físico y el fenómeno perceptivo (psicológico) correspondiente, lo que hasta este momento no se ha encontrado. Según Fry, sólo se ha comprobado una relación entre hecho físico y fenómeno perceptivo en las cuatro dimensiones que él considera fundamentales: timbre, tono, intensidad y cantidad. Estos parámetros, correspondientes a un elemento del lenguaje, integran constantemente la onda sonora, y al variar uno de ellos a partir de ciertos límites, se reconoce otro elemento diferente.

G. Fant *(1967)* tampoco comparte la idea jakobsoniana de que el cerebro, al descodificar el habla al nivel de la identificación fonológica, siga un esquema funcional totalmente paralelo al sistema de los rasgos distintivos utilizados en el análisis del lenguaje, lo que no quiere decir que no desempeñen un papel importante en la percepción. Ahora bien, según el mismo Fant, estos rasgos distintivos son una realidad psicológica al juzgar

---

[7] Sin embargo, para el fonema alto posterior deslabializado /ɯ/, Chomsky y Halle *(1968,* 315) han propuesto describirlo como «covered» (en oposición con «non-covered»), que, de admitirse, resolvería el problema. Para la controversia binarista, véase B. Malmberg *(1969).*

pruebas de confusiones fónicas bajo tipos variados de distorsión o perturbación mental.

Algunas experiencias realizadas por Göte Hanson *(1961, 1967)*, sobre todo con vocales suecas, no parecen confirmar tampoco el valor universal de la teoría binarista en cuanto a la percepción.

Pierre Delattre *(1967)* parte de la base de que «los rasgos distintivos son señales perceptibles (subjetivas) que pueden ser observadas e investigadas a través de sus manifestaciones objetivas, esto es, a través de sus correlatos acústicos y articulatorios». Analiza, a nivel articulatorio, acústico y perceptivo, el estudio de cuatro fenómenos diferentes: *a)* /g/ ante vocales labializadas y deslabializadas; *b)* las distinciones de determinadas vocales; *c)* la nasalidad vocálica, y *d)* las realizaciones angloamericanas de /r/, apical y dorsal. De los casos analizados, en el primero, el correlato articulatorio del rasgo distintivo es «más simple y más invariante» que el acústico [8]. En los otros tres, sin embargo, el rasgo acústico es «el más simple y el más invariante» [9]. Como indica el mismo Delattre, estos hechos no

---

[8] En este caso, desde el punto de vista acústico, el lugar de articulación de /g/ entre vocales deslabializadas se percibe principalmente por medio de las transiciones formánticas, y ante vocales labializadas, casi exclusivamente por medio del ruido de explosión. Como el sonido producido por estos dos medios acústicos es lingüísticamente el mismo, no existe ningún común denominador, ninguna invariante desde el punto de vista acústico. La única invariante es la articulatoria: «la acción del dorso de la lengua hacia y desde el velopaladar, independientemente de la dirección que él toma y del sitio exacto del que parte» (pág. 191). Por lo tanto, el correlato es articulatorio.

[9] En la distinción de /i/-/u/, /e/-/o/, /ɛ/-/ɔ/ se requieren dos tipos de movimientos articulatorios: posición lingual anterior/posición lingual posterior y deslabialización/labialización, mientras que acústicamente, en cada una de las parejas, el primer formante tiene la misma frecuencia, y el que origina la distinción es el segundo formante, con sus posiciones frecuenciales diferentes.

En el caso de la nasalidad vocálica, también el único correlato es acústico: descendiendo 15 db la intensidad del primer formante de una vocal oral, se percibe una nasal. Sin embargo, articulatoriamente, es preciso el descenso del velo del paladar y el reajuste de la forma y el volumen de

son suficientes para deducir qué tipo de correlatos, si los articulatorios o los acústicos, se identifican mejor con los rasgos distintivos. Concluyendo: para Delattre, la relación que existe entre los rasgos distintivos, las invariantes subjetivas y los correlatos objetivos [10] es la siguiente: hay una relación directa entre: *a*) las invariantes y los rasgos distintivos; *b*) los correlatos, articulatorios y acústicos, y las invariantes; una relación indirecta entre los rasgos distintivos y los correlatos.

En otro trabajo posterior, Delattre *(1968)* llega a la conclusión de que en los correlatos acústicos de los rasgos distintivos interviene más de un índice: para que las consonantes francesas, que él toma como objeto de su estudio, se distingan entre sí son necesarios por lo menos dos índices y a veces más. Por ello, los correlatos acústicos de los rasgos distintivos se presentan como haces complejos de índices, siendo igualmente complejos sus correlatos articulatorios.

Como se ve de lo expuesto hasta aquí, se requieren aún muchos trabajos para perfilar la naturaleza del rasgo distintivo. Seguramente, con el tiempo se matizará la doctrina jakobsoniana, pero en nuestra opinión, y en la de la mayoría de los lingüistas, el binarismo y con él la concepción del rasgo distintivo es el acontecimiento más importante en fonología desde la aparición de los *Grudzüge*, de Trubetzkoy.

La exposición sistemática de los rasgos distintivos, dentro del esquema binarista, fue realizada en la obra *Preliminaries to Speech Analysis. The Distinctive Features and their Correlates* (Massachusetts, 1952), debida a Roman Jakobson, M. Gunnar, C. Fant y Morris Halle [11].

---

la cavidad faríngea hasta llegar a las dimensiones necesarias para producir la nasalidad distintiva.

La realización de /r/ como apical o como dorsal produce el mismo espectro y se percibe del mismo modo. También en él el correlato es acústico.

[10] El término *correlato* lo utiliza para referirse a los rasgos que pueden medirse física o anatómicamente, mientras que con el de *invariante* designa la señal que se origina por medio de los correlatos acústicos o articulatorios.

[11] La doctrina ha sido recogida también en R. Jakobson y M. Halle:

En nuestra lengua, la *Fonología española*, de Emilio Alarcos Llorach, fue el primer libro que recogió y aplicó la teoría de los *Preliminaries*.

5.2. CLASIFICACIÓN DE LOS RASGOS DISTINTIVOS

Los rasgos distintivos se dividen en dos clases: los *rasgos prosódicos* y los *rasgos intrínsecos o inherentes* [12]. Sólo los fonemas que constituyen el núcleo silábico presentan los rasgos prosódicos y únicamente se pueden definir en función del relieve de la sílaba o de la cadena silábica. Por el contrario, los rasgos intrínsecos se manifiestan en los fonemas independientemente de su función silábica.

5.2.1. CLASIFICACIÓN DE LOS RASGOS DISTINTIVOS PROSÓDICOS.

Más adelante, en los tres últimos capítulos, trataremos con más amplitud los rasgos prosódicos o suprasegmentales.

R. Jakobson, siguiendo a H. Sweet, distingue tres tipos de rasgos prosódicos: la *frecuencia del fundamental*, la *intensidad* y la *cantidad* (que él denomina, respectivamente, *tono, fuerza* y *cantidad*). A estos tres parámetros físicos corresponden otros tantos parámetros psicológicos («atributos de la sensación»): *tonía, sonía* y *duración* (*altura de la voz, estrépito de la voz* y *duración subjetiva* o *protensidad*, en la terminología de Jakobson).

Cada uno de estos tres rasgos prosódicos presenta dos variedades, según su cuadro de referencia: *a*) intersilábico: el

---

Phonologie et Phonétique, en *Essais de Linguistique Générale*, trad. de N. Ruwet, París, 1963, págs. 103-157, cuya versión original, *Phonology and Phonetics*, constituye la primera parte de los *Fundamentals of Language* (La Haya, 1956) (Trad. española, *Fundamentos del Lenguaje*, Madrid, 1967), que es una edición ampliada del texto aparecido en el *Handbook of Phonetics*, editado por B. Malmberg, Amsterdam, 1968. La traducción de Ruwet se basa sobre una versión ligeramente modificada aparecida en *Selected Writings*, I.

[12] Jakobson, Fant y Halle *(1952)*, y Jakobson *(1963*, 121-130).

núcleo de una sílaba se compara con el núcleo de otras sílabas en el interior de una misma secuencia; *b*) intrasilábico: un momento del núcleo silábico puede compararse con otros momentos del mismo núcleo o con el vacío siguiente.

5.2.1.1. *Los rasgos prosódicos de tono.*

Desde el punto de vista intersilábico el rasgo de tono (de nivel o de registro) es el que hace diferenciar distintos núcleos silábicos en el interior de una secuencia, valiéndose de las diferencias de frecuencia del armónico fundamental. Pueden señalarse dos rasgos de tono: *alto* o *bajo,* susceptibles de dividirse, según las lenguas en: *neutro/alto, neutro/bajo,* o bien *alto aumentado/alto disminuido, bajo aumentado/bajo disminuido.*

Desde el punto de vista intrasilábico, el rasgo de *modulación* hace contrastar el tono alto de una parte de un fonema con el tono bajo de la parte siguiente o del fonema siguiente (en un diptongo, por ejemplo), o a la inversa. Por lo tanto, la modulación puede ser ascendente o descendente, y se da en cualquier nivel tonal; por ejemplo: alto ascendente/alto descendente, etc.

Estos rasgos son propios de las llamadas lenguas tonales.

5.2.1.2. *Los rasgos prosódicos de fuerza.*

Desde el punto de vista intersilábico, el *acento dinámico* realiza el contraste entre un núcleo silábico, acústicamente más intenso, con los otros centros silábicos menos intensos.

Es el caso del español *cántara-cantara-cantará.*

Desde el punto de vista intrasilábico, se comparan dos partes contiguas del fonema acentuado, resultando que la parte inicial presenta el máximo de intensidad, mientras que en la parte final, disminuye. Es el rasgo llamado *stosston,* o en danés, lengua que lo posee, *stød.*

5.2.1.3. *Los rasgos prosódicos de cantidad.*

Intersilábicamente, los rasgos de cantidad hacen contrastar un fonema normal, breve, núcleo de una sílaba, con los fonemas de mayor duración, largos, de otras sílabas, y/o un fonema normal, breve, pero constante, con un fonema reducido pasajero, ultrabreve. En ambos casos, el fonema marcado es el que posee el rasgo prosódico de cantidad, y el no marcado, el de brevedad. El rasgo de cantidad funciona en lenguas como el latín, donde, por ejemplo, *sŏlum* /solum/ 'suelo' — *sōlum* /so:lum/ 'solo'.

Intrasilábicamente, el rasgo de *unión,* o de *contacto,* se basa en una diferencia en la distribución de la duración entre la vocal y la consonante siguiente.

5.2.2. CLASIFICACIÓN DE LOS RASGOS DISTINTIVOS INTRÍNSECOS.

Los rasgos intrínsecos son manifestaciones propias de los fonemas, como segmentos constitutivos y autónomos de la cadena hablada. Al contrario de lo que ocurre con los rasgos prosódicos, la presencia o ausencia de un rasgo intrínseco puede cambiar, si es pertinente, la naturaleza de un fonema. El fonema /a/ de la secuencia /ámo/ puede tener el rasgo de intensidad, /á/, o no, /a/, sin que su presencia o ausencia modifique la naturaleza de ese fonema. En cambio, si en un fonema como /b/ prescindimos del rasgo de sonoridad, deja de ser /b/ para convertirse en el fonema /p/.

Los rasgos intrínsecos se dividen en dos categorías: los *rasgos de sonoridad* y los *rasgos de tonalidad.*

5.2.2.1. *Los rasgos de sonoridad.*

Los rasgos de sonoridad están relacionados con los rasgos prosódicos de intensidad y cantidad. Utilizan principalmente la cantidad y/o la concentración de la energía acústica en cada momento de la producción de un fonema.

Los rasgos de sonoridad son: *vocálico-no vocálico, consonántico-no consonántico, compacto-difuso, tenso-laxo (flojo), sonoro-sordo, nasal-oral, interrupto-continuo, estridente-mate.*

5.2.2.1.1. *Vocálico/no vocálico.* — Desde el punto de vista acústico, el *rasgo vocálico* se caracteriza por la presencia de una estructura formántica netamente definida. En el *rasgo no vocálico*, está ausente esa estructura formántica [13].

Desde el punto de vista articulatorio, el rasgo vocálico se debe principal o solamente a una excitación producida al nivel de la glotis, y la ausencia de obstáculos, al paso del aire fonador a través de las cavidades supraglóticas.

5.2.2.1.2. *Consonántico/no consonántico.*—Acústicamente, el *rasgo consonántico* se muestra bajo el efecto de una disminución de la energía total y por la presencia de zonas de no resonancia en su espectro, mientras que el *rasgo no consonántico* se caracteriza por el efecto contrario [14].

Articulatoriamente, el rasgo consonántico se caracteriza por la presencia de un obstáculo en las cavidades supraglóticas, mientras que el rasgo no consonántico se caracteriza por la ausencia de obstáculo.

Las vocales tienen el rasgo vocálico y el no consonántico; las posiciones de los dos, y a veces de los tres, primeros formantes proporcionan la identificación de las vocales. Las consonantes, por el contrario, poseen el rasgo consonántico y el rasgo no vocálico.

Entre el grupo de las consonantes y de las vocales se encuentra el de las líquidas (laterales y vibrantes), que poseen tanto rasgos vocálicos como consonánticos; como vocales, las líquidas tienen solamente una fuente armónica, y su espectro es similar al de las vocales, en lo que se refiere a la organización de los formantes. Como consonantes, hay zonas de no resonancia en su espectro. La configuración de sus tres primeros

---

[13] inglés: *vocalic/non-vocalic*
francés: *vocalique/non vocalique*
alemán: *vokalisch/nicht-vokalisch*
italiano: *vocalico/non-vocalico*

[14] inglés: *consonantal/non-consonantal*
francés: *consonantique/non-consonantique*
alemán: *konsonantisch/nicht-konsonantisch*
italiano: *consonantico/non-consonantico*

formantes es diferente, como veremos más adelante, del de las vocales, pese a su semejanza. Además, la intensidad global de las líquidas es mucho menor que la de las vocales.

Articulatoriamente, las líquidas poseen también unas características semejantes a las de las vocales: cavidad bucal con amplia dimensión longitudinal; y a las consonantes: cierre y abertura de la salida del aire a través de la cavidad bucal, o cierre intermitente de la misma [15].

Resumiendo, podríamos decir:

	vocal	*consonante*	*líquida*
Rasgo vocálico	+	—	+
Rasgo consonántico	—	+	+

En cuanto a su percepción, en igualdad de condiciones, las vocales son más perceptibles, en general, que las consonantes, y también éstas tienen menos potencia que las vocales. Según los trabajos de Sacia y Beck, la fuerza media de las vocales inglesas es de 9 a 47 microwatios, mientras que la de las consonantes se sitúa entre los 0,08 y los 2,11 microwatios.

5.2.2.1.3. *Compacto* (o *denso*)/*difuso*.—Desde el punto de vista acústico, el *rasgo compacto* o *denso* se caracteriza por una concentración más elevada de energía en una zona relativamente estrecha, central de su espectro, acompañada de un aumen-

---

[15] Jakobson, Fant y Halle incluyen también en este capítulo, cuyo nombre es el de «Fundamental source features», la *constrictiva laríngea* [h], y la *oclusiva laríngea* [ʔ]. Se diferencian de las vocales porque la primera tiene una fuente no armónica, y la segunda, un comienzo transitorio. Se diferencian de las consonantes, según los citados autores, porque tienen zonas no significativas de no resonancia. Articulatoriamente, la constrictiva laríngea se produce por medio de un estrechamiento en la glotis, y la oclusiva laríngea, por medio de una abertura brusca seguida de un cierre completo.

Acústicamente, no vemos clara la diferencia de estas dos consonantes con relación a las demás consonantes: [h] tiene un espectro similar al de otras constrictivas, y [ʔ], al de otras oclusivas.

to de la cantidad total de energía y de su expansión en el tiempo. Por el contrario, el *rasgo difuso* se caracteriza por una concentración más reducida de energía en la zona central del espectro, acompañada de una disminución de la cantidad total de energía y de su expansión en el tiempo [16].

En *(1963*, 128), Jakobson atribuye genéticamente la diferencia entre estos dos rasgos a las relaciones existentes entre la forma y el volumen de las cavidades de resonancia anterior y posterior al lugar de articulación: para las vocales abiertas, y las consonantes velares y palatales, comprendidas las postalveolares, el resonador anterior tiene la forma de un cuerno —el volumen decrece desde la parte anterior hasta la posterior—, mientras que el de las vocales cerradas y las consonantes labiales y dentales, comprendidas las alveolares, presentan una cavidad que se parece a la de un resonador de Helmholtz, es decir, una cavidad relativamente amplia con una abertura pequeña.

En Jakobson, Fant y Halle *(1952*, 27) se especifica de otro modo esta relación, caracterizando por separado consonantes y vocales. *a)* En cuanto a las consonantes: diferencia de volumen del resonador anterior y posterior al lugar de articulación; la relación del anterior al posterior es mayor para los fonemas compactos que para los difusos. De este modo, las consonantes velares y palatales son compactas en comparación con las consonantes articuladas en la parte anterior de la cavidad bucal (alveolares, dentales, labiales) que son realmente difusas. *b)* En cuanto a las vocales: la compacidad o difusión viene producida articulatoriamente, más que por la relación de los volúmenes anterior o posterior, por la diferente sección de paso que se establece entre los dos resonadores; cuanto mayor sea esta sección de paso, mayor será la compacidad de la vocal, y vice-

---

[16] inglés: *compact/diffuse; loud/non-loud; dense/diluted; satured/diluted*

francés: *compact/diffus*
alemán: *kompakt/diffus*
italiano: *compatto/diffuso*

versa. Por ejemplo, [a] es la vocal más compacta, mientras
que [i, u] son las más difusas.

M. Halle propuso más adelante *(1957* y *1959,* 53 y 126) dividir esta pareja de rasgos en *compacto/no compacto, difuso/no
difuso.* Se basó en que en los sistemas vocálicos de más de dos
grados de abertura los fonemas medios /e/, /o/, /ɛ/, /ɔ/ no
eran ni compactos ni difusos: eran relativamente compactos
con relación a /i/, /u/ y relativamente difusos con relación
a /a/. De este modo, se daba entrada a un rasgo «ternario» que
se oponía al binarismo. La innovación de M. Halle confiere a
las vocales dos parejas de oposiciones, y una sola para las consonantes. De este modo, en cuanto al vocàlismo, tendremos:
/a/, como *compacto,* se opone a todos los demás fonemas vocálicos, que son *no compactos* (/i/, /u/, /e/, /o/). Los no compactos, a su vez, son: *difusos:* /i/, /u/, y *no difusos:* /e/, /o/ [17].
En cuanto a los fonemas consonánticos, basta una sola pareja
de los rasgos distintivos para su funcionamiento: los compactos son no difusos y los difusos son no compactos. Por ello,
Halle *(1957,* 71) propuso que los fonemas consonánticos se clasificasen según los rasgos distintivos *compacto/no-compacto.*
Compactos serán los fonemas denominados articulatoriamente
palatales, velares, y los no compactos los labiales, dentales, alveolares e intermedios.

5.2.2.1.4. *Tenso/laxo* o *flojo.*—En Jakobson *(1963,* 128-129)
se caracterizan acústicamente estos rasgos del siguiente modo:
en el rasgo tenso: zonas de resonancia más netamente definidas
en el espectro y, al mismo tiempo, un aumento de la cantidad
total de energía y de su expansión en el tiempo. El rasgo flojo
se caracteriza por lo contrario. Está más perfilada, a nuestro
modo de ver, esta visión que la enunciada en Jakobson, Fant
y Halle *(1952,* 36), donde leemos: «En contraposición con los
fonemas flojos, los correspondientes fonemas tensos manifiestan un intervalo de sonido más largo y una energía más amplia.» Según la misma obra, en una vocal tensa la desviación

[17] En los sistemas vocálicos que posean /e/, /o/, /ɛ/, /ɔ/, el rasgo *tenso/flojo* opondría, respectivamente, /e/-/ɛ/ y /o/-/ɔ/.

de sus formantes respecto a una posición neutra es mayor que en la correspondiente vocal laxa. Esta vocal se encuentra más cerca del centro del triángulo vocálico y acústico que la vocal tensa [18].

En las consonantes, la tensión se manifiesta, en primer lugar, por la duración de su período sonoro, y en las explosivas, además, por la gran fuerza de la explosión.

Genéticamente, estas consonantes se caracterizan del siguiente modo en Jakobson, Fant y Halle *(1952,* 38): «Los fonemas tensos se articulan con mayor precisión y tensión que los correspondientes fonemas flojos. La tensión muscular afecta a la lengua, a las paredes de la región bucal y a la glotis. La mayor tensión va acompañada de una gran deformación de toda la cavidad bucal, con relación a su posición neutra. Esto está de acuerdo con el hecho de que los fonemas tensos tienen una duración mayor que sus flojos correspondientes.» En Jakobson *(1963,* 129), el correlato articulatorio de este rasgo se ve de forma distinta: «mayor [tensión] (menor [laxitud]) deformación de la cavidad bucal, con relación a su posición de reposo. El papel de la tensión muscular que afecta a la lengua, a las paredes de la cavidad bucal y a la glotis exige ser examinado más detenidamente».

R. Jakobson y M. Halle, en el trabajo «Tension et Laxité» [19], señalan de nuevo las características articulatorias de este rasgo: «En la producción de los fonemas flojos, el aparato fonador se comporta del mismo modo que con los fonemas tensos correspondientes, pero con una atenuación notable. Esta atenuación se manifiesta en una presión de aire más baja en la cavidad (con un cierre total de la glotis), en una deformación más leve del aparato fonador respecto a su posición neutra, central, y/o en un relajamiento más rápido de la constricción. Lo que caracteriza a las consonantes tensas es esencialmente un ma-

---

[18] inglés: *tense/lax; wide/narrow; strong/weak*
francés: *tendu/lâche; fort/doux; fort/faible; tendu/relâché*
alemán: *gespannt/ungespannt*
italiano: *teso/rilassato; teso/rilasciato*

[19] Recogido en Jakobson *(1963,* 150-157, y *1962,* 550-555).

yor intervalo de tiempo pasado en una posición distante de la posieión neutra; en cuanto a las vocales tensas, no sólo perseveran en una posición como ésta, óptima para la realización de un sonido sostenido, extendido, no reducido, sino que, además, presentan también una mayor deformación del aparato fonador» [20].

El *rasgo tenso* y el *rasgo laxo* o *flojo* son totalmente redundantes en el sistema fonológico español, por coincidir con el rasgo sordo y con el sonoro, respectivamente. No obstante, en otras lenguas, como el alemán, el inglés o el francés, estos rasgos son pertinentes.

5.2.2.1.5. *Sonoro/sordo.*—El *rasgo de sonoridad* se caracteriza acústicamente por la superposición de una fuente armónica sonora que se refleja en el espectrograma como un formante de muy baja frecuencia, situado, lógicamente, en su parte inferior. El *rasgo de sordez* se manifiesta por la ausencia de ese formante [21].

Articulatoriamente, la diferencia entre estos rasgos se debe a la vibración o no vibración de las cuerdas vocales, vibración que origina el formante inferior de sonoridad, o barra de sonoridad.

5.2.2.1.6. *Nasal/oral.*—Acústicamente, el *rasgo de nasalidad* se manifiesta en el espectro de las vocales a través de una reducción en la intensidad del primer formante (F_1), y en las consonantes, por la aparición de zonas de formantes en unas determinadas frecuencias. El *rasgo de oralidad* se manifiesta justamente por lo contrario [22].

---

[20] Jakobson (*1963*, 156-157). Fant (*1967*, 639) no está de acuerdo con la presencia de una mayor presión de aire en la producción de los fonemas tensos, y opina que este factor necesita más datos experimentales para su comprobación.

[21] inglés: *voiced/voiceless*
francés: *sonore/sourd; sonore/non-sonore; voisé/non-voisé*
alemán: *stimmhaft/stimmlos*
italiano: *sonoro/non-sonoro; sonoro/sordo*

[22] inglés: *nasal/oral; nasalized/non-nasalized; nasal/non-nasal*
francés: *nasal/oral; nasalisé/non-nasalisé; nasal/non-nasal*

Articulatoriamente, el rasgo de nasalidad se debe a la aparición de una nueva cavidad de resonancia posterior, debida al descenso del velo del paladar.

5.2.2.1.7. *Interrupto/continuo.*—Desde el punto de vista acústico, el rasgo *interrupto* se caracteriza por un momento de silencio (por lo menos en las bandas de frecuencia situadas por encima de las vibraciones de las cuerdas vocales), seguido y/o precedido de una difusión de la energía sobre una amplia banda de frecuencias (reflejada bien en forma de columna o barra de explosión, bien en la transición rápida de los formantes vocálicos). El rasgo *continuo* se caracteriza por la ausencia de estas propiedades [23].

El espectro del segmento que posee el rasgo interrupto se caracteriza por un momento de silencio al que sigue una barra perpendicular que es el resultado de la explosión (si es sonora aparecerá en su parte inferior su barra de sonoridad, solamente), mientras que el continuo se caracterizará por la presencia de frecuencias, armónicas o inarmónicas, situadas en diferentes regiones de su espectro.

Genéticamente, el rasgo interrupto se caracteriza por una detención rápida de la fuente de sonido con dos manifestaciones: *a*) cierre y/o abertura rápida del aparato fonador, que distingue las oclusivas de las constrictivas; *b*) la o las vibraciones que distinguen las líquidas interruptas como /r/, /r̄/ de las líquidas continuas como /l/, /λ/.

5.2.2.1.8. *Estridente/mate.* — Los rasgos estridente y mate afectan únicamente a las consonantes [24].

---

      alemán: *nasal/oral*
      italiano: *nasale/orale; nasalizzato/non-nasalizatto*
[23] inglés: *discontinuous/continuant; stop/constrictive; intercepted/continuous; interrupted/continuant; abrupt/continuant; non-continuous/continuous*
      francés: *discontinu/continu; interrompu/continu*
      alemán: *abrupt/dauernd*
      italiano: *discontinuo/continuo; interrotto/continuo*
[24] inglés: *strident/mellow*
      francés: *strident/mat*

Acústicamente, las consonantes que poseen el *rasgo estridente* se caracterizan por la total irregularidad en sus ondas sonoras componentes; su espectrograma refleja una distribución desigual, desordenada, de las áreas de sus frecuencias.

Las consonantes que poseen el *rasgo mate* se caracterizan porque en su espectrograma las áreas de sus frecuencias aparecen en estriaciones de forma horizontal o vertical. Cuando estas estriaciones son horizontales, recuerda, salvando su inarmonicidad, los formantes vocálicos.

Tanto las consonantes estridentes como las mates se caracterizan por un ruido que es debido a la constricción que sufre la corriente de aire en el lugar de articulación. En las consonantes estridentes este ruido es más intenso y más turbulento, ya que, además de la correspondiente constricción, se establece una barrera o un obstáculo suplementario que es el causante de su peculiar estridencia; las consonantes mates, por el contrario, están desprovistas de esta barrera suplementaria.

5.2.2.1.9. *Bloqueado/no bloqueado.*—Acústicamente, los sonidos que poseen el rasgo *bloqueado* o *glotalizado* se caracterizan por una proporción elevada de descarga de energía en un intervalo reducido de tiempo, mientras los que poseen el rasgo *no bloqueado* o *no glotalizado* se caracterizan por una proporción más baja de la descarga, en un intervalo más largo [25].

Genéticamente, el rasgo glotalizado se produce por medio de una compresión u oclusión rápida y momentánea de la glotis.

En español, esta pareja recibe también las denominaciones de recursivo/infraglotal, glotalizado/no glotalizado.

---

[25] alemán: *scharf/mild*
italiano: *stridulo/morbido; stridulo/smorzato*
inglés: *checked/unchecked; glottalized/non-glottalized*
francés: *glottalisé (récursif, éjectif)/non-glottalisé; bloqué/non-bloqué*
alemán: *glottalisiert (rekursiv)/nicht-glottalisiert*
italiano: *glottalizzato/non-glottalizzato; ricorsivo (eiettivo)/non-glottalizzato; bloccato/non-bloccato; brusco/molle*

5.2.2.2. *Rasgos de tonalidad.*

Los rasgos de tonalidad están relacionados con los rasgos prosódicos que utilizan la altura o tono de la voz. Estos rasgos se hacen patentes, principalmente, por medio de la distribución de la energía en el espectro de frecuencias de un fonema. Los rasgos de tonalidad son los siguientes: *grave-agudo, bemolizado-no bemolizado, sostenido-no sostenido.*

5.2.2.2.1. *Grave/agudo.*—Desde el punto de vista acústico, los rasgos de gravedad o de agudeza se manifiestan por el predominio de una parte significante del espectro sobre la otra. Cuando predomina la parte baja del espectro, el sonido posee el rasgo *grave*, mientras que si predomina la parte alta, el sonido posee el rasgo *agudo* [26].

Genéticamente, el rasgo grave, en los segmentos vocálicos o consonánticos, viene determinado por una cavidad bucal de resonancia amplia y no dividida (fonema periférico), mientras que el rasgo agudo se origina a causa de una cavidad bucal de resonancia pequeña y dividida (fonema mediano). Las vocales [u, o], por ejemplo, y las consonantes [p, b, m, k, g], etc., son graves; los resonadores bucales son grandes y no están divididos, mientras que las vocales [i, e] o las consonantes [s, t, ɲ], etcétera, son agudas por presentar resonadores bucales pequeños y divididos.

Sobre la dicotomía grave/agudo se levantaron grandes polémicas, porque no convenía a determinados grupos de consonantes, como, por ejemplo, a las nasales. Jakobson propuso en el Octavo Congreso Internacional de Lingüistas [27] la solución de subdividir estos rasgos distintivos en las lenguas que tuviesen tres fonemas consonánticos nasales: /m/, /n/, /ɲ/. De este

---

[26] inglés: *grave/acute; back/front*
francés: *grave/aigu; sombre/clair*
alemán: *dunkel/hell*
italiano: *grave/acuto*
[27] V. la comunicación de E. Fischer-Jorgensen: «What Can the New Techniques of Acoustic Phonetics Contribute to Linguistics?», en *P 8th ICL*, páginas 433-478, y la «Discussion», de R. Jakobson, en las págs. 433-478.

modo, aparecen las dos nuevas parejas: *grave/no grave, agudo/ no agudo,* y se modifican los anteriores correlatos.

El rasgo *grave* se manifiesta por medio de una concentración de energía en las frecuencias bajas, y el rasgo *no grave* presenta una concentración de energía en las frecuencias no bajas, es decir, no sólo en las altas, sino también en las medias.

El rasgo *agudo* se caracteriza por una concentración de energía en la zona de frecuencias altas, y el rasgo *no agudo* presenta la concentración de energía en las frecuencias no altas, es decir, en las medias.

Genéticamente, los rasgos grave/no grave tienen su correlato articulatorio en una cavidad de resonancia amplia y no dividida frente a una cavidad no amplia y dividida. Los rasgos agudo/no agudo presentan, dentro de una cavidad dividida, un resonador más amplio en el no agudo que en el agudo.

Así, por ejemplo, las consonantes /p, b, m, k, g, x/ son graves frente a todas las demás. Las consonantes palatales son agudas frente a las dentales y alveolares que son no agudas.

5.2.2.2.2. *Bemolizado/no bemolizado* (o *normal*).—Acústicamente, el *rasgo de bemolización* se hace patente en el sonograma por el descenso en la línea de frecuencias de algunos o de todos los formantes del espectro, o de sus zonas de frecuencia, mientras que el *rasgo normal* o de *no bemolización* se manifiesta por lo contrario [28].

Articulatoriamente, el rasgo bemolizado viene determinado por una reducción del orificio anterior o posterior del resonador bucal y por una velarización concomitante que lo dilata.

Dentro de estos rasgos, Jakobson *(1957)* y Halle *(1957)* han reunido los rasgos de faringalización, retroflexión, velarización, labialización y redondeamiento.

---

[28] inglés: *flat/plain; flat/non-flat; flat/natural; rounded/non-rounded*
francés: *bémolisé/non-bémolisé; bémolisé/normal; labialisé/non-labialisé*
alemán: *labialisiert/nicht-labialisiert*
italiano: *bemollizzato/non-bemollizzato; piatto/liscio; labializzato/non-labializzato*

En francés, por ejemplo, /i/ *i* es normal o no bemolizado, frente a /y/ *u*, que es bemolizado.

5.2.2.2.3. *Sostenido/no sostenido.*—Genéticamente, el rasgo *sostenido* viene determinado por una elevación del segundo formante, o por un refuerzo de alguno de los componentes de alta frecuencia. El rasgo *no sostenido* no acusa estos cambios [29].

Genéticamente, se produce este rasgo a causa de una dilatación del orificio posterior del resonador bucal (la faringe) y de una palatalización concomitante que reduce y divide la cavidad central.

En algunas lenguas, la división grave/agudo no es suficiente para caracterizar todos sus sonidos, y es conveniente utilizar además los rasgos bemolizado/normal y palatalizado/no palatalizado. De este modo, una consonante aguda, al ser también bemolizada, es menos aguda, pero si esa consonante aguda está palatalizada es aún más aguda.

---

[29] inglés: *sharp/plain; sharp/non-sharp; sharped/non-sharped; palatalized/non-palatalized*

francés: *diésé/non-diésé; diésé/normal; mouillé/non-mouillé; palatalisé/non-palatalisé*

alemán: *palatalisiert/nicht-palatalisiert*

italiano: *diesizzato/non-diesizzato; tagliente/liscio; palatalizzato/non-palatalizzato.*

VOCALES

6.0. El grupo de sonidos vocálicos es el que más interés ha despertado en las investigaciones acústicas por su indudable complejidad teórica y práctica. Desde hace más de un siglo se han desarrollado innumerables teorías que han ido clarificando poco a poco su naturaleza acústica.

6.1. VOCAL Y CONSONANTE

La dicotomía vocal/consonante es una de esas nociones básicas que está presente en los estudios del lenguaje desde los primitivos gramáticos de Grecia y de la India, llegando su problemática hasta nuestros días.

El importante trabajo de G. Straka *(1963)*, además de recoger los distintos ensayos de justificación de la existencia de ambos grupos de sonidos, propone el fundamento articulatorio de su división.

El trabajo de Pierre Delattre *(1964)* proporciona los elementos físicos para fundamentar la dicotomía vocal/consonante en el aspecto acústico. La diferencia se fundamenta en la estabilidad (vocal) frente al cambio (consonante) de los componentes acústicos de los sonidos. El reconocimiento de una consonante a través de su percepción depende esencialmente de la presencia de un cambio de frecuencias en sus elementos acústicos constitutivos, mientras que el de una vocal depende de la estabilidad en la frecuencia.

Todos los cambios apreciables en la frecuencia de los formantes, excepto aquellos que aparecen en la unión de dos vocales contiguas, contribuyen a la percepción de las consonantes; un cambio no apreciable en la frecuencia de los formantes contribuye a la percepción de las vocales. Por lo tanto, en el contraste vocal/consonante, la percepción depende sólo de la estabilidad frecuencial, mientras que la percepción consonántica depende del cambio frecuencial.

Como veremos más adelante, todas las consonantes necesitan transiciones de los formantes para ser percibidas claramente (excepto [s, z, ʃ, ʒ] ante todas las vocales, y [k, g] ante vocales labializadas, que necesitan también ruido). Cuando un espectrograma, natural o sintético, se pasa por un sintetizador, las partes que muestran cambios en los formantes contribuyen a la identificación de las consonantes, mientras que las que presentan una relativa estabilidad en la frecuencia de los formantes, incluso durante un tiempo muy breve, se identifican como vocales. Además, cuando se detiene el sintetizador en algún punto de las transiciones consonánticas, el sonido que produce se identifica como una vocal, debido a que, al no haber movimiento, se produce estabilidad en las frecuencias de los formantes.

El problema de la clasificación en cuanto a la función silábica queda de este modo también más claro. Según el mismo Delattre, se ha afirmado que hay sonidos que unas veces actúan como consonantes y otras como vocales, que lo que distribucionalmente es una consonante en una determinada lengua puede ser una vocal en otra, «con la implicación de que tales sonidos son fonéticamente semejantes y percibidos como diferentes sólo a causa de su distribución. Si estos dos conceptos fueran ciertos, el contraste vocal/consonante no puede ser definido por medio de criterios fonéticos, sino sólo a través de criterios distribucionales. Pero de acuerdo con las investigaciones acústicas recientes, esto no es así. Los dos sonidos que distribucionalmente funcionan como una consonante en un caso y una vocal en el otro no son fonéticamente los mismos; tienen algo en común, seguramente, pero son diferentes. Se distinguen entre sí por un rasgo fonético marcado, invariante: uno se percibe por medio de un cambio en la frecuencia de los formantes, el otro no».

Los trabajos se orientan en estos últimos años hacia el dominio de la percepción, pero los resultados obtenidos hasta ahora en lo que se refiere a un distinto tipo de percepción entre los sonidos vocálicos y los consonánticos no son aún concluyentes. De un modo general se reconoce, según Stevens *(1968)*, que la percepción de las vocales se realiza de una manera «cuasi continua», mientras que la percepción de las consonantes se realiza de una manera «cuasi categorial» (véase también Konopczynski, *1973)*.

6.2. Teorías sobre la producción de las vocales

Desde finales del siglo XVIII han sido varios los intentos de construir algún aparato que fuese capaz de reproducir el habla humana y que pudiese dar alguna explicación satisfactoria sobre la naturaleza de los sonidos vocálicos, que por sus características llamaban poderosamente la atención. En esta empresa intervinieron numerosos científicos que emitieron toda una serie de teorías apoyándose en medios tales como resonadores (Donders, Koenig, Helmholtz, Rousselot), inscripciones fonográficas (Mayer, Marichelle, Schneebeli, Marage, Rousselot), inscripciones quimográficas (Koenig, Marage, Rousselot), síntesis del sonido por medio de diapasones o tubos abiertos (Willis), etc.

Wolfgang von Kempelen *(1791)* fue el primero que logró reproducir satisfactoriamente por medios mecánicos tanto los sonidos consonánticos como los vocálicos: como reprodujo el timbre de las vocales por medio de la resonancia, homologó la cavidad de su resonador artificial con una cavidad bucal que resonase a determinadas frecuencias. Según von Kempelen, el sonido vocálico emitido por el hombre se produciría del siguiente modo: la glotis emite un sonido, mientras el conducto nasal está cerrado; este sonido se lleva a través de la lengua, como por un canal, directamente a los labios; la mayor o menor abertura de la boca completa la formación del sonido y le da su cualidad característica. Los sonidos que no poseen esta cualidad sólo pueden ser consonantes.

A partir de este momento la producción del sonido vocálico se explicó de dos maneras distintas: *a*) por medio de la llamada *teoría inarmónica* (Willis, Hermann, Scripture); *b*) por medio de la *teoría armónica* (Wheatstone, Helmholtz).

Willis utilizó en sus experiencias un tubo sonoro abierto, con una lengüeta adosada a su extremo cerrado; por medio de un fuelle se introduce aire en el tubo a través de la lengüeta; de este modo pudo comprobar que el timbre de la vocal se modificaba gradualmente a medida que el tubo se alargaba: cuando el tubo era corto se percibía un sonido de *i*; a medida que aumentaba aparecían sucesivamente los sonidos de *e, a, o, u*. Para Willis, la cualidad de una vocal depende de la longitud del tubo y es independiente de la frecuencia vibratoria de la lengüeta. Considera que una vocal artificial es el resultado de las vibraciones naturales amortiguadas del aire que se encuentra en el tubo resonador, debido a la pulsación causada por la vibración de la lengüeta [1].

La lengüeta y el tubo corresponden a las cuerdas vocales y a la cavidad bucal, respectivamente. Cuando la cavidad bucal toma un volumen determinado y cierta forma —a causa de las posiciones que adoptan los labios, la lengua y los maxilares— adquiere una cierta frecuencia transitoria. Las cuerdas vocales actúan sólo como un agente que excita las frecuencias transitorias características de la cavidad bucal, y mientras la cavidad bucal permanezca inalterada, se emitirá la misma vocal cualquiera que sea la frecuencia vibratoria de las cuerdas vocales.

La lengüeta envía periódicamente una pulsación dentro del tubo, pero como el aire contenido en él entra en vibración amortiguada a su frecuencia natural, no existe una relación ar-

---

[1] Chiba y Kajiyama *(1941*, 45-47), Helmholtz *(1930*, 117-119), Rousselot *(1924*, 176-178).

mónica entre las frecuencias naturales de la lengüeta y del tubo [2].

Después de Willis, Wheatstone, en 1837, descubrió que un resonador no produce una sola resonancia, sino varias. Señaló también que un armónico del sonido que emite un cuerpo en vibración se refuerza si su frecuencia coincide con la frecuencia natural del resonador. Este refuerzo de ciertas zonas de frecuencia determina la cualidad de la vocal; por ello, las vocales serían, según Hála *(1956,* 54), «simples refuerzos de ciertos armónicos de la voz».

Hermann von Helmholtz afirma que las vocales se producen por la excitación de un resonador —la cavidad bucal— y que su cualidad viene determinada sólo por la frecuencia de resonancia de esta cavidad. Expresa su teoría del siguiente modo: «El sonido se excita en estos tubos por medio de impulsos intermitentes de aire que en cada vibración irrumpe a través de la abertura que cierra la lengüeta del tubo. Una lengüeta que vibre libremente tiene una superficie muy pequeña para que pueda comunicar cualquier cantidad apreciable de movimiento sonoro al aire que la circunda; y es muy poco posible que sea capaz de excitar el aire que está encerrado en los tubos. El sonido, realmente, parece que se produce por impulsos de aire, como en la sirena, donde la plancha de metal que abre y cierra el orificio no vibra en absoluto. Por medio de aberturas y cierres alternos del paso, un influjo continuo de aire se cambia en un movimiento periódico capaz de afectar al aire. Como cualquier otro movimiento periódico del aire, el producido de esta manera puede ser también resuelto en series de vibraciones simples.» Y continúa más adelante: «Los tonos de las lengüetas cambian esencialmente al añadir tubos de resonancia, porque refuerzan y, por lo tanto, dan relieve a aquellos tonos parciales superiores que corresponden a los tonos propios de estos tubos.

---

[2] Ludimar Hermann, en 1890, siguió la línea marcada por Willis: el aire contenido en las cavidades fonadoras entra en vibración —al ser excitado por el aire proveniente de los pulmones— con la frecuencia correspondiente a las vibraciones propias de cada cavidad. Chiba y Kajiyama *(1941,* 49-50).

En este caso los tubos de resonancia deben ser considerados como cerrados en el punto donde está situada la lengüeta.»

Sobre las vocales, señala: «El modo de actuar la resonancia de la cavidad de la boca sobre la cualidad de la voz es precisamente el mismo que el que descubrimos que existe en las lengüetas de los tubos construidos artificialmente. Todos aquellos tonos parciales que coinciden con el tono propio de la cavidad de la boca, o que tienen una frecuencia suficientemente próxima a aquél, se refuerzan, mientras que los otros tonos parciales estarán más o menos amortiguados» [3].

Helmholtz divide las vocales en dos clases: por un lado, *u, o, a,* en las que sólo puede determinar una resonancia, y por otro, *i, e, ü, ö, ä,* con dos resonancias. Las frecuencias resonantes son, según el citado físico, las siguientes:

$$u = 175 \qquad i = 175 - 2349 \qquad ü = 175 - 1468$$
$$o = 466 \qquad e = 349 - 1976 \qquad ö = 349 - 1109$$
$$a = 932 \qquad \qquad \qquad \qquad ä = 587 - 1568$$

Resumiendo lo dicho anteriormente, podemos decir que:

a) Según la teoría inarmónica de Willis-Hermann, la producción de una vocal se explica del siguiente modo: «a cada abertura de la glotis, una cierta cantidad de aire penetra en la cavidad bucal, la cual excita el aire de la cavidad en una vibración libre amortiguada; cuando esta vibración se repite periódicamente e irradia fuera de la cavidad como un sonido, el resultado es lo que llamamos una 'vocal'».

b) Según Wheatstone y Helmholtz, «un tono laríngeo resuena con la cavidad bucal y aquellos de sus tonos parciales armónicos cuyas frecuencias coinciden con, o están próximas a, las frecuencias naturales de la cavidad son reforzadas, mientras que las otras son debilitadas; el resultado es una vocal» (Chiba y Kajiyama, *1941*, 51).

Las dos teorías, sin embargo, no se excluyen, sino que se complementan, como ya había notado Rayleigh en 1877.

---

[3] Helmholtz *(1930,* 101-102 y 110). Véase también Chiba y Kajiyama *(1941,* 48-49).

Según Bohuslav Hála (*1956*, 54-59), no existen vocales producidas sólo según la teoría de Helmholtz o según la de Hermann, aunque considera que es «la teoría de Willis-Hermann la válida de una manera general, pues:

1.º *Desde el punto de vista de la articulación*, el trabajo de los órganos fonadores tiende a formar, en la región supraglótica, cavidades que posean sonidos propios, y no para producir armónicos de la voz que, por otra parte, se realizan sin ninguna relación con este trabajo.

2.º *Desde el punto de vista acústico*, existen vocales que pueden formarse incluso sin armónicos de la voz: las vocales cuchicheadas.

3.º *Desde el punto de vista de la función comunicativa*, es más fácil emplear, en el lenguaje, los sonidos propios de las cavidades que se es capaz de modificar, que los armónicos de la voz que se escapan a una intervención intencional.

Sin embargo, esto no quiere decir que un refuerzo de los armónicos por resonancia, en el sentido de Helmholtz, no se efectuaría. Por lo contrario, todos aquellos armónicos cuya altura tonal se aproxima al sonido propio de la cavidad bucal, adaptada para la formación de una vocal, serán más o menos reforzados por esta cavidad; estas relaciones podrían ser representadas gráficamente por una curva de resonancia más o menos brusca y más o menos ancha, según las condiciones variadas y variables de la articulación.

De esta manera, nos encontramos, en la vocal hablada, en presencia de dos centros de intensidad; uno, formado por el grupo de armónicos reforzados en el sentido de Stumpf; otro, por la resonancia del formante. Como estos dos centros dependen de la misma condición, a saber de la forma de la cavidad bucal, es evidente que sus alturas tonales son necesariamente casi idénticas. Pero difieren entre ellas en que, por una parte, la intensidad del formante domina en general a la del armónico y que, por otra, el formante (en cada articulación particular) es un sonido aislado, mientras que los armónicos laríngeos forman un grupo. Todo lo que acabamos de establecer para el formante bucal vale naturalmente de una manera análoga para el formante faríngeo».

Y más adelante comenta: «*En las vocales habladas son dos factores los que actúan simultáneamente: la voz con sus armónicos, así como los impulsos periódicos de la columna de aire espiratorio, que hacen resonar el aire encerrado en las cavidades supraglóticas.* Pero la función de estos dos factores es diferente: la voz con sus armónicos constituye grosso modo lo que se puede llamar timbre vocal o individual, mientras que los sonidos propios de las cavidades supraglóticas sirven de base al timbre vocálico o fonético. El timbre vocal o individual no desempeña ningún papel en el lenguaje comunicativo; no es más que uno de los rasgos que caracterizan la voz del hablante. Por el contrario, el timbre vocálico sirve para distinguir las distintas vocales.»

Y continúa: «*No existen, pues, a mi modo de ver, vocales formadas únicamente según la teoría de Helmholtz, del mismo modo que no las hay formadas exclusivamente según la de Willis-Hermann,* pues en la formación de cada vocal participan no solamente los sonidos propios de las cavidades supraglóticas, excitados por pulsaciones periódicas de la corriente de aire fonador, sino también la misma voz, es decir, el sonido laríngeo con sus armónicos.»

La solución que da Hála al problema es la siguiente: «*Los impulsos sucesivos y periódicos de la onda de aire sonorizada que viene de la laringe hacen resonar todas las cavidades supraglóticas, bien sea bajo la forma de un sonido o bajo la de un ruido; los sonidos propios de estas cavidades son independientes de la frecuencia fundamental.* El oído percibe su unidad como constituyendo el timbre de las vocales, dejando a un lado las resonancias omisibles por su menor intensidad y contentándose únicamente con las que son bastante intensas para poder producir un efecto de importancia acústica notable.»

Según Morris Halle *(1959),* la cualidad de una vocal, de acuerdo con la teoría de Willis, se produce por las vibraciones amortiguadas de la cavidad bucal. «Si es posible asumir que las vibraciones amortiguadas continúan indefinidamente —en el caso de los sonidos vocálicos esa suposición está muy próxima a la realidad—, entonces, dadas las vibraciones amortiguadas, es posible calcular matemáticamente el espectro frecuencial y, por consiguiente, también las frecuencias de resonancia que, de acuerdo con Helmholtz, son las determinantes primarias de la cualidad de la vocal. Helmholtz y Willis, por lo tanto, están de acuerdo en que las frecuencias resonantes de la cavidad bucal son necesarias para especificar la cualidad vocálica. Difieren en que para Helmholtz las frecuencias de resonancia son tan necesarias como suficientes, mientras que, según Willis, es necesaria más información, como, por ejemplo, las amplitudes y los ángulos de fase de todos los componentes del espectro.»

Las investigaciones posteriores sobre las vocales pusieron de manifiesto la presencia de varias zonas de resonancia en su espectro, y acometieron la empresa de relacionarlas con las cavidades bucales.

Rousselot *(1924)*, por ejemplo, concedía dos resonancias principales a todas las vocales: «una, *aguda* en el punto de articulación, allí donde el órgano se estrecha; otra, *grave*, bien delante de este punto, bien detrás... En las vocales posteriores, como la resonancia grave se produce en la parte anterior, ella será la dominante, y la resonancia aguda escapará al observador; en las vocales anteriores, por el contrario, será la resonancia aguda la que se hará sentir más y hasta podrá ocultar la resonancia grave. De esta manera, tendremos dos resonancias, de las que una se elevará en la escala musical, a medida que la otra descienda. Si llamo *principal* a la que nace en el punto de articulación, y *secundaria*, la que acompaña, podré decir que se ha caracterizado la serie *posterior* por la *resonancia secundaria*, y la *anterior*, por la *principal*». Y un poco más adelante comenta: «¿Desaparece entonces la distinción entre vocales *graves* y *agudas*? No; es necesario saber solamente que se funda, no sobre la realidad, sino en la impresión de un oído sano que percibe sobre todo la resonancia producida en la parte anterior de la boca, es decir, el *agudo* para la serie anterior y el *grave* para la serie posterior... Las dos resonancias son proporcionales: uno de los resonadores de la boca disminuye o aumenta a medida que el otro aumenta o disminuye. Para la [a], la diferencia de los dos resonadores es la menos considerable.»

Según Hála *(1956,* 47-48), las vocales se caracterizan principalmente por dos resonancias que constituyen los dos formantes de la vocal oral, y que, además, son los percibidos por el oyente; cada uno de estos dos formantes depende de los dos resonadores correspondientes a las cavidades faríngea y bucal: la primera, produce la *resonancia secundaria;* la segunda, la *característica,* que es «la resonancia más intensa y, por consiguiente, la más importante»; ambas dependen tanto del volumen de las cavidades como de la forma de su orificio en la resonancia característica, y de su abertura en la secundaria.

«En la serie anterior [a —> e —> i], la cavidad bucal disminuye su tamaño, su abertura se estrecha. Como consecuencia de estos movimientos articulatorios, el sonido bucal se eleva progresivamente. El comportamiento de la cavidad faríngea es diferente: ésta aumenta su volumen proporcionalmente al avance de la lengua y, por consiguiente, su formante baja. La mutua relación de los dos formantes se caracteriza, pues, por una *divergencia tonal,* es decir, un alejamiento, gradualmente creciente, de sus notas.

En la serie posterior [a —> o —> u], la cavidad bucal llega a ser, como consecuencia de un movimiento de retroceso de la lengua, cada vez más voluminosa, lo que lleva consigo una disminución gradual de su formante. Pero como el oído humano no es muy sensible a los sonidos graves, el aumento realizado por dicho movimiento no es suficiente como para permitir muy netamente la distinción de los timbres vecinos. He ahí por qué los labios, relativamente pasivos en la serie anterior, despliegan aquí una acción articulatoria conocida con el nombre de redondeamiento. La acústica nos enseña que el sonido propio de una cavidad cualquiera llega a ser más grave si se disminuye y, al mismo tiempo, se redondea su abertura; esto es lo que ocurre en las vocales posteriores, en las que la abertura bucal contribuye a la formación de los intervalos necesarios para el reconocimiento de estas vocales por el oyente.

La cavidad faríngea no es muy grande en estas posiciones, ya que la masa lingual se dirige hacia la parte posterior de la boca. Su formante es, pues, un poco más agudo que el de la boca y desciende paralelamente a aquél, disminuyendo la abertura entre la raíz de la lengua y la pared faríngea cada vez más como consecuencia del movimiento de retroceso de la lengua. La relación mutua de los dos formantes no cambia casi nada: sus líneas de movimiento permanecen casi paralelas.»

En la vocal [a] las dos cavidades son casi iguales, por lo que los dos formantes se encuentran muy próximos.

Como vemos, durante mucho tiempo se ha creído que el conducto vocal era semejante a dos resonadores de Helmholtz acoplados en serie: uno correspondiente a la faringe y otro a la cavidad bucal anterior. Según Liénard *(1977, 76-77)*, esta hipótesis sólo puede aceptarse para el primer formante, cuya frecuencia es generalmente inferior a 1.000 Hz y para lo cual la mayor longitud de una de las cavidades puede considerarse como pequeña ante la longitud de onda; sin embargo, la frecuencia de los formantes superiores no puede calcularse de esta manera.

Los trabajos de Chiba y Kajiyama *(1941)*, de Dunn *(1950)* y de Fant *(1960)* han hecho cambiar radicalmente las ideas que hasta ahora se venían barajando sobre la producción de las vocales.

El conducto vocal se considera como un tubo acústico de sección no uniforme, que es recorrido por una onda plana.

La excitación producida por la glotis se extiende a las cavidades supraglóticas, que, al actuar como filtros, estructuran la señal acústica. Desde la glotis hasta los labios se pueden considerar una serie de cavidades resonantes que, a través de la función de transferencia o, lo que es lo mismo, de la función de filtrado del conducto vocal, originan los llamados *formantes*. Un formante de la onda acústica del lenguaje es, por tanto, un máximo de la función de transferencia del conducto vocal.

Lo que interesa es, pues, calcular esta función de transferencia.

Los trabajos de Chiba y Kajiyama *(1941)*, de Fant *(1960)*

y de Flanagan *(1972)* proporcionan datos sobre la función de transferencia.

Siguiendo a Fant *(1960)*, asimilemos el conducto vocal a un tubo de sección uniforme, de 17,5 cm. de longitud, cerrado por un extremo (la glotis) y abierto por el otro (los labios), tal

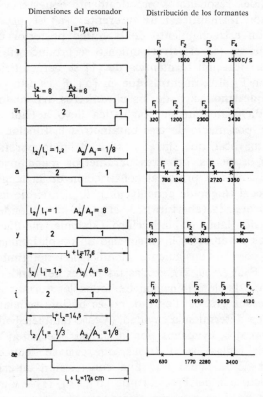

FIG. 6.1. *Dos tubos resonadores y distribución de sus formantes.* (FANT, 1960)

como aparece en la parte superior de la figura 6.1. Según este modelo, los polos de transmisión corresponden a aquellas frecuencias que producen ondas estacionarias con amplitud de presión máxima en la glotis y nula en los labios.

Este tubo, al ser excitado por una señal análoga a la de las cuerdas vocales, produce un sonido vocálico [ɐ], muy próximo a [œ], que se conoce con el nombre de *vocal neutra teórica;* sus formantes se sitúan en los 500, 1.500, 2.500 y 3.500 Hz. En la mencionada figura, podemos observar cómo [a] e [i] tienen unas cavidades resonadoras prácticamente opuestas y también una situación formántica muy diferente: [a] se produce por medio de un estrechamiento de la mitad posterior del tubo, mientras que en [i] el estrechamiento se produce en la mitad anterior. La situación formántica de [i] se caracteriza por un F_1 bajo y un F_2 alto, mientras que en [a], F_1 es alto y F_2 bajo.

Una mejor simulación de los parámetros articulatorios utilizados tradicionalmente en lingüística llevó a Fant *(1960)* a caracterizar por medio de tres parámetros la función del área del conducto vocal, que sin ellos sería definida por tantos valores como secciones. Los tres parámetros mencionados son: 1, la situación de la principal constricción de la lengua en el conducto vocal (lugar de articulación); 2, el área de la sección en esta coordenada (abertura); 3, el grado de redondeamiento y de protrusión labial (labialización). Cualquier modificación de uno de estos parámetros lleva consigo un desplazamiento de la frecuencia, con la consiguiente modificación del timbre vocálico. Según Fant *(1960, 21)*, «todas las partes del conducto vocal contribuyen a la determinación de todos los formantes», aunque en diversos grados. Por eso, no es posible señalar a cada formante una determinada cavidad. (Véase también Fant, *1968.)*

Estos trabajos, ayudados por la síntesis, permiten enunciar una serie de reglas articulatorias, que casi se deducen de la observación de la figura 6.1: una constricción anterior hace bajar la frecuencia del F_1 —caso de [u], [y], [i]— y aumentar las de F_2 y F_3 si se estrecha el resonador anterior —caso de [y], [i]—; una constricción posterior tiende a aumentar F_1 —caso de [a], [æ]—; la labialización tiende a hacer bajar la frecuencia de todos los formantes —caso de [y], etc.

También Gerold Ungeheuer *(1962, 84-85)* rechaza los intentos de asignar a cada formante vocálico una determinada cavidad de resonancia, aduciendo que toda la estructura formántica de una vocal tiene su origen en toda la cavidad bucal, que actúa como un gran mecanismo de resonancia. Propone en su obra una teoría vocálica que él mismo resume en los cuatro puntos siguientes:

1. La columna de aire en vibración del conducto fonador debe analizarse como una sola estructura unificada.

2. Cada frecuencia de resonancia de la columna de aire, esto es, del conducto fonador, está asociada con una función propia, que corresponde a la curva de presión del sonido en ese punto y frecuencia.

3. Las frecuencias de resonancia se determinan por medio de la curva de sección transversal, no por los volúmenes parciales del conducto fonador.

4. Cada frecuencia de resonancia de todo el conducto fonador produce un formante en el espectro de la vocal [4].

6.3. ESTRUCTURA ACÚSTICA DE LAS VOCALES

Como ya hemos visto anteriormente, y según dijo también hace tiempo Pierre Delattre *(1948,* 480), «las resonancias que caracterizan el timbre de una vocal oral resultan de la filtración que sufre el tono glotal (la vibración de las cuerdas vocales) al pasar por la boca (y por las cavidades guturales que sobrentendemos aquí). La boca se comporta como un filtro (o un resonador, que viene a ser lo mismo) que no deja pasar nada más que ciertas vibraciones salidas de la glotis. Las frecuencias que la boca deja pasar son diferentes para cada vocal; y si son diferentes se debe principalmente a que las cavidades de resonancia que las filtran cambian de forma y/o de dimensiones».

Es decir: al ponerse en vibración las cuerdas vocales producen una onda compuesta. Si mantuviésemos la misma frecuencia fundamental, cada uno de los sonidos vocálicos que

---

[4] Las investigaciones sobre la naturaleza acústica de las vocales y su génesis prosiguen. Más recientemente, pueden verse los trabajos de H. Mol *(1970),* de Lindblom y Sundberg *(1971),* M. Pétursson *(1974),* quienes siguen, esencialmente, las líneas antes indicadas.

emitiésemos tendría exactamente la misma configuración: algo
parecido a lo que muestra la figura 6.1. Por lo tanto, si depen-
diese la percepción de cada vocal tan sólo de la frecuencia de
sus componentes, todas las vocales serían —bajo condiciones
iguales— prácticamente idénticas.

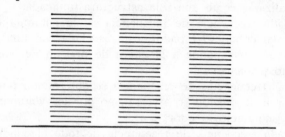

Fig. 6.2. *Ondas compuestas periódicas con la misma frecuencia fundamental*

Ahora bien, lo que diferencia una vocal de otra u otras, aunque la frecuencia de sus componentes sea igual, es la distinta
estructuración de sus armónicos, cuya percepción es lo que
denominamos *timbre*. Esto quiere decir que de todos los armó-

Fig. 6.3. *Ondas compuestas periódicas, con la misma frecuencia fundamental, en las que han sido reforzados determinados armónicos*

nicos componentes, serán reforzados aquellos cuyas frecuencias
coincidan con las frecuencias de resonancia de las distintas
cavidades resonantes del conducto vocal. Como la articulación
de cada sonido requiere unas determinadas posiciones de los

órganos articulatorios que modifican la forma y el volumen del resonador vocal, se originan distintas frecuencias de resonancia que infieren una determinada estructura en el espectro vocálico. Cada conjunto de armónicos reforzados es un formante, que en definitiva es el conjunto de frecuencias características del timbre de una vocal [5]. Por ello, el esquema figurado de la figura 6.2 originaría el de la figura 6.3.

En las figuras 6.4 y 6.5 están representados los sonogramas de las realizaciones de los cinco fonemas vocálicos del español. La figura 6.4 muestra el sonograma en banda ancha, y la figura 6.5, el de banda estrecha. En el primero se pueden percibir perfectamente los formantes. En el de banda estrecha aparecen todos los armónicos componentes, destacándose aquellos que corresponden a los formantes —los más ennegrecidos— y amortiguándose los demás.

De todos estos formantes, los dos primeros son indispensables para la percepción de cada vocal, siendo, por ello, los responsables de la diferenciación vocálica. El tercer formante desempeña cierta función en determinados casos, como veremos más adelante.

El resto de los formantes superiores son los llamados *formantes individuales* [6], que dependen:

a) De la configuración faringo-bucal de cada sujeto. Las mujeres y los hombres difieren más en la longitud total de la faringe que en la de la boca. En general, se ha calculado que las frecuencias formánticas de la voz femenina son un 20 % más altas que las de los hombres, y que los niños tienen también unas frecuencias formánticas un 20 % más altas que las de las mujeres.

b) De la lengua nacional o del dialecto utilizado, conforme

---

[5] Recientemente se ha discutido el valor de los formantes de una vocal: Oeken *(1963)* niega que puedan ejercer «alguna influencia determinante sobre la discriminación de los sonidos». Haggard *(1963)* contestó a Oeken argumentando que «la percepción de las vocales debe examinarse bajo el punto de vista de las funciones y de las relaciones».

[6] Véase para este problema: Bolt, Cooper, David, Denes, Pickett y Stevens *(1970)*; Haggard, Ambler y Callow *(1970)*.

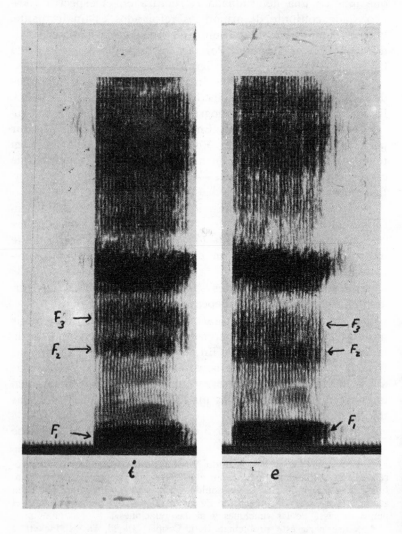

FIG. 6.4 a. *Sonogramas en banda ancha de las vocales /i, e/. Voz masculina*

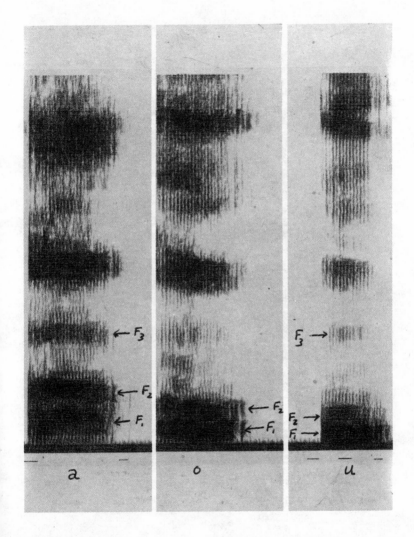

FIG. 6.4 b. *Sonogramas en banda ancha de las vocales /a, o, u/. Voz masculina*

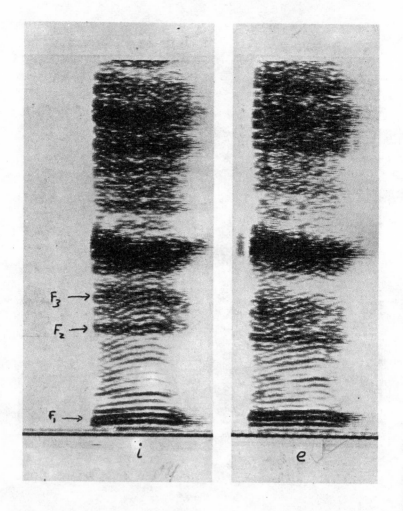

FIG. 6.5 a. *Sonogramas en banda estrecha de las mismas vocales de la figura 6.4*

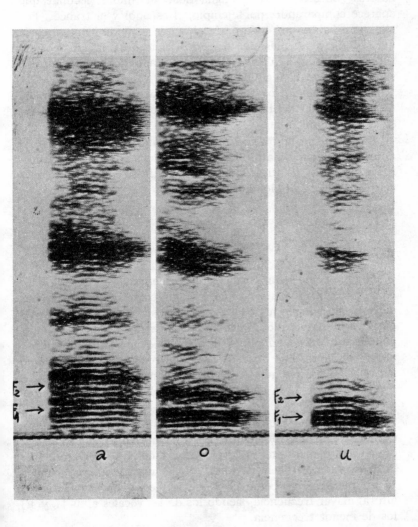

FIG. 6.5 *b.* *Sonogramas en banda estrecha de las mismas vocales de la figura 6.4.*

las diferencias anatómicas individuales o sociales y según los hábitos educativos. Cada lengua tiene su timbre peculiar que aparece comparando, por ejemplo, el español y el francés. Por ello, para hablar con toda perfección una segunda lengua habría que adquirir, además de todos los elementos lingüísticos, el timbre nacional, es decir, ciertas cualidades articulatorias que son propias de la segunda lengua.

Por otra parte, los formantes individuales ponen de manifiesto el carácter del hablante, su condición social, su edad, sexo, su estado anímico, etc.

En un mismo individuo, estos formantes varían según: *a*) la altura del fundamental; *b*) la intensidad de la voz; *c*) las intenciones expresivas; *d*) sus condiciones auditivas, o las condiciones acústicas del lugar donde hable.

6.4. Relaciones articulatorias y acústicas

Aunque como hemos visto anteriormente no existe una base teórica suficiente para establecer unas correlaciones estrechas entre el mecanismo articulatorio y la posición de los formantes en el espectro vocálico, pueden señalarse unas tendencias que, aunque sea desde un punto de vista pedagógico, responden a unas realidades bien observadas. Delattre *(1948* y *1951)* señaló las relaciones existentes entre las frecuencias formánticas y las configuraciones de la cavidad bucal en el habla natural, del siguiente modo:

1. Existe una relación directa entre la elevación de la frecuencia del primer formante, F_1, y la abertura de la cavidad oral. Cuanto más alta es la frecuencia del F_1, más grande es la abertura total de la cavidad, y a la inversa. Así, en la figura 6.6 puede verse cómo el F_1 de [a] es el que tiene mayor altura, mayor frecuencia, siendo los de las vocales altas [i, y, u] los de menor frecuencia.

2. *a*) Existe una relación directa entre el retroceso y la elevación de la lengua y el descenso de la frecuencia del segun-

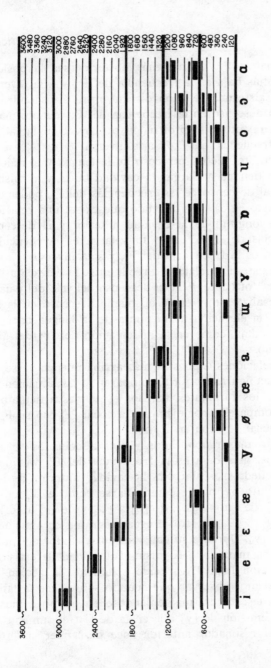

FIG. 6.6. *Cuadro de las vocales cardinales sintetizadas en sus dos primeros formantes*

do formante, F_2: cuanto más posterior sea la posición de la lengua, más baja es la frecuencia del F_2, y a la inversa.

b) Existe una relación directa entre el redondeamiento labial y el descenso en la frecuencia del F_2: cuanto mayor sea el redondeamiento y la protrusión o proyección labial, más baja será la frecuencia del F_2, y a la inversa.

c) Puesto que el retroceso de la lengua y el redondeamiento labial tienden a alargar la cavidad bucal y al mismo tiempo afectan al descenso de las frecuencias del F_2, podemos resumir lo expuesto en *a*) y *b*) diciendo que existe una relación directa entre la longitud de la cavidad anterior y el descenso de las frecuencias del F_2: cuanto más larga es la cavidad anterior, más baja es la frecuencia del F_2, y a la inversa.

3. Existe una relación directa entre la elevación frecuencial del tercer formante, F_3, y el descenso del velo del paladar, como en la nasalización, y entre el mismo descenso en la frecuencia del F_3 y la elevación de la punta de la lengua hacia una posición retrofleja, como en la articulación del /r/ del Midwestern americano.

Las relaciones expuestas más arriba pueden verse, por ejemplo, en las figuras 6.4 y 6.6, comparando las situaciones frecuenciales de los formantes, con los esquemas articulatorios conocidos. Compárese, por ejemplo, la vocal [i] con su F_2 más alto, con la vocal [u] con su F_2 más bajo.

Cuanto más redondeados y más abocinados se encuentren los labios, más baja es la frecuencia del F_2, ya que con este motivo queda más alargada la cavidad anterior de resonancia. En la figura 6.6 puede comprobarse cómo el F_2 desciende de [i] a [y], de [ɯ] a [u], de [e] a [ø] y de [ɛ] a [œ].

La figura 6.7 muestra el espectrograma en emisión continua de [i] a [y]. Durante su emisión, por el autor del presente trabajo se ha mantenido la misma intensidad de emisión, e idéntica posición lingual, variando solamente la acción de los labios. Podemos observar que cuando sobreviene la labialización, F_2 y F_3 descienden, manteniéndose en un nivel más bajo durante la emisión de [y] que en la de [i]: el aumento de la longitud del resonador anterior hace descender sus frecuencias.

En un trabajo posterior, Stevens y House *(1955)* utilizando un modelo analógico de la cavidad bucal obtuvieron las siguientes relaciones experimentales entre las frecuencias de los formantes y los parámetros articulatorios (posición de la cons-

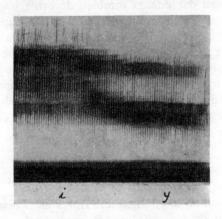

Fig. 6.7

tricción lingual, tamaño de la constricción formada por la lengua y dimensiones de la abertura labial). Las conclusiones a las que llegaron fueron las siguientes:

El Formante 1 es alto cuando existe una estrecha constricción de la lengua cerca de la glotis y una abertura bucal amplia y deslabializada. Es bajo cuando la abertura bucal es pequeña y existe labialización, o cuando se produce una constricción estrecha de la lengua cerca de la abertura bucal.

El Formante 2 generalmente aumenta su frecuencia, a medida que la constricción se adelanta en la cavidad bucal desde la glotis, o a medida que la abertura labial aumenta. Cuanto mayor sea la constricción lingual, mayor será el aumento de la frecuencia del F_2. Este formante baja su frecuencia a medida que disminuye la abertura labial y la constricción lingual se aproxima a la glotis.

El Formante 3 aumenta su frecuencia, pero en menor medida que el F_2, conforme la constricción avanza desde la glotis y aumenta el tamaño y la deslabialización de la abertura bucal. Disminuye su frecuencia con una abertura labial pequeña y si la constricción lingual se aproxima a la glotis.

Las modificaciones frecuenciales de los tres primeros formantes pueden dar cuenta también de otros hechos articulatorios generales. Ya hemos visto cómo la *labialización* se caracteriza por el descenso en su gama de frecuencias del F_2, sobre todo, y del F_3. La *palatalización* se caracteriza por un considerable aumento de las frecuencias del F_2, un pequeño aumento del F_3 y un ligero descenso del F_1. La *velarización* se manifiesta por un amplio descenso de las frecuencias del F_2 y prácticamente insignificante del F_3, permaneciendo casi inalterable el F_1 [7].

6.5. ÍNDICES ACÚSTICOS DE LAS VOCALES SINTETIZADAS

Lo expuesto en los puntos anteriores es el resultado del *análisis* acústico de las vocales por medio del sonógrafo (o del oscilógrafo). La *síntesis* de los segmentos fónicos del lenguaje y principalmente de los segmentos vocálicos nos suministra ciertos datos que corroboran o precisan los obtenidos por medio del análisis. Según Pierre Delattre (*1958*, 244-246), los índices acústicos de las vocales sintetizadas serían los siguientes:

1. En la síntesis vocálica, los dos primeros formantes bastan para caracterizar el timbre de todas las vocales (orales y nasales) y para asegurar su percepción.

De estos formantes, el que tiene mayor importancia en la inteligibilidad vocálica es el F_2; el F_1 juega un papel más secundario en la comprensión de las vocales, ya que no refleja más que una similitud entre grupos de fonemas (recordemos que el F_1 de ciertas vocales aparece al mismo nivel: [i = u], [e = o], etc.). Esta opinión es la de la mayoría de los investigadores que se han preocupado del problema, llegando a ella por diferentes caminos. Según Lafon (*1961*, 130-131), aquellas

---

[7] Véase también para este tipo de relaciones Lindblom y Sundberg (*1971*).

personas que tienen dañada su zona de percepción acústica en las frecuencias a las que aparecen los segundos formantes son las que confunden los fonemas vocálicos.

2. Las vocales *humanas* se identifican frecuentemente por los tres primeros formantes: F_3 juega un papel importante en las vocales que tienen el F_2 a una frecuencia elevada, es decir, en aquellas vocales en las que F_2 y F_3 están muy próximos ([i, y, e]).

3. En la percepción de las vocales hay una equivalencia relativa entre dos formantes próximos y un solo formante que tuviese una frecuencia media entre los dos; así, las vocales posteriores se pueden identificar por un solo formante cuya frecuencia fuese media entre F_1 y F_2; las vocales anteriores se identificarán por un segundo formante (además del F_1) cuya frecuencia fuese media entre F_2 y F_3: el timbre de una [i] natural humana, por ejemplo, viene dado por los siguientes valores de sus formantes $F_1 = 250$, $F_2 = 2.500$ y $F_3 = 3.000$ Hz; esta vocal se puede obtener sintéticamente por medio de dos formantes cuyos valores fuesen $F_1 = 250$ y $F'_2 = 2.750$ Hz, pero ni que decir tiene que el resultado de la sintetización es mucho más satisfactorio si se conservan los valores de sus tres formantes.

4. Los formantes situados por encima de los 3.000 Hz para [i] y por encima de los 2.500 Hz para las otras vocales no juegan prácticamente ningún papel en la caracterización lingüística de las vocales; contribuyen sobre todo a la caracterización del timbre individual de las mismas.

5. La identificación lingüística de las vocales no depende enteramente de la frecuencia absoluta de los formantes, sino de la *frecuencia relativa* a la estructura total de los formantes del sujeto hablante, estructura que puede variar ligeramente de una persona a otra, como indican las divergencias entre hombres, mujeres y niños (las frecuencias se elevan sensiblemente en el orden dado).

La figura 6.6 representa el espectro de las vocales cardinales, según la *Asociación Fonética Internacional*, sintetizadas en sus dos primeros formantes; en ella notamos claramente la diferente posición de los formantes primero y segundo para cada una de las vocales. Su ordenación es la siguiente:

El *primer formante* tiene la misma altura frecuencial para las vocales [i, y, ɯ, u], para [e, ø, ɣ, o], para [ɛ, œ, ʌ, ɔ] y para [æ, a, ɒ, ɑ].

El *segundo formante* desciende progresivamente de [i →
→ e → ɛ → æ], vocales anteriores no labializadas; de [y →
→ ø → œ], vocales anteriores labializadas, hasta [a] que es la vocal de la serie anterior que presenta el F_2 más bajo. En la serie posterior, el F_2 desciende, por ejemplo, desde [ɑ →
→ ɔ → o → u], etc.

6.6. Cartas de formantes

La comparación de las distintas realizaciones vocálicas se lleva a cabo a través de las cartas de formantes, que permiten la representación de un punto coordenado a través de los valores formánticos llevados sobre el eje de abscisas y el de ordenadas. Para representar estos valores formánticos que caracterizan cada vocal es necesario utilizar una escala en la que aparezcan debidamente representados los valores de F_1 frente a los de F_2. La escala que se utiliza para ello es logarítmica: refleja una compensación tal, que los intervalos sonoros iguales que llegan a nuestro oído se representan por distancias iguales, es decir, lo mismo que sucede en las escalas musicales. Es más conveniente aplicar a los estudios fonéticos la escala logarítmica que la lineal, en la que los intervalos musicales iguales a nuestro oído no vienen representados por distancias iguales. (El sonograma, por ejemplo, aparece sobre una escala lineal.) Esta última se debe utilizar para representaciones puramente aritméticas, o para investigaciones propias de la ingeniería. Por ello, utilizamos en nuestros análisis vocálicos la escala logarítmica, que está construida de tal manera, que seis centímetros representan una octava, y cinco milímetros, un semitono. (Delattre, *1948*, 479; Joos, *1948*, 50-52; Peterson, *1952*; Peterson y Barney, *1952*; Potter y Steinberg, *1950*.)

La figura 6.8 representa una carta de formantes: sobre el eje

de abscisas (el horizontal, que va desde los 500 Hz a los 4.000 Hz)
se llevan los valores del F_2; sobre el eje de ordenadas (el vertical, que va desde los 200 Hz hasta los 1.000 Hz) se llevan los
valores del F_1. Hay que tener en cuenta que al tratarse de una
escala logarítmica las distancias entre los valores que aparecen
en la carta no son iguales: por ejemplo, entre 800 y 1.000 cada
cuadrito vale 20 Hz, mientras que entre 200 y 300 vale 5 Hz.

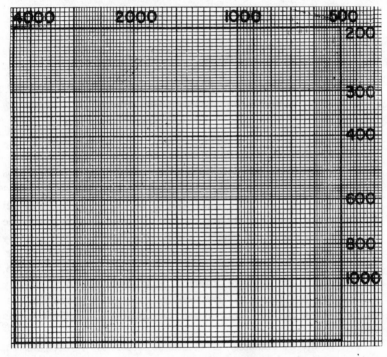

FIG. 6.8. *Carta de formantes*

Los valores de los formantes se obtienen midiendo las distancias existentes desde la línea de referencia (*o* en la fig. 6.9)
hasta el centro de cada formante en el punto medio de la duración de cada vocal (en la fig. 6.9, *a* para el F_1 y *b* para el F_2).
Como es fácil conocer cuántos Hz tiene 1 mm., se puede elabo-

rar fácilmente una tabla de valores. Cuando las vocales son largas, es conveniente hacer tres o cuatro medidas en puntos equidistantes, sobre el eje de tiempos, pero cuando no son excesivamente largas es suficiente una sola medición.

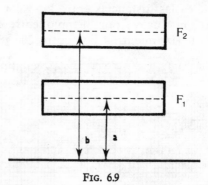

FIG. 6.9

¿Qué relaciones existen entre las distintas vocales representadas en una carta de formantes y los tradicionales parámetros de abertura-cierre y anterioridad-posterioridad?

1.º En el eje de ordenadas, donde se llevan los valores del F_1, como ya hemos indicado, se puede observar el grado de abertura del conducto vocal: *existe una relación constante y directa entre la abertura bucal y el nivel de frecuencias representado en el eje de ordenadas.* Las vocales [a], por ejemplo, que aparecen en la parte inferior de la carta de formantes, y que tienen, por tanto, las frecuencias más altas, poseen la mayor abertura del conducto vocal. Lo contrario sucede con las vocales [i], [u].

2.º El eje de abscisas, en el que se sitúan los valores del F_2, indica la longitud de la cavidad bucal: *existe una relación constante e inversa entre la longitud de la cavidad bucal anterior y el nivel de frecuencias representado en el eje de abscisas.* Las vocales [i], que en la carta de formantes ocupan las posiciones frecuenciales más altas —estando situadas, por tanto, en la parte izquierda de la carta—, presentan la menor longitud de la cavidad bucal anterior. Lo contrario ocurre con las vocales [u].

A guisa de ejemplo, vamos a llevar sobre una carta de formantes los valores de F_1 y F_2 de las realizaciones que damos a continuación, pertenecientes todas ellas a fonemas vocálicos tónicos en sílaba libre; el hablante es un informante femenino. El número que aparece en la carta de formantes corresponde al de cada vocal del cuadro siguiente:

		F_1	F_2
VOCAL /í/			
1. [bíβo] *vivo*		202 Hz	2.308 Hz
2. [akí] *aquí*		202	2.632
3. [amaríλos] *amarillos*		202	2.592
4. [día] *día*		202	2.511
5. [θeríλas] *cerillas*		243	2.551
VOCAL /é/			
6. [béβe] *bebe*		324	2.146
7. [θerβéθa] *cerveza*		283	2.025
8. [pér̄o] *perro*		405	1.822
9. [néɣras] *negras*		283	2.349
10. [tréθe] *trece*		283	2.106
VOCAL /á/			
11. [báβa] *baba*		729	1.174
12. [aparáto] *aparato*		729	1.215
13. [káβa] *cava*		648	1.134
14. [káδa] *cada*		648	1.417
15. [káθa] *caza*		688	1.377
16. [gáfas] *gafas*		729	1.336
17. [pásas] *pasas*		729	1.134
18. [r̄áma] *rama*		648	1.093
19. [pár̄a] *parra*		607	1.012
20. [táʧa] *tacha*		769	1.417
21. [báʝa] *vaya*		648	1.093
VOCAL /ó/			
22. [bóβo] *bobo*		405	850
23. [ʤó] *yo*		324	931
24. [tóδo] *todo*		283	972
25. [óʧo] *ocho*		283	891
26. [dóθe] *doce*		364	1.012

	F₁	F₂

VOCAL /ú/

27. [bejntiúno] *veintiuno* ... ...   202 Hz   567 Hz
28. [birtú] *virtud*   202   729
29. [sepultúra] *sepultura*   202   850
30. [púpas] *pupas*   243   688
31. [r̄úso] *ruso*   243   769

En la carta de formantes de la figura 6.10 se han situado las realizaciones vocálicas del cuadro anterior. Podemos ver cómo en las realizaciones de /i/, la *2*, de *aquí*, es la más anterior, siendo la más posterior la *1*, de *vivo*, que es la que se encuentra

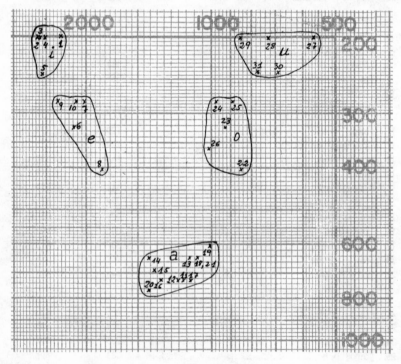

Fɪɢ. 6.10

en posición fonética normal [8]. Todas poseen el mismo grado de cierre, con excepción de la *5*, de *cerillas*, que es la más abierta. En las realizaciones de /e/, la más alta y anterior es la *9*, de *negras*, mientras que la más abierta y posterior es la *8*, de *perro*. En las realizaciones de /a/, la más cerrada y posterior es la *19*, de *parra*, mientras que la más abierta y anterior es la *20*, de *tacha;* la *11*, de *baba*, que es la fonéticamente normal, ocupa una situación más bien baja y central. En las realizaciones de /o/, la más cerrada y anterior es la *24*, de *todo;* la más baja y posterior es la *22*, de *bobo*. En las realizaciones de /u/, las *27*, *28* y *29* son las más cerradas, siendo la más anterior la *29*, de *sepultura;* las realizaciones *30* y *31* poseen la misma abertura, siendo la *30*, de *pupas*, la más posterior.

El conjunto de los puntos vocálicos señalados en la carta de formantes para cada fonema determina su *campo vocálico*, que en la figura 6.10 hemos envuelto con una línea de trazo continuo.

6.7. TRIÁNGULOS ACÚSTICOS

De la misma manera que bajo el punto de vista fisiológico se viene realizando desde hace mucho tiempo la representación de las vocales por medio de los llamados «triángulos articulatorios», que intentan dar una idea, lo más exacta posible, de la situación articulatoria de cada vocal en la cavidad bucal, desde el punto de vista acústico también es factible la representación de un sistema vocálico por medio de los «triángulos acústicos».

Estos triángulos acústicos se obtienen situando sobre la carta de formantes los resultados de los valores, absolutos o medios, de los F_1 y F_2.

La figura 6.11 representa el triángulo acústico de las vocales cardinales sintetizadas, de la figura 6.6, según Delattre, Liberman, Cooper y Gerstman *(1952*, 200).

---

[8] Una vocal se encuentra en posición fonética normal cuando está situada entre dos consonantes labiales. La consonante labial, por no ser lingual, no afecta a la articulación de la vocal, que es eminentemente lingual.

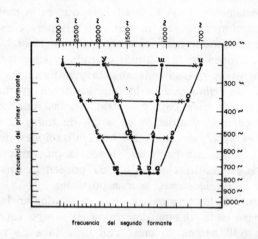

frecuencia del segundo formante

FIG. 6.11. _Triángulo acústico de las vocales cardinales sintetizadas, de la figura 6.6_

La relación que guarda un triángulo acústico con la realidad articulatoria, representada, como sabemos, por medio de un «triángulo» articulatorio, es fácil de establecer. Comparemos el triángulo acústico de las vocales sintéticas de la figura 6.11 con el triángulo articulatorio, figura 6.12, obtenido radiográficamente y propuesto como modelo por la _Asociación ·Fonética Internacional:_ la semejanza entre los dos es considerable: en el

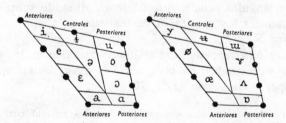

FIG. 6.12. _Triángulos articulatorios de las vocales cardinales primarias (izquierda) y secundarias (derecha)_

«triángulo» o cuadrilátero articulatorio, la situación de la vocal
[u] indica una posición lingual posterior y alta, mientras que
la situación de la vocal [e], por ejemplo, indica una posición
de la lengua anterior y media, según las coordenadas que se
pueden también trazar en él: el eje de ordenadas indicaría posición superoinferior de la lengua, y el de abscisas, posición

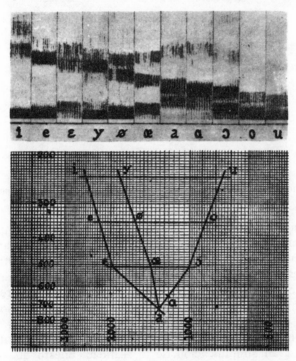

Fig. 6.13. *Un triángulo acústico de las vocales orales francesas, según*
P. Delattre. *En la parte superior de la figura aparecen los sonogramas
de las vocales; en la parte inferior, su triángulo acústico*

anteroposterior. La posición de la [u] en el «triángulo acústico»
indica también esa posición alta posterior. Lo mismo puede decirse de /e/, /ɛ/, etc.

La figura 6.13 representa un triángulo acústico de las vocales orales francesas, según Pierre Delattre *(1948)*.

La figura 6.14 es la representación de un triángulo acústico del catalán, obtenido a partir de todos los valores medios de todas las realizaciones vocálicas de un informante catalán, según Ramón Cerdá *(1972,* 166).

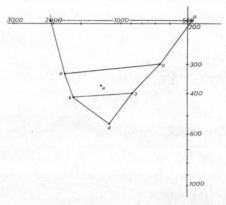

FIG. 6.14. *Un triángulo acústico del catalán, según* R. CERDÀ

Para el español, véase más adelante en el § 6.12 y figura 6.20. El análisis acústico de las vocales ofrece más ventajas que el articulatorio. En primer lugar, el número de parámetros que es necesario tener en cuenta en el nivel articulatorio para especificar con exactitud la posición de los órganos fonadores en la emisión de una vocal es muy elevado [9], mientras que los parámetros acústicos necesarios son mucho más reducidos. En segundo lugar, la representación de los triángulos articulatorios es una gran simplificación de la realidad, puesto que sólo se tienen en cuenta dos —posición lingual antero-posterior y su-

[9] Por ejemplo, Peterson *(1951,* 548) señala los siguientes parámetros: 1. La posición de la parte más alta de la lengua en la cavidad bucal. 2. El grado de constricción entre la parte más alta de la lengua y el paladar o la faringe. 3. La longitud de la constricción lingual. 4. El grado de separación labial. 5. El grado de redondeamiento labial. 6. El grado de separación de los maxilares. 7. La magnitud de la abertura entre la faringe nasal y la oral. Ramón Cerdá *(1972,* 36-42) operó con nueve parámetros.

pero-inferior— de los muchos parámetros articulatorios que intervienen, mientras que los triángulos acústicos representan la realidad de la vocal percibida. En tercer lugar, lo que nosotros percibimos son sonidos, y lo que de ellos nos interesa es precisamente su estructura acústica y no los movimientos articulatorios, teniendo en cuenta, además, que por el fenómeno de la compensación, posiciones articulatorias diferentes pueden dar el mismo resultado acústico. Según Malmberg *(1952,* 107), «la opinión de Sweet y de toda la fonética clásica de que cada nueva posición de la lengua daba lugar automáticamente a una nueva vocal, ya no es válida sin restricciones muy importantes». Es más simple y más exacta la clasificación de las vocales —y en general de todos los segmentos— en tipos acústicos que en tipos articulatorios.

6.8. PERCEPCIÓN DE LAS VOCALES

La percepción de una vocal, como ya hemos indicado, depende esencialmente de sus dos primeros formantes. Pero en la percepción, intervalos iguales de frecuencias no guardan una correlación exacta con intervalos iguales de tonía; la percepción de diferencias cualitativas no se refieren simplemente a los intervalos de la frecuencia formántica. Por eso, la escala óptima de la percepción parece ser la del *mel,* que es esencialmente lineal en las bajas frecuencias y logarítmica en las altas. Según Fant *(1959,* 73-85), la escala en meles se construyó basándose en la evaluación subjetiva de la percepción del fundamental, realizada por un oyente normal, al determinar los intervalos de frecuencia que corresponden al reducir a la mitad y al duplicar el fundamental percibido, y a incrementos iguales del fundamental. A muy bajas frecuencias, este intervalo es aproximadamente de una octava. A muy altas frecuencias, es aproximadamente de dos octavas, y a 1.000 Hz, de una octava y media.

La conversión de frecuencia en meles puede ser realizada según la siguiente tabulación dada por Beranek *(1949).*

Frecuencia Hz	Tonía meles
20	0
160	250
394	500
670	750
1.000	1.000
1.420	1.250
1.900	1.500
2.450	1.750
3.120	2.000
4.000	2.250
5.100	2.500
6.600	2.750
9.000	3.000
14.000	3.250

La escala técnica de meles propuesta por Fant responde a la siguiente fórmula:

$$y = \frac{1.000}{\log 2} \log (1 + f/1.000)$$

donde f = frecuencia en cps, e y = posición de coordenadas. Esta fórmula, según su autor, es una mejor aproximación al mel que la escala de Koenig *(1949)*, que es exactamente lineal por debajo de los 1.000 cps y logarítmica por encima de los 1.000 cps [10]. Incrementos iguales en la escala en meles corresponden a incrementos iguales en la sensación auditiva.

6.9. VOCALES NASALIZADAS

Cualquier vocal puede nasalizarse si se produce un descenso del velo del paladar que ponga en comunicación la cavidad bu-

---

[10] Véase, además, Munson y Gardner *(1950)* para la significación de la escala en meles en los juicios sobre inteligibilidad o incrementos de tonía.

cal con la nasal. Este descenso del velo del paladar debe dejar una abertura tal, que permita el paso de la onda sonora a la cavidad nasal. Para que se produzca la nasalización es necesario, por lo menos, una abertura anteroposterior de un milímetro. Pero el velo no debe descender tanto que se apoye en el postdorso de la lengua, porque en este caso se cerraría la cavidad bucal, dando origen a una consonante nasal. Lo esencial en la nasalización vocálica es que estén abiertas la cavidad bucal y la rinofaríngea; por ello, estas vocales reciben el nombre de oro-nasales.

La naturaleza acústica de las vocales nasales es el punto de mayor discordia. El problema se centra en averiguar qué frecuencia (o frecuencias) del espectro de una vocal nasal es el índice acústico de su nasalidad. Los resultados de las investigaciones son amplios y contradictorios: para algunos, estas vocales poseen uno o dos índices; para otros, hasta dieciocho; para unos, los índices están en los 400 Hz; para otros, en los 7.500 Hz, pasando por la gama intermedia de los que creen encontrarlos en los 700, 2.400, etc.

Por otra parte, como dice R. Husson *(1962,* 431), «durante un siglo, la casi totalidad de los fonetistas razonaba del siguiente modo: cuando las ondas sonoras pasan por detrás del velo y atraviesan las cavidades nasales, *adquieren en ellas resonancias nasales.* La nasalidad se constituye, pues, por los *sonidos propios* de las cavidades nasales, que vienen a añadirse, bajo la forma de *formantes nasalizadores,* al espectro inicial de la vocal no nasalizada». Es, según estos principios, la adición de unos formantes lo que convierte una vocal oral en nasal; pero la realidad es bien distinta, como veremos más adelante.

Aun entre la bibliografía más reciente hay fuertes discrepancias en lo que concierne a este problema.

Marguerite Durand *(1953)* creyó encontrar los formantes de las vocales nasales francesas en las regiones de altas frecuencias, a los 7.500 Hz aproximadamente; ello le llevó a deducir erróneamente que al no alcanzar las consonantes nasales esas frecuencias tan altas, la nasalización vocálica no se produjo por medio de un proceso de asimilación, sino de un modo autónomo.

Al trabajo anterior contestó Pierre Delattre *(1954)* argumentando contra la opinión de M. Durand del siguiente modo: 1) Si los formantes responsables de la nasalidad se encontrasen a los 7.500 Hz, ésta no se percibiría a través del teléfono, que no capta frecuencias superiores a los 3.500 Hz; 2) Es muy delicado comparar acústicamente la nasalidad de la vocal y la de la consonante: la primera, articulada con la boca abierta, tiene una intensidad muy superior a la de la consonante, que se emite con la boca cerrada. Para comparar los formantes de ambos sonidos, habría que registrarlos con la misma intensidad, cosa que no es posible, puesto que cuando se ajusta el registro de la vocal para que no se deforme, la intensidad de la consonante es tan débil que la mayoría de las veces sólo aparece con uno o dos formantes.

Para Delattre, los índices acústicos de la nasalidad se encuentran en las frecuencias bajas del espectro y se caracterizan por:

1) Un debilitamiento en la intensidad del primer formante, que en el caso de las vocales francesas se sitúa en los 500 Hz. En la síntesis de las vocales es suficiente una reducción de 12 a 15 db en el primer formante para que un oído francés perciba la vocal como nasalizada [11].

2) El segundo índice en importancia es la aparición de un formante de frecuencia muy baja, hacia los 250 Hz, el *primer formante nasal* (FN_1).

Delattre fue concediendo en sus trabajos posteriores al de 1954 cada vez menos importancia a este formante nasal, como

[11] P. Delattre, A. M. Liberman, F. S. Cooper y L. Gerstman *(1952)* encontraron una leve nasalización cuando se reducía la intensidad del primer formante en 7 db. Arthur House y Kenneth R. Stevens *(1957)* sirviéndose de un modelo eléctrico analógico de la cavidad vocal («electrical line vocal tract analog») concluyen que es suficiente una reducción de 9,5 db para que se produzca la nasalización.

El dato de la reducción de 12 a 15 db lo repite Delattre en *1958, 1965 a, 1970*, y en Delattre y Monot *(1968)*, y también aparece en Hattori, Yamamoto y Fujimura *(1958)*.

lo demuestra la siguiente afirmación: «El hecho (de que la pérdida de intensidad del F_1 es suficiente para explicar la nasalidad) ha sido confirmado por medio de tests de percepción de habla sintética en los que la nasalidad se juzgaba completa por la sola reducción de 12 db en el primer formante y la ausencia completa del formante de 250 cps.» Y: «este armónico (a 250 cps) no tiene papel distintivo, pero en la síntesis de las vocales da *naturalidad* a la cualidad nasal. La débil intensidad del primer formante basta para nasalizar completamente» (Delattre, *1970*, 226 y 227, respectivamente).

3) El tercer índice que señala Delattre *(1954)* es el de un formante de 2.000 Hz aproximadamente, que él denomina «segundo formante nasal» (FN_2); este FN_2 es tanto más débil cuanto más abierto es el sonido: en la síntesis, contribuye a nasalizar fuertemente las consonantes nasales, pero prácticamente no influye para nada en la nasalización de [ã]. En Delattre *(1958,* 272)*, se sitúa este formante entre los 1.000 Hz o los 2.000 Hz. En sus trabajos posteriores no concede ninguna importancia a este FN_2.

Hattori, Yamamoto y Fujimura *(1958)* sitúan este formante agudo entre los 1.000 y 2.500 Hz.

Lafon *(1961,* 119 y 89-90) sitúa este formante entre los 3.000 Hz y los 4.500 Hz. Sin embargo, en Courveaulle y Lafon *(1967,* 73), reconociendo la importancia de las zonas de frecuencias graves, indicadas anteriormente, dicen: «Debemos, pues, admitir, como lo propone Delattre, que la estructura característica de los fonemas nasales está comprendida en esta frecuencia límite (1.500 Hz)» [12].

Las experiencias de R. Husson, *1962*, 431-436, proporcionan los siguientes datos:

1) Nunca se obtiene la nasalidad de una vocal por la simple adición de uno o varios formantes entre los 0 y 8.000 Hz.

---

[12] Según Delattre *(1954)*, otros datos que aparecen sobre los espectrogramas de las nasales son el descenso de frecuencias del cuarto formante, y el aumento del tercero; pero en la síntesis ninguno de estos factores produce la impresión de nasalidad perceptible al oído.

2) Tomando una vocal abierta cualquiera aparece una nasalización muy clara al quitar la banda de frecuencias comprendida entre los 1.200 y los 1.800 Hz.

3) Tomando una vocal nasalizada cualquiera y añadiéndole la banda de los 1.200-1.800 Hz, desaparece siempre completamente la nasalización.

4) El espectro constituido por los dos primeros formantes de las vocales nasales sería menos compacto que el de las orales correspondientes.

5) La intensidad del formante bucal sería generalmente atenuada.

Y. Ochiai *(1965)* indica que la mayor diferencia entre las vocales nasalizadas y sus correspondientes desnasalizadas se sitúa entre los 1.200 y los 2.400 Hz.

Las observaciones espectrográficas de G. E. Peterson *(1961 a,* 24) sobre las características acústicas de las vocales nasalizadas son las siguientes: 1. Se produce un cambio en el nivel de las bajas frecuencias: el F_1 se ensancha y cambia de frecuencia. 2. Aparecen resonancias secundarias entre los primeros formantes. 3. El nivel de energía del F_3 aumenta o disminuye y su frecuencia puede aumentar o disminuir, según la formación de cada vocal en particular.

La reducción de la intensidad del F_1, que parece ser un punto común en la mayoría de las investigaciones, se atribuye a dos causas:

a) al amortiguamiento que ejercen las cavidades fibrosas de la nariz, que influirían sólo sobre las ondas de frecuencias bajas (Housse y Stevens, *1957);*

b) a la creación de antirresonancias que suprimirían una porción de los tonos de F_1 (Hattori, Yamamoto y Fujimura, *1958)* [13].

---

[13] La desaparición de la banda de los 1.200-1.800 Hz se explica, según Husson, por la formación de una especie de filtro de bajas frecuencias originado por la enorme absorción que se ejerce en las cavidades nasales sobre toda la energía vibratoria que pasa desde el velo del paladar a las fosas nasales.

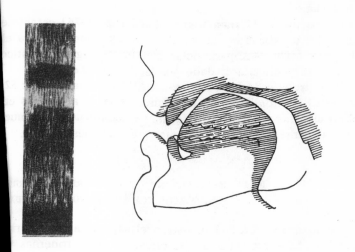

15. *Realizaciones acústica y articulatoria del fonema /i/ en [βίβο]*
vivo

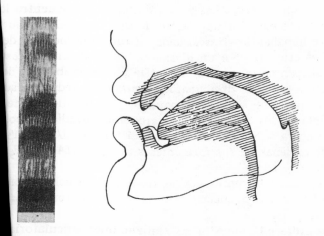

Realizaciones acústica y articulatoria del fonema /e/ en [βéβe]
bebe

Lo que realmente ocurre es que el descenso del velo del paladar produce una derivación del conducto oral, saliendo parte de la onda que procede de la glotis por las fosas nasales. Estas entran en resonancia a ciertas frecuencias, según el grado de abertura del velo del paladar. Para ciertas frecuencias la onda que se produce en la cavidad nasal se encuentra en oposición con la onda de la cavidad bucal. Debido a este fenómeno de antirresonancia, la energía acústica que se encuentra en esas frecuencias se anula o disminuye mucho.

Como se desprende de lo expuesto anteriormente, aún no hay un criterio unánime para la atribución del índice de nasalidad a los segmentos vocálicos. Sólo hay un común denominador en la mayoría de las investigaciones: la adición de formantes no origina la nasalización; ésta se produce, precisamente, por una amortiguación o desaparición de ciertas zonas de frecuencia.

El trabajo de Marc Debrock *(1974)* viene a plantear el problema desde un punto de vista diferente, al comprobar que las soluciones propuestas al espectro acústico de las vocales nasales son en parte contradictorias. Estas contradicciones se deberían a que existen ciertos tipos de voz que tienen una «técnica de articulación diferente, determinada en parte por la morfología de los órganos fonadores».

6.10. DATOS ACÚSTICOS SOBRE
LAS VOCALES ESPAÑOLAS

El sistema vocálico español está necesitado de un amplio estudio para concretar las realizaciones alofónicas de sus fonemas. Poco se ha hecho hasta ahora sobre el particular; el motivo principal es la dificultad y la amplitud de los materiales que es necesario analizar, así como la complejidad en la ordenación de los resultados.

Los estudios acústicos que hasta el momento pueden consultarse son los siguientes:

El trabajo de R. B. Skelton *(1950)*, que analiza sus vocales en palabras aisladas, no en frases, y considera en el mismo plano las vocales tónicas y las átonas, no llega a soluciones concretas distribucionales sobre las diferentes realizaciones de nuestros fonemas vocálicos.

Daniel N. Cárdenas *(1960)* analiza en su trabajo un amplio número de vocales en dos informantes hispánicos: un colombiano y un mejicano. Llega a la conclusión de que existe una amplia gama de variaciones alofónicas para un fonema dado cuando se presenta en el decurso de la cadena hablada normal, no siendo válidas, según el mencionado investigador, las reglas dadas por Navarro sobre la abertura o cierre de las vocales [14].

Tres años más tarde, publica Joseph H. Matluck *(1963)* otro análisis acústico sobre las realizaciones de [é] en Méjico; sus resultados coinciden parcialmente con los conocidos de Navarro Tomás *(1950)*.

El artículo de R. B. Skelton *(1970)* realizado sobre la grabación de varias palabras aisladas, emitidas por veinte hispanohablantes varones, intenta mostrar las diferencias que existen entre los triángulos vocálicos de los diferentes hablantes y que la semejanza que se produce entre las realizaciones de las diferentes vocales reside más bien en la percepción auditiva que en las cualidades físicas de los sonidos emitidos.

M. Guirao y A. M. B. Manrique *(1975)* analizan los cinco fonemas vocálicos pronunciados de manera aislada por siete hombres y siete mujeres y compara los resultados con el análisis de las vocales en los contextos *b-d* y *p-s*, pronunciados por diez informantes.

Más recientemente, M. Bernales *(1976)* publicó un trabajo en el que se comparan 20 realizaciones vocálicas (vocales aisladas, precedidas de *s*, seguidas de *s* y entre dos *s*) pronunciadas por tres informantes de Valdivia y tres de Chiloé. Son pocos

[14] Al trabajo de Cárdenas contestó Tomás Navarro Tomás con una larga reseña publicada en la *NRFH*, XIV, 1960, 342-345, en la que mostraba su desacuerdo con Cárdenas.

informantes y, sobre todo, muy pocos casos p
conclusiones.

El artículo de Hernán Urrutia Cárdenas (
triángulos acústicos de las vocales tónicas y
bla de Valdivia, comparándolas con un tri
las vocales peninsulares dado por Quilis *(1*

En el trabajo de Páez Urdaneta *(1979)* se
lizaciones (en total) de los tres fonemas /i
labras aisladas por un solo informante ecua
evidentemente, no permite obtener conclus

6.11. REALIZACIÓN ARTICU
DENCIA ACÚSTICA EN

Las figuras 6.15 a 6.19 muestran el as
acústico de las realizaciones de nuestros
cos en posición fonética normal, y en s

Los esquemas articulatorios se obtuv
radiológicos y responden al momento d
articulación vocálica. Las palabras don
siempre estaban situadas dentro de una
que se filmaban las frases, leídas a u
ción, en este caso por un hispanohabla
se grababan en un magnetófono. De a
ofrecer a la vez el documento articula
tercera parte de su tamaño natural,
presenta ruidos debidos al aparato c

La figura 6.15 es la realización del
Las frecuencias de sus formantes so
hertzios.

La figura 6.16 representa las real
[βéβe] *bebe*. Las frecuencias de sus f
$F_2 = 1.701$ Hz.

La figura 6.17 muestra las realiz
tica de /a/ en [βáβa] *baba*. Las f
son: $F_1 = 607$ Hz; $F_2 = 1.012$ Hz.

FIG. 6.

FIG. 6.16.

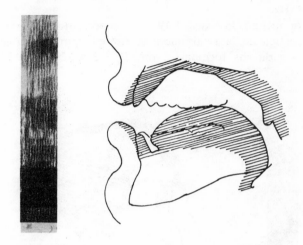

FIG. 6.17. *Realizaciones acústica y articulatoria del fonema /a/ en* [βáβa] baba

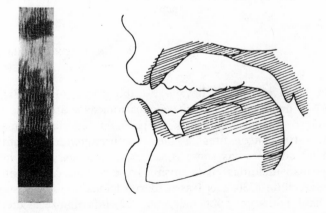

FIG. 6.18. *Realizaciones acústica y articulatoria del fonema /o/ en* [βóβo] bobo

La figura 6.18 representa las realizaciones de /o/ en [βóβo] *bobo*. Las frecuencias de sus formantes son: $F_1 = 486$ Hz; $F_2 = 931$ Hz.

Y, por último, la figura 6.19 es la representación articulatoria y acústica de la realización de /u/ en [púpas] *pupas*. Las frecuencias de sus formantes son: $F_1 = 324$ Hz; $F_2 = 729$ Hz.

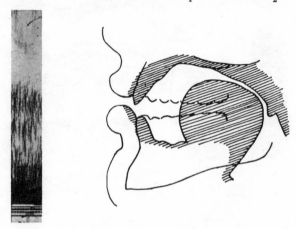

FIG. 6.19. *Realizaciones acústica y articulatoria del fonema /u/ en* [púpas]
pupas

6.12. UN TRIÁNGULO ACÚSTICO DEL VOCALISMO ESPAÑOL

En la investigación llevada a cabo por Quilis y Esgueva *(1980)* se analizaron las realizaciones tónicas y átonas de nuestros cinco fonemas vocálicos en posición fonética normal, es decir, entre consonantes labiales, comprendiendo el contorno tanto las sordas y las sonoras, como las nasales. Todas las palabras iban incluidas en la misma frase portadora. El total de casos ascendió a 30. Las frases fueron leídas, bajo las condiciones habitualmente conocidas, por 22 informantes: dieciséis hombres y seis mujeres, todos universitarios y procedentes tanto de diferentes países de Hispanoamérica como de España.

El resultado del análisis de los dos primeros formantes de estas 660 realizaciones puede verse en el triángulo acústico de la figura 6.20, que podría considerarse como «un triángulo vocálico de la lengua española».

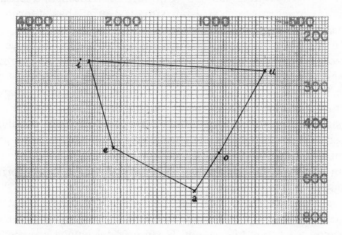

FIG. 6.20. *Un triángulo vocálico acústico de la lengua española*

Si comparamos este triángulo con el de las vocales cardinales sintetizadas de la figura 6.11, podemos observar que: *a*) el /i/ español es algo más posterior; *b*) el /e/ español es mucho más abierto que el /e/ cardinal, sin llegar al /ɛ/ cardinal; es, asimismo, más posterior que las vocales *e* cardinales; *c*) el /a/ español se encuentra entre las dos /a/ y /ɑ/ cardinales, y es bastante más cerrado; *d*) el /o/ español se aproxima, sin llegar al /ɔ/ abierto cardinal, siendo algo más cerrado que este último; *e*) el /u/ español es más posterior y algo más abierto que el /u/ cardinal [15].

---

[15] Además de la ya indicada, puede verse la siguiente bibliografía sobre vocalismo: Abas *(1929)*, Ainsworth *(1968)*, Ainsworth y Millar *(1971)*, Arnold, Denes, Gimson, O'Connor y Trim *(1958)*, Bastian y Abramson *(1962)*, Bernard *(1970)*, Bevier *(1900)*, Bogert *(1953)*, Bouman *(1928)*, Bouman y Kucharski *(1930)*, Broad *(1976)*, Broad y Fertig *(1970)*, Broadbent y Ladefoged *(1960)*, Brubaker y Altshuler *(1959)*, Carpenter *(1962)*, Carpenter y Morton

6.13. Secuencias vocálicas

La secuencia de dos o tres vocales en una misma sílaba constituye un *grupo tautosilábico* (diptongo o triptongo, respectivamente), mientras que si están situadas en sílabas diferentes forman un *grupo heterosilábico*.

En el grupo tautosilábico, una de las vocales constituye el núcleo silábico y la otra (u otras) el margen silábico. Este núcleo es siempre la vocal que reúna las mejores condiciones fónicas de entre todas las vocales que están en la sílaba: mayor abertura, mayor tensión, mayor intensidad, mayor poder de transmisión, mayor perceptibilidad, etc.; las mismas condiciones, en menor grado, posee la vocal margen silábico, y en un grado mucho más disminuido, las consonantes.

En el grupo heterosilábico, cada una de las vocales forma un núcleo silábico diferente.

Los trabajos realizados por Delattre *(1964)*, por Delattre, Cooper, Liberman y Gerstman *(1956)*, por Liberman, Delattre, Gerstman y Cooper *(1956)*, con la síntesis del lenguaje pusieron de manifiesto que el tiempo utilizado en los cambios de frecuen-

(1962), Castle *(1965)*, Daniloff, Shriner y Zemlin *(1968)*, Delattre *(1957* y *1962 a)*, Dunn *(1961)*, Essner *(1947)*, Fairbanks, House y Stevens *(1950)*, Fairbanks y Grubb *(1961)*; Fant, Fintoft, Liljencrants, Lindblom y Martony *(1963)*, Fischer-Jørgensen *(1967)*, Flanagan *(1955, 1956 a)*, Flanagan y Sallow *(1958)*, Forgie y Forgie *(1959)*, Foulkes *(1961)*, Fry, Abramson, Eimas y Liberman *(1962)*, Fujimura *(1967)*, Fujisaki y Kawashima *(1967)*, Fukumura y Ochiai *(1955)*, Fukumura y Hara *(1954)*, Hála *(1959)*, Harris y Waite *(1963)*, Heike y Hall *(1969)*, House *(1956)*, House y Stevens *(1955)*, Husson *(1957* y *1965)*, Husson y Pimonow *(1957)*, Jassem *(1958)*, Keith Smith y Klem *(1961)*, Ladefoged *(1956)*, Ladefoged y Broadbent *(1957)*, Laver *(1965)*, Lehiste y Peterson *(1959)*, Lindblom *(1963)*, Lisker *(1948)*, Miller *(1953)*, Morton y Carpenter *(1962)*, Ochiai *(1958, 1959, 1961, 1962, 1962 a, 1964, 1965 a)*, Ochiai y Fukumura *(1956, 1956 a, 1956 b, 1960, 1961)*, Ochiai, Fukumura, Hattori *(1956)*, Ochiai, Fukumura y Sakurai *(1962)*, Ochiai y Oda *(1959)*, Ochiai y Mori *(1958)*, Orlik *(1947)*, Paul, House y Stevens *(1964)*, Peterson *(1954 a, 1959)*, Pinson *(1963)*, Romportl *(1973 a)*, Sholes *(1967, 1967 a)*, Sharf *(1964, 1966)*, Sholtz y Bakis *(1962)*, Slawson *(1968)*, Tarnóczy *(1962)*, Thompson y Hollien *(1970)*, Weibed *(1955)*, Wajskop *(1967* y *1971)*, Wakita *(1976)*, Welch y Wimpress *(1961)*, Wendahl *(1959)*, Wiik *(1965)*, Willis *(1971)*, Zagorska *(1968)*.

cia de los formantes era un poderoso índice acústico para la percepción de sonidos diferentes. La figura 6.21 muestra uno de esos experimentos, según Delattre, Cooper, Liberman y Gerstman *(1956)*. La parte superior de la figura muestra tres secuencias: [ua, wa, ba]. La primera, [ua], representaría, al mante-

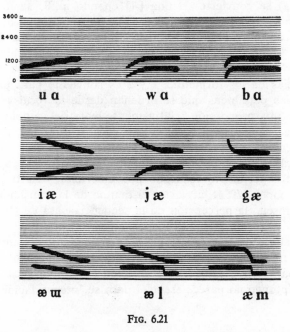

FIG. 6.21

ner un cambio relativamente lento en los dos formantes, una vocal diptongada: una secuencia con un cambio de timbre muy gradual de [u] a [a]. La segunda secuencia, [wa], muestra una transición más rápida entre los dos elementos, lo que es suficiente para transformar [u] en [w] semivocal, y percibir [wa] en lugar de [u]. La tercera secuencia, [ba], muestra una transición mucho más rápida, lo que da como resultado la percepción de la consonante [b] y de la secuencia como [ba]. La duración relativa de las transiciones en [ua, wa, ba] están en la proporción 6 : 2 : 1. En la parte inferior de la figura aparecen otras tres secuencias: [iæ, jæ, gæ]. La proporción de las duraciones de los cambios formánticos es igual a la de la serie anterior. También aquí, el incremento en el grado de cambio produce una impresión auditiva que va desde [i] hasta [g], pasando por [j]. En la parte inferior de la figura, una vocal diptongada (parte izquierda) se convierte en una [-l] cuando al F_1 se le infiere un cambio rápido de frecuencia, o se convierte en [-m] cuando este cambio rápido de frecuencias se realiza en los dos formantes. Como dicen los autores del mencionado trabajo, en estas series, «una diferencia en la proporción del cambio de las frecuencias de los formantes 1 y 2 es suficiente para producir diferencias percibidas que se ordenan desde la vocal a la consonante: una proporción relativamente lenta del cambio de una frecuencia a otra se oirá como una vocal o diptongo, mientras que un cambio algo rápido sobre la misma gama de frecuencias producirá la clara impresión de una consonante» (pág. 550).

En el experimento realizado por Liberman, Delattre, Gerstman y Cooper *(1956)*, al variar el tiempo de la transición entre 40 y 60 mseg., la percepción de la secuencia pasa de [bɛ, gɛ] a [wɛ, jɛ], y con un aumento mayor, a [uɛ, iɛ].

El trabajo de Gay *(1968)* pone de relieve que el cambio del F_2 es lo más relevante para la percepción del diptongo. Sin embargo, para Wisse *(1965)*, la transición entre una vocal y otra de un diptongo no parece esencial para su interpretación [16].

6.14. Secuencias vocálicas españolas

En español, normativamente, se acostumbra a considerar como diptongo la unión en la misma sílaba de: 1. /i, u/ + /e, a, o/; 2. /e, a, o/ + /i, u/; 3. /i/ + /u/; 4. /u/ + /i/. El primer caso son los denominados articulatoriamente diptongos crecientes; el segundo, diptongos decrecientes; en ambos casos, siem-

---

[16] Además de la indicada, puede verse la siguiente bibliografía sobre diptongos: Cohen *(1971)*, Gay *(1970)*, Lehiste *(1964 d)*, Lehiste y Peterson *(1961)*, Holbrook y Fairbanks *(1962)*, Potter y Peterson *(1948)*, Skaličková *(1967)*, Borzone de Manrique *(1976)* y Bond *(1978)*.

pre /i, u/ son márgenes silábicos. En el tercero y cuarto casos, al tratarse de vocales altas, formará núcleo silábico la vocal que mayor intensidad posea, por muy pequeña que sea esta diferencia. Pero no debemos olvidar que en el habla se dan continuamente otra serie de diptongos, no considerados normativamente, aunque de existencia real: nos referimos a los diptongos formados entre las vocales medias y bajas, /e, a, o/. En ellos, cuando /a/ está presente, es él el que suele formar el núcleo. Cuando la combinación se efectúa con /e, o/, nos hallamos frente al mismo caso de /i, u/.

No es fácil determinar cuándo, en español, una secuencia vocálica constituye diptongo o no, pues pese a lo que se suele decir de que el acento recae sobre las vocales /e, a, o/, cuando es diptongo, y sobre /i, u/ cuando es hiato, se producen numerosas excepciones: compárese, por ejemplo, entre /fíe/ *fíe* y /fié/ *fié*, ambos bisílabos, o entre /píe/ *píe* y /pié/ *pié*, ambos bisílabos, de «piar», y /pié/ [pje] *pie*, monosílabo, etc.

El trabajo de Borzone de Manrique *(1979 a)* sobre el español nos indica que la estabilidad de la vocal abierta, así como la dirección del segundo formante y su velocidad de transición son los índices responsables del reconocimiento de los diptongos españoles.

En los análisis realizados en español hemos observado que se produce un cambio lento de la transición entre los formantes de las dos vocales cuando forman un grupo tautosilábico; por el contrario, un cambio rápido refleja una secuencia heterosilábica, siendo tanto más acusada la percepción de hiato cuanto más rápido sea el cambio, ya que éste actúa como límite silábico.

La figura 6.22 muestra los espectros reducidos de /ia/ formando diptongo en [áθja] *hacia* e hiato en [aθía] *hacía*. Pese a que el diptongo se encuentra en sílaba postónica, se percibe una mayor continuación entre los formantes de [i] y de [a] que en el caso del hiato. En éste, la duración de [i] y la estabilidad de sus formantes son notorios.

La figura 6.23 representa los espectrogramas reducidos del diptongo articulatoriamente decreciente en [báina] *vaina*, fren-

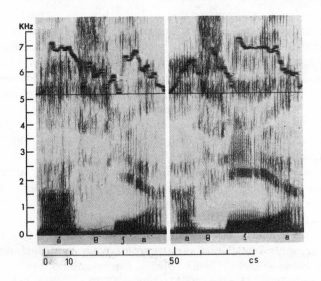

F<small>IG</small>. 6.22. *Sonogramas reducidos de diptongo* (hacia) — *hiato* (hacía)

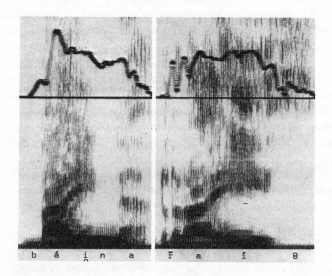

F<small>IG</small>. 6.23. *Sonogramas reducidos de diptongo* (vaina) — *hiato* (raíz)

te al hiato en [r̄aíθ] *raíz;* puede observarse el distinto comportamiento de la transición en ambas secuencias, así como la mayor estabilidad y duración en los dos elementos vocálicos del hiato.

En la figura 6.24 están representados los espectrogramas reducidos /ua/, formando diptongo en [kwátro] *cuatro,* e hiato en [situáðo] *situado.* Obsérvese cómo en el caso del diptongo, los dos primeros formantes se elevan paralelos de [u] a [a], en una transición lenta y progresiva. En el caso del hiato, la transición entre los dos elementos es brusca. Obsérvese, además, la semejanza de intensidad entre [u] y [a] cuando están en la misma sílaba, y la menor intensidad de [u] cuando es núcleo de sílaba átona.

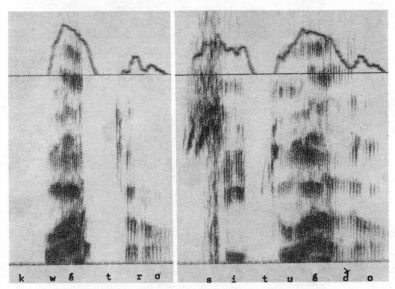

k   w   á   t   r   ơ   s   i   t   u   á   ð   o

FIG. 6.24. *Sonogramas reducidos de diptongo* (cuatro) — *hiato* (situado)

La figura 6.25 muestra los espectros de /e, u/ en diptongo [r̄eunjó] *reunió* y en hiato [r̄eúne] *reúne.* En el diptongo, en el descenso del segundo formante hay una transición lentísima, mientras que en el hiato es más acusada.

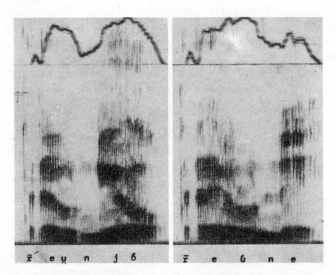

FIG. 6.25. *Sonogramas reducidos de diptongo* (reunió) — *hiato* (reune)

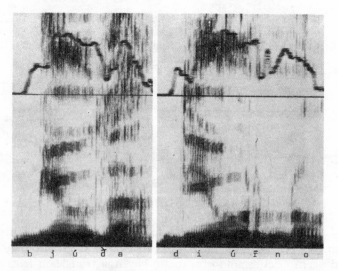

FIG. 6.26. *Sonogramas reducidos de diptongo* (viuda) — *hiato* (diurno)

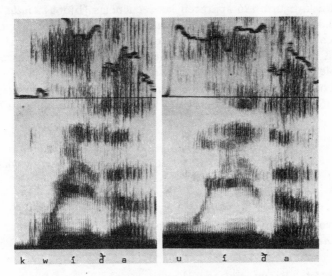

FIG. 6.27. *Sonogramas reducidos de diptongo* (cuida) — *hiato* (huida)

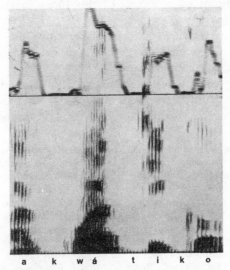

FIG. 6.28. *Sonograma reducido de* acuático

En la figura 6.26 aparecen las secuencias [bjúδa] *viuda*, tautosilábica, y [diúr̃no] *diurno*, heterosilábica. En el primer caso, la realización de /i/ es muy breve, y la transición hasta [u] más lenta que en *diurno*. En esta última secuencia, la [i] es apreciablemente más larga que en *viuda*.

Los mismos comentarios son válidos para las secuencias [kwíδa] *cuida*, diptongo, y [uíδa] *huida*, hiato, de la figura 6.27.

6.15. CLASIFICACIÓN ACÚSTICA DE LAS VOCALES

Todas las vocales poseen los rasgos *vocálico, continuo, sonoro* [17] y *no-consonántico* [18]. Los otros rasgos que caracterizan las vocales son: *compacto* o *denso-difuso, nasal-oral, grave-agudo, bemolizado-no bemolizado* [19].

6.15.1. RASGO VOCÁLICO.

Como dijimos en el § 5.2.2.1.1, los fonemas vocálicos se caracterizan:

a) Por una estructura formántica, y una mayor concentración de la energía en las regiones comprendidas entre los 300 y los 800 Hz, aproximadamente.

b) Los formantes altos de las vocales están menos atenuados que los de otros sonidos que posean una estructura formántica. Como dice Morris Halle (*1959*, 119), todos los fonemas

---

[17] El rasgo sonoro acompaña, normalmente, a la vocal, pudiéndolo perder en determinadas circunstancias, debido al contorno en que estén situadas —*vocales ensordecidas*— o a un determinado modo de hablar —*vocales cuchicheadas*—.

[18] Véanse los epígrafes correspondientes en el capítulo quinto.

[19] En nuestro sistema no tenemos la distinción entre vocales *tensas* y *laxas*, que es, sin embargo, pertinente en otras lenguas, como, por ejemplo, en francés o alemán. En francés se puede establecer este contraste entre /o-ɔ/ (tensa-laxa): /sot/ *saute* - /sɔt/ *sotte*; entre /e-ɛ/, /te/ *té* - /tɛ/ *têt*, etc. En alemán, entre /'ʃoten/ *Schoten* - /'ʃɔten/ *Schotten*; /'felen/ *fehlen* - /'fɛlen/ *füllen*, etc.

vocálicos contienen en su primer formante una gran parte de su energía total; esta energía disminuye notablemente en las frecuencias altas, pero su disminución es menor que la que sufren otros sonidos con estructura formántica. Esta propiedad de las vocales ha servido de guía en su reconocimiento automático (Smith, *1953*).

c) Los sonidos vocálicos tienen, en general, mayor intensidad que los consonánticos.

6.15.2. VOCALES COMPACTAS O DENSAS — VOCALES DIFUSAS.

El rasgo de compacidad se manifiesta por una concentración de la energía en una zona central del espectro vocálico; en la práctica viene dado por la situación frecuencial del F_1: cuanto más alto se encuentre y, por tanto, más próximo esté al F_2 más compacta será la vocal (con excepción de [u], como ya veremos); por el contrario, cuanto más bajo se encuentre el F_1 más difusa será la vocal.

En español, según dijimos en el § 5.2.2.1.3, nuestras vocales se clasifican en:

vocales compactas: /a/

vocales no compactas: $\begin{cases} \textit{difusas: } /i/, /u/ \\ \textit{no difusas: } /e/, /o/ \end{cases}$

La génesis de esta clasificación acústica entre vocales compactas y difusas reside en las diferencias de sección de paso entre las cavidades de resonancia que se originan en la parte anterior de la cavidad bucal. En una vocal como [i] sabemos que la lengua adopta la posición más elevada y también la más anterior; lo mismo ocurre con [u], salvando la posterioridad.

En ambas vocales, la distancia entre la lengua y la bóveda del paladar es muy pequeña. En las vocales [e, o], la distancia entre el dorso de la lengua y la bóveda del paladar ha aumentado; el paso del aire se realiza a través de una abertura mayor que en [i, u]. Y, por último, en la vocal [a], la sección de paso entre los dos resonadores es la más grande.

Podemos, por lo tanto, deducir la siguiente conclusión: *la compacidad vocálica es directamente proporcional a la sección de paso que se establece entre los resonadores, anterior y posterior*, y por el contrario, *la difusión vocálica es inversamente proporcional a la sección de paso entre los dos resonadores*; en [i], la sección de paso entre los dos resonadores es más pequeña que para [a], por lo que [i] es difusa y [a] densa. La vocal [u] es difusa, porque la zona central de su constitución espectrográfica está libre de formantes, ya que F_1 y F_2 están tan próximos que realmente habría que considerarlos como uno medio entre los dos, F'_1. El otro formante más alto F_3, en el caso de [u], se encuentra ya en la región de altas frecuencias.

6.15.3. VOCALES NASALES — VOCALES ORALES.

Acústicamente la vocal nasal se caracteriza primordialmente por la reducción de intensidad del F_1, como ya vimos anteriormente; en las vocales francesas, por ejemplo, se manifiesta la nasalidad al reducir el F_1 de 12 a 15 decibelios.

En francés el rasgo nasal es fonológico, y así se pueden establecer oposiciones entre vocales nasales y vocales orales: /bã/ *banc*, /ba/ *bas*, /bõ/ *bon*, /bo/ *beau*.

En español el rasgo de nasalidad no es pertinente, por lo que no podemos establecer contrastes nasal-oral. Este rasgo aparece sólo fonéticamente, cuando la vocal está situada entre dos consonantes nasales, o en posición inicial absoluta, seguida de consonante nasal: [mãno] *mano*, [ĩnsaθjáβle, ĩsaθjáβle] *insaciable*.

6.15.4. VOCAL GRAVE — VOCAL AGUDA.

Como ya vimos, la vocal aguda se caracteriza por el predominio de una concentración de energía en la parte alta del espectro, mientras que la vocal aguda posee esa concentración de energía en la parte baja del espectro. En el sonograma, se hace patente por el distinto nivel de frecuencias de aparición del segundo formante: cuanto más próximo se halle al primero, la vocal será más grave, mientras que cuanto más cerca se encuentre del tercero, la vocal será más aguda; de tal modo, que podríamos concluir afirmando que *el nivel de frecuencias del segundo formante es directamente proporcional al grado de agudeza, e inversamente proporcional al de gravedad.*

En español, según dijimos en el § 5.2.2.2.1, nuestras vocales se clasifican en:

> *vocales graves:* /o, u/
>
> *vocales no graves:* $\begin{cases} vocales \ agudas: \ /\text{i, e}/ \\ vocales \ no \ agudas: \ /\text{a}/ \end{cases}$

6.15.5. VOCALES BEMOLIZADAS — VOCALES NORMALES.

En español, las vocales bemolizadas son: [u, o], y las vocales normales: [i, e, a].

La génesis de la distinción entre vocales bemolizadas y normales viene determinada por la reducción del orificio labial, producido por un redondeamiento de los labios. Por ello, la oposición bemolizada/normal está basada, desde el punto de vista genético, en la variación del orificio labial, mientras que la oposición grave/aguda está fundamentada en la variación de la cavidad de resonancia.

En español, la oposición *vocal grave/vocal aguda* va acompañada de la oposición *vocal bemolizada/vocal normal* en dos casos, ya que nuestro sistema vocálico es perfectamente normal, es decir, que la serie anterior está deslabializada (orificio labial ancho), mientras que la posterior está labializada (orificio labial estrecho, reducido); pero esta paridad entre aguda-normal y grave-bemolizada se cumple solamente en cuatro casos: *aguda, normal:* [i, e]; *grave, bemolizada* [u, o], pero no en [a], que es *grave, normal.*

6.15.6. VALIDEZ FONOLÓGICA DE LOS RASGOS ACÚSTICOS APLICADOS AL SISTEMA VOCÁLICO ESPAÑOL.

De todos los rasgos acústicos que hemos examinado anteriormente sólo algunos son connotativos a nuestro sistema vocálico. Desde el punto de vista fonológico, en español, son pertinentes los siguientes rasgos:

Rasgos	i	e	a	o	u
Vocálico/no vocálico	+	+	+	+	+
Consonántico/no consonántico	—	—	—	—	—
Compacto/no compacto	—	—	+	—	—
Difuso/no difuso	+	—	—	—	+
Grave/no grave	—	—	—	+	+
Aguda/no aguda	+	+	—	—	—

VII

EXPLOSIVAS

7.0. Terminología y clasificación

Desde el punto de vista acústico, el término de consonantes *explosivas* se debe al hecho de que el momento más audible es el de la explosión, que equivale genéticamente al distensivo. Este grupo de consonantes, junto con [ʧ, ʤ, r, r̄], reciben también la denominación de *momentáneas* a causa de la interrupción del continuum fónico durante su percepción.

Tradicionalmente, desde el punto de vista articulatorio, se consideran como oclusivas, y se definen como aquellas consonantes que son producidas por «un cierre del canal bucal». En este caso, bajo el mismo epígrafe de oclusivas sería necesario incluir tanto las orales [p, b, t, d, k, g] como las nasales [m, n, ɲ], ya que lo más importante es la interrupción de la salida del aire a través del canal bucal; por otra parte, en [m, n, ɲ] la abertura al exterior a través de las fosas nasales es muy pequeña; lo característico en ellas es la comunicación que se establece entre las cavidades nasales y las cavidades orales a causa del descenso del velo del paladar. Acústicamente, tanto las oclusivas orales, como las nasales, comparten, como ya veremos más adelante, la forma (velocidad) y la dirección de las transiciones del segundo y tercer formantes. No obstante, hay algunos rasgos que distinguen ambos grupos; por ello, si deseamos hacer con las consonantes nasales un grupo aparte por sus rasgos fisiológicos —abertura del canal rinofaríngeo— y acústicos —componentes formánticos bien acusados—, podemos adoptar la clasificación de Pierre Delattre *(1958,* 227 y 239; *1962,* 407-411) y, manteniendo como característico el «cierre del canal bucal», dividir el conjunto de consonantes oclusivas en *oclusivas orales* y *oclusivas nasales.* Trasladando esta dicotomía al plano acústico, podemos hacer la división entre *explosivas orales* y *explosivas nasales* [1].

7.1. Explosivas orales

Tres son las características que distinguen fundamentalmente estas consonantes del resto: *a)* la interrupción total en la emisión del sonido (esta interrupción se produce durante la tensión de la consonante); *b)* la explosión que sigue a esta interrupción (explosión que se manifiesta en forma de sonido turbulento, breve e intenso); *c)* la rapidez de las transiciones de los formantes de las vocales precedentes o siguientes.

7.1.1. Distribución.

El español conoce seis fonemas explosivos orales: tres sordos, /p, t, k/, y tres sonoros, /b, d, g/. En posición silábica prenuclear, los fonemas sordos se realizan normalmente como explosivos, mientras que los sonoros se realizan como tales, en distribución complementaria, en los siguientes casos: 1.º Todos

---

[1] Véase también Georges Straka: «Notes de phonétique générale et française», *Bulletin de la Faculté des Lettres de Strasbourg,* marzo 1956, páginas 281-282; Pierre Delattre: *Principes de Phonétique française à l'usage des étudiants anglo-américains* (Middlebury, 1951, pág. 9). Según este último autor «Es lícito considerar las nasales como continuas, pero son sobre todo momentáneas: aunque permitan que la corriente de aire se escape por la nariz, este carácter no es indispensable para la formación de la resonancia nasal, como podemos darnos cuenta pronunciando una [m] con la nariz cerrada por su parte exterior; lo que es indispensable es la explosión bucal. La nasalidad no hace más que modificar la resonancia total durante la tensión y explosión, del mismo modo que la sonoridad de una [b] modifica su resonancia total».

después de pausa. 2.º Todos después de nasal. 3.º Sólo en el caso de /d/, también después de lateral, /l/. En las demás situaciones, los fonemas explosivos sonoros se realizan como fricativos.

Las dos series de fonemas explosivos comprenden articulatoriamente tres órdenes: *labial* /p, b/, *dental* /t, d/ y *velar* /k, g/. Estos fonemas funcionan plenamente en posición silábica prenuclear: /páso/ - /báso/ *paso-vaso*, /tómo/ - /dómo/ *tomo-domo*, /kása/ - /gása/ *casa-gasa*. Cuando se encuentran en posición silábica postnuclear pierden su función distintiva, se neutralizan.

En esta posición postnuclear, la realización de estos fonemas es muy varia, y depende tanto de los hábitos o del énfasis del hablante, como de la realización regional: desde el mantenimiento enfático como explosiva sorda o sonora, hasta la desaparición total: [doktór > dogtór > doɣtór > doutór > dotór], con algunas otras realizaciones intermedias. En el habla familiar culta, lo que normalmente suele ocurrir es que los fonemas explosivos sordos en posición postnuclear se realicen como fricativos sonoros, y los fonemas explosivos sonoros, en la misma posición, se realicen también como fricativos sonoros:

$$/-p/ > [\beta] < /-b/$$
$$/-t/ > [\delta] < /-d/$$
$$/-k/ > [\gamma] < /-g/$$

Por ello, el resultado de la neutralización de estas explosivas en posición postnuclear son los archifonemas /B, D, G/: /áBto/ [áβto] *apto*, /áBside/ [áβsiδe] *ábside*, /áDlas/ [áδlas] *atlas* (este ejemplo es válido para el español peninsular, donde la división silábica es *at-las*, pero no para otras regiones de Hispanoamérica —Perú, Ecuador, Méjico, etc.— en las que la división silábica es, por razones que no podemos analizar aquí, *a-tlas* [2], /aDmíra/ [aδmíra] *admira*, /áGta/ [áɣta] *acta*, /síGno/ [síɣno] *signo*.

---

[2] Véase para este problema Bertil Malmberg: *Estudios de fonética hispánica*, págs. 90-91.

7.1.2. Caracterización acústica.

Los espectrogramas de las explosivas sordas se caracterizan por la ausencia total de zonas de frecuencia; en las sonoras, esta ausencia también es patente, pero una barra de sonoridad en la parte inferior de su espectro las diferencia de las anteriores; esta barra de sonoridad se origina por la vibración de las cuerdas vocales (v. fig. 7.1).

 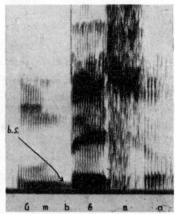

Fig. 7.1. *Sonogramas reducidos de* [úmpéso] *un peso y* [úmbéso] *un beso. Véase la ausencia de zonas de frecuencia en ambas explosivas: el espectro de* [p] *aparece totalmente en blanco; en el espectro de* [b] *aparece la barra de sonoridad* (b. s. *en la fig.) en su parte inferior. Compárese el espectro de estas explosivas con los de las fricativas* [s]

En sí, el espectro de las explosivas sordas y sonoras no proporciona ningún dato que las caracterice y que pueda explicar por qué percibimos [p] como diferente de [k], o [b] como diferente de [g].

Por ello, los investigadores se dedicaron a buscar a través de la síntesis del lenguaje los índices acústicos de estas consonantes. Dos fueron los factores que creyeron les proporcionarían su caracterización acústica: uno, intrínseco, la explosión; otro, extrínseco, las transiciones.

7.1.2.1. *La explosión.*

En muchos espectrogramas se refleja la explosión de estas consonantes por medio de una barra perpendicular (barra de explosión) situada al final del segmento explosivo e inmediatamente antes de la vocal siguiente [3]. En estas barras de explosión aparecen algunas zonas de concentración de energía a determinadas frecuencias. Ello dio origen a la hipótesis de que la explosión podría ser el índice acústico característico de las explosivas, sobre todo de las sordas [p, t, k]; únicamente la síntesis del lenguaje podía decidir si, en este caso, el mencionado índice era pertinente o no en la percepción de tales consonantes.

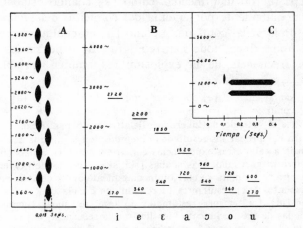

FIG. 7.2. *Experimento con la síntesis del lenguaje en el que se muestra la forma, la frecuencia y la combinación de las explosivas artificiales con las vocales sintetizadas en sus dos primeros formantes (según* COOPER, DELATTRE, LIBERMAN, BORST *y* GERSTMAN, 1952)

Para ello, se sintetizaron sílabas que constaban de una explosión y de una vocal. La explosión adoptó la forma de un óvalo vertical de 600 cps. y de 0,015 segundos de duración. Estas explosiones se situaron en 12 frecuencias distintas, como muestra

---

[3] Esta barra de explosión es más patente en las explosivas sordas iniciales de hablantes angloamericanos a causa de la aspiración; ésta se refleja en el espectrograma entre el segmento explosivo y el vocálico.

194   *Fonética acústica*

la parte A de la figura 7.2. Las vocales que se utilizaron, sintetizadas en sus dos primeros formantes, fueron las siete cardinales [i, e, ɛ, a, ɔ, o, u] [4], como muestra la parte B de la figura 7.2. Cada una de las doce explosiones se combinó con cada vocal, tal como muestra la parte C de la figura 7.2; de este modo, se obtuvieron 84 sílabas diferentes, que, grabadas desordenadamente en cinta magnetofónica, fueron oídas por 30 personas, no fonetistas, para que reconociesen cada una de las tres explosivas [p, t, k] [5]. Los resultados fueron los siguientes: las explosiones localizadas por encima de los 3.000 cps se identificaron como una oclusiva [t]; las explosiones localizadas por debajo de los 3.000 cps fueron identificadas como [k] cuando estaban situadas inmediatamente por encima del comienzo del segundo formante de la vocal contigua, y como [p] en cualquier otra posición [6]. Ahora bien, todo este conjunto de experiencias reveló que la frecuencia de la explosión es también variable para

---

[4] [i] como en *bee;* [e] como en *rate;* [ɛ] como en *yet;* [a] como en *ask;* [ɔ] como en *jaw;* [o] como en *go;* [u] como en *tooth.*

[5] Véase el artículo de Liberman, Delattre y Cooper *(1952).*

[6] Para comprobar los resultados obtenidos con la síntesis del lenguaje, se llevaron a cabo otras experiencias con voz natural. C. Schatz *(1954)* grabó en cinta magnetofónica las sílabas [ski, ska, sku], donde [k], en inglés, no es aspirada. La cinta se cortó inmediatamente antes de cada vocal; los tres segmentos [sk] resultantes fueron unidos a cada una de las tres secuencias [id], [ar] y [ul], resultando un total de nueve combinaciones. Las pruebas de reconocimiento identificaron la secuencia [sk] de [ski] con [ar] como [star] en un 96 % de casos, y con [ul] como [spul] en un 87 % de casos; del mismo modo, la secuencia [sk] de [ska] fue identificada con [id] como [spid] en un 72 % de casos, y con [ul] como [spul] en un 82 %, etc. Del mismo modo, cortando las cintas magnéticas donde se han grabado las sílabas [ki], [ka], [ku] —[k] aspirada en este caso— después del ruido de la aspiración de [k], y uniendo el fragmento correspondiente a [k] a las vocales [i], [a], [u] sin transiciones, resulta que [k], procedente de [ki], con [a] se percibe como [t] en un 89 % de casos y con [u] se percibe como [p] en un 98 % de casos. Asimismo, [k], procedente de [ka], con [i] se percibe como [pi] en el 93 % y como [pu] en el 99 % de los casos, etc.

Un trabajo posterior de E. Fischer-Jørgensen *(1956,* 148-151) obtiene resultados del mismo tipo: cada vez que se cambia la consonante de una vocal a otra, cambia la identificación de la mencionada consonante.

cada vocal (esto es, una explosión situada a una frecuencia de 1.440 cps fue identificada como [p] cuando estaba unida a [i], pero como [k] cuando iba unida a la vocal [a]), y que explosiones de frecuencias muy diferentes se perciben como una misma consonante (véase Cooper, Delattre, Liberman, Borst y Gerstman, *1952*).

La explosión por sí sola no suministra ningún dato que pueda caracterizar una consonante explosiva, pues, como dice P. Delattre *(1958,* 228), «por un lado, un mismo sonido puede identificarse de dos maneras diferentes; por otro lado, dos sonidos muy diferentes entre sí pueden identificarse del mismo modo».

7.1.2.2. *Las transiciones.*

En el espectro de [explosiva + vocal] se perciben, además de la barra de explosión, unos determinados movimientos en los formantes de las vocales contiguas. Según P. Delattre *(1962,* 407), «entre la tensión de una consonante y la tensión de la vocal siguiente, es decir, entre la fase cerrada y la fase abierta de una sílaba del tipo [ba], se produce un movimiento articulatorio hacia la abertura combinado con un desplazamiento complejo de los órganos. Este movimiento fisiológico se refleja en los espectrogramas acústicos por medio de cambios de frecuencia generalmente rápidos y continuos en los *formantes,* es decir, en las concentraciones de energía acústica que corresponden a las frecuencias de las cavidades del pabellón. Igual que las notas de resonancia del sistema de las cavidades cambian continuamente durante el desplazamiento de los órganos, del mismo modo los formantes acústicos cambian continuamente de frecuencia. La terminología acústica da el nombre de *transiciones* a estos cambios de frecuencia en los formantes».

Las transiciones no sólo afectan a los dos primeros formantes, sino también al tercero; además, están presentes no sólo en contacto con las consonantes explosivas, sino con cualquier tipo de consonante, como ya veremos. La función de las transiciones es, según P. Delattre *(1962),* la siguiente:

La *transición del primer formante* (T_1) permite distinguir tanto el modo como el lugar de articulación.

a) La distinción del *modo de articulación* (oclusivo, constrictivo, semioclusivo, cerrado, abierto, oral, nasal, sordo, sonoro, palatalizado, etc.) es la función más importante. En la percepción de los modos de articulación es importante no sólo el papel de la T_1, sino también el de las T_2 y T_3, y depende del régimen de las transiciones, o sea, del grado de velocidad con el que ellas cambian de frecuencia. «De una manera general, el régimen está unido a la vocalización de la consonante. Así, las consonantes sonoras tienen por término medio transiciones más lentas que las sordas; las fricativas tienen por término medio transiciones más lentas que las oclusivas; y las semivocales y las líquidas tienen por término medio transiciones más lentas que las fricativas» (Delattre, *1962*, 414). Por ejemplo, en la serie [pɛ, bɛ, vɛ, wɛ, uɛ] las transiciones son cada vez menos rápidas; por lo tanto, cuanto más lentas son las transiciones de los tres primeros formantes, tanto más vocalizada es la consonante.

El otro índice sólo funciona para el primer formante: cuanto más elevado se encuentre el locus del F_1, y hasta un límite aproximado de 500 Hz, tanto más vocalizada estará la consonante. Si la duración de la T_1 de una consonante explosiva es de 20 ms o menos, se percibirá como sorda, mientras que si la duración es de 50 ms o más, se percibe como sonora.

Al principio de los trabajos realizados con la síntesis del lenguaje, para lograr la percepción de una explosiva sonora, se reproducía en la parte inferior la barra de sonoridad, tal como muestra la figura 7.3. La percepción de esta explosiva sonora era plenamente satisfactoria, pero posteriormente se comprobó que se podía prescindir de esta barra de sonoridad con tal de que apareciesen los dos factores antes mencionados [7].

La intensidad de la T_1 parece que también juega un papel en la percepción de la sonoridad: cuanto más débil sea, tanto más sorda se percibe la consonante, y viceversa. Por otra parte,

---

[7] P. Delattre *(1962*, 414-416; *1958*, 242-244), M. Durand *(1956)*. Véase también el trabajo de Liberman, Delattre, Cooper y Gerstman *(1954)*.

la ausencia de T_1 se traduce en un grado acusado de ensordecimiento.

b) En la distinción del lugar de articulación interviene claramente esta transición para distinguir las consonantes farín-
geas de las bucales: las consonantes formadas en la mitad anterior del resonador bucal (desde el paladar blando hasta los

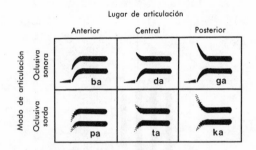

FIG. 7.3. *Transiciones de los formantes vocálicos para cada una de las
consonantes explosivas con la vocal* [a]

labios) presentan una T_1 negativa, mientras que las consonantes formadas en la parte posterior (en la faringe) poseen una
T_1 positiva (todo ello con relación a la vocal neutra, cuyo F_1 es
de 500 Hz aproximadamente).

La *transición del segundo formante* (T_2) es el mejor índice
para la localización del *lugar de articulación* de cada explosiva.
Ahora bien, estas transiciones varían no sólo para cada lugar
de articulación, sino también para cada vocal.

La figura 7.4 muestra el movimiento del segundo formante
para cada una de las sílabas formadas por la combinación de
las tres explosivas sonoras [b, d, g] con las vocales cardinales
[i, e, ɛ, a, ɔ, o, u]. El F_1 se mantiene siempre fijo.

En las combinaciones de [b + vocal] se observa que T_2 es
siempre negativa [8], con excepción de la T_2 de las sílabas [bo, bu]
que es horizontal (transición cero).

---

[8] Se dice que una transición es *negativa* cuando su comienzo está situado por debajo del cuerpo de su formante; por el contrario, es *positiva* cuando comienza por encima del cuerpo de su formante.

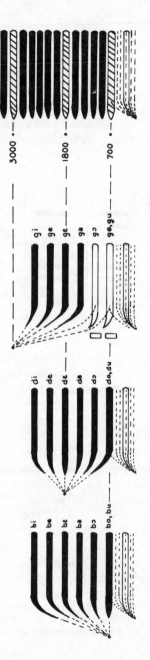

FIG. 7.4. Locus de las consonantes explosivas orales. (Según DELATTRE)

En las combinaciones [d + vocal], T_2 es negativa en [de, di], cero en [dɛ] y positiva en [da, dɔ, do, du].

En las combinaciones [g + vocal], T_2 es siempre positiva. Ahora bien, mientras que en las demás consonantes T_2 es suficiente para la percepción del lugar de articulación, en las velares no lo es con todas las vocales. Efectivamente, para el reconocimiento del lugar de articulación de las consonantes velares con las vocales no labializadas es suficiente el T_2, pero con las vocales labializadas es imprescindible que para su percepción se produzca la presencia de una explosión que preceda a la transición.

Como vemos, hay tantos movimientos diferentes de formantes para cada lugar de articulación como vocales existen. Sin embargo, las T_2 de cada vocal, para un mismo lugar articulatorio se dirigen hacia un determinado punto: en las sílabas *labial + vocal*, las prolongaciones de cada T_2 tienden a converger en un punto situado a unos 700 cps.; en las sílabas *dental + vocal* convergen hacia los 1.800 cps.; mientras que en las sílabas *velar + vocal* convergen sobre los 3.000 cps. Este punto de convergencia de las transiciones se denomina *locus*, y ha sido definido por P. Delattre *(1958,* 233) como *el punto de convergencia virtual de las transiciones que tienen perceptiblemente un mismo lugar de articulación* [9].

La *transición del tercer formante* (T_3) es menos complicada que la del segundo, puesto que F_3 conserva aproximadamente la misma altura en casi todas las vocales. Con las consonantes labiales, T_3 es muy negativa, paralela a la T_2. Con las consonantes velares, es negativa, con movimiento inverso a la T_2. Con las dentales, T_3 es positiva delante de todas las vocales, con excepción de [i] con la que es negativa, paralela a la T_2.

[9] Los artículos de Emerit *(1974, 1975, 1976)* y de Johansson *(1969)* ponen en tela de juicio el valor de la teoría del *locus* sostenida por P. Delattre. Según Emerit, en el caso de las consonantes dentales y alveolares, que poseen locus comunes, la teoría de Delattre se aplica íntegramente. No ocurre lo mismo con las consonantes labiales y velares, en las que la teoría de los locus puede ser reemplazada ventajosamente por reglas muy simples de proporcionalidad del segundo formante.

La contribución de T_3 en la percepción de los sonidos disminuye desde los dentales a los labiales, siendo menor aún en los velares.

7.1.3. LAS EXPLOSIVAS ORALES EN ESPAÑOL.

Todo lo expuesto anteriormente se refiere a los resultados obtenidos por medio de la síntesis del lenguaje, principalmente, y sobre un material que pretende ser lo más general posible. Las explosivas orales españolas no difieren esencialmente de lo expuesto hasta aquí. Hay que tener en cuenta que las sordas [p, t, k] son no aspiradas, y que las sonoras [b, d, g] son plenamente sonoras.

La figura 7.5 representa las realizaciones de /p, t, k/; las T_1 y T_2 de estas vocales naturales están casi de acuerdo con los mismos movimientos que señalábamos en la síntesis del lenguaje, con alguna excepción, como la de [ku] en la que T_2 se presenta negativa o sin transición, en lugar de tener un movimiento positivo. T_2 en [ki] es algo negativa, en lugar de la positiva resultante en la síntesis del lenguaje. En algunos casos, puede observarse claramente la barra perpendicular de explosión, que es seguida a veces por un momento de fricación; en los espectrogramas de [k + e, i], esta fricación es considerable, y debe surgir, sin duda, más a menudo y con más vigor, en contacto con estas vocales palatales. Sobre el espectrograma de [ki] señalamos la explosión (1) y la fricación (2).

T_3 es negativa con /p/, /t/, y en los casos /k + a, o, u/; es horizontal o algo negativa en el caso de /k + i/, y positiva en /k + e/.

La figura 7.6 muestra los espectrogramas de las realizaciones de /b, d, g/ en las mismas condiciones.

Las transiciones presentan los siguientes movimientos: T_2 es negativa en [b + i, e, a]; es negativa o no hay transición en [b + o, u]; es negativa en [d + i, e]; en [d + a] la transición es muy pequeña, oscilando entre ausencia de transición, T_2 negativa, o, lo más frecuente, T_2 positiva, y suele ser positiva en [d + o, u]; no hay transición, o varía entre pequeños movimien-

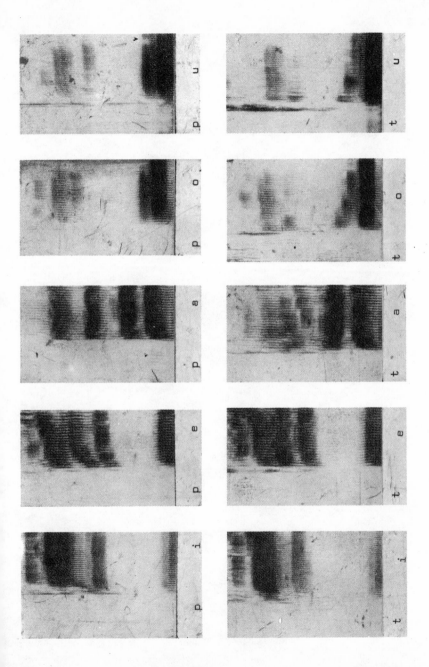

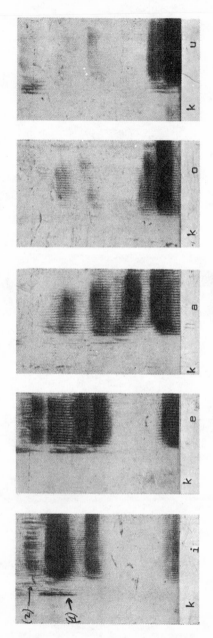

Fig. 7.5. *Sonogramas de [p, t, k]*

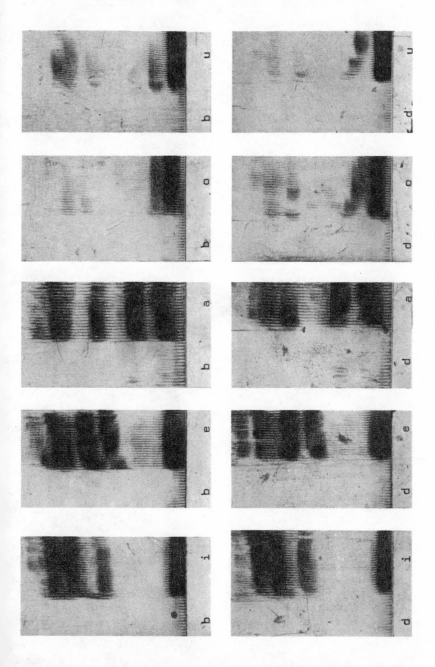

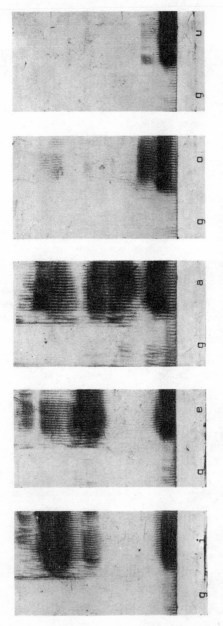

FIG. 7.6. *Sonogramas de [b, d, g]*

tos positivos o negativos, en [g + i]; no hay transición, o es positiva, en [g + o, u] y es positiva en [g + e, a]. Hemos de señalar, además, la barra de sonoridad, de baja frecuencia, que aparece en la parte baja del espectro de cada consonante, y que no estaba presente en el caso de las sordas; en algún caso, [g + i, e, a], por ejemplo, se puede observar la barra perpendicular de la explosión, como en las figuras de las explosivas sordas, aunque esta barra suele ser más débil en las sonoras.

T_3 es negativa en /b, d/ (en [de]; a veces no hay transición o es positiva) con todas las vocales; en /g/ hay mucha fluctuación.

Resumiendo lo anteriormente expuesto, podemos establecer el siguiente cuadro, en el que (+) indica una transición positiva, (—) una transición negativa y (=) ausencia de transición.

	i		*e*		*a*		*o*		*u*	
	T_2	T_3	T_2	T_3	T_2	T_3	T_2	T_3	T_2	T_3
p	—	—	—	—	—	—	—	—	—	—
t	—	—	—	—	+	—	+	—	+	—
k	—	—	+	+	+	—	+	—	=	—
b	—	—	—	—	—	—	—	—	—	—
d	—	—	—	—	+	—	+	—	+	—
g	=	+	+	+	+	=	=	—	=	—

La figura 7.7 muestra la realización de los fonemas /p, k/ en [ápta] *apta*, y [ákta] *acta*. En la secuencia [ápta] puede verse el movimiento negativo de los dos formantes de [á]. En la secuencia [ákta] el segundo formante de [á] es positivo. En ambas secuencias, [ápta] [ákta], puede observarse una barra perpendicular entre [p] y [t], que corresponde a la explosión de las dos consonantes postnucleares [p, k]. Las sílabas [ta] presentan una T_2 positiva. Las diferentes transiciones entre los segundos formantes de las vocales anteriores y posteriores a las dos consonantes explosivas son por sí solas indicadoras de la presencia de dos consonantes, una postnuclear y la siguiente prenuclear, de lugares de articulación diferentes.

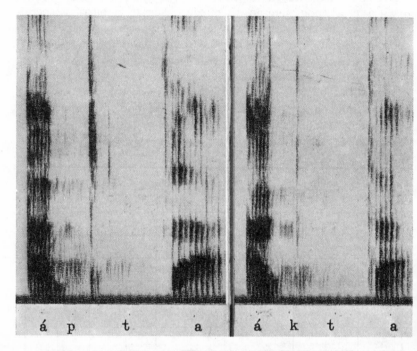

FIG. 7.7 *Sonogramas de* [p, k] *postnucleares*

La figura 7.8 presenta la realización de los tres fonemas sordos /p, t, k/ en una secuencia emitida a un ritmo normal de elocución: [elkapatáθ] *el capataz*. Hay que señalar: *a*) la ausencia total de regiones de frecuencia sobre el espectro de las consonantes oclusivas sordas; *b*) su barra de explosión, bien patente en [k, t] y apenas perceptible en [p]; *c*) la fuerte transición del segundo formante en la primera [a]: en su parte de contacto con [k] es positiva, y en su contacto con [p], negativa.

Las otras vocales muestran transiciones análogas a las indicadas anteriormente.

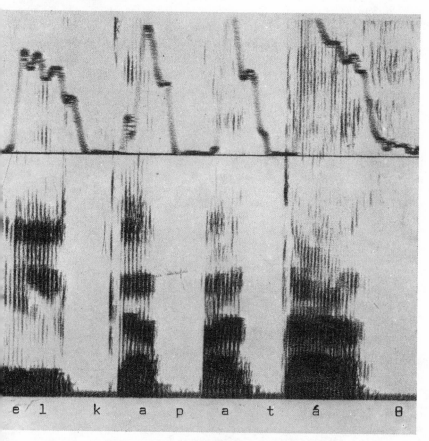

Fig. 7.8. *Sonograma de* El capataz

La figura 7.9 muestra el espectro de la realización de los tres fonemas sonoros /b, d, g/ en una secuencia de análogas características a la anterior: [beŋgaṇdjéθ] *vengan diez;* [b] es explosiva porque está situada después de pausa, pero ha sido menester preceder de nasal a [d, g] para que su realización fuese también explosiva. Se puede observar: *a*) la mayor duración de [b]; *b*) la breve duración de [d, g]; esta cantidad tan pequeña es constante siempre que los fonemas /b, d, g/ van precedidos por una consonante nasal; *c*) la aparición de la barra de sonoridad en la parte inferior del espectro de las explosivas; *d*) la ausencia de regiones de frecuencias en su espectro, salvando la barra de sonoridad; *e*) las transiciones de los formantes de las vocales contiguas, que responden a lo señalado en el cuadro anterior.

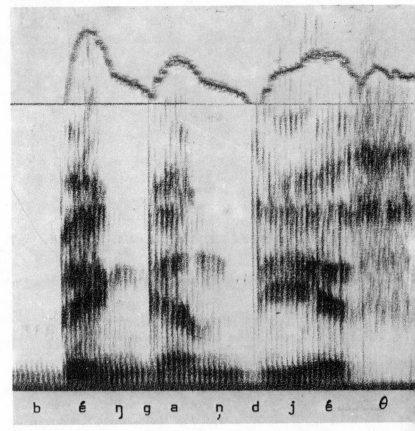

FIG 7.9. *Sonograma de* Vengan diez

7.1.4. CLASIFICACIÓN ACÚSTICA.

Nuestras explosivas orales, de acuerdo con lo expuesto en la primera parte, presentan la siguiente clasificación:

7.1.4.1. Son *compactas* o *densas:* [k, g]; *difusas:* [p, b, t, d]. El grado de compacidad o difusión es difícil verlo en el espectrograma de las oclusivas: de acuerdo con su génesis, es fácil comprender que [k, g] serán las compactas por ser la cavidad anterior de resonancia mayor que la posterior, mientras que las restantes serán difusas por presentar condiciones distintas en los volúmenes de las cavidades de resonancia.

Desde el punto de vista genético se puede comprender esta dicotomía por medio del experimento que explicamos ya anteriormente [9 bis]: una explosión artificial se percibe como [p] cuando va unida a [i, u], las vocales más difusas, y como [k] cuando acompaña a [a], la vocal más compacta; de este modo, podemos juzgar que [p] es difusa y que [k] es compacta; el mismo razonamiento es válido para el resto de las explosivas.

7.1.4.2. Son *graves* las labiales y velares: [p, b, k, g], y *agudas:* [t, d]. Genéticamente, la distinción es clara, pues mientras que las labiales y velares presentan un resonador indivisible, único, las dentales lo presentan dividido.

7.1.4.3. Todas las explosivas son *mates.* Las explosivas estridentes son las africadas, como veremos más adelante.

7.1.4.4. Las explosivas que tratamos en esta parte son *orales,* ya que no poseen la resonancia nasal suplementaria propia de las oclusivas nasales. Genéticamente, el velo del paladar está adherido a la pared faríngea.

7.1.4.5. Son *sordas:* [p, t, k]; *sonoras:* [b, d, g]; en las primeras no existe una barra de sonoridad en la parte inferior de su espectro, mientras que en las segundas sí.

7.1.4.6. Todas las explosivas orales son *interruptas.*

7.1.4.7. La división *tensa-débil* [p, t, k] - [b, d, g] no tiene razón de ser en español. Es norma constitutiva de la fonética general el que las consonantes sordas sean más tensas, más enérgicas y presenten un contacto más amplio que las correspondien-

---

[9 bis] Véase la nota 6 de la pág. 194.

tes sonoras; por lo tanto, nuestras explosivas sordas serán normalmente tensas, y su correspondiente serie sonora, débil. Si
en español no hubiese una clara distinción entre unas y otras,
basada en la acción de las cuerdas vocales, y por lo tanto en la
ausencia y presencia de la barra de sonoridad, el rasgo tenso-
débil sería el característico; pero existiendo en nuestra lengua
la diferencia sonora-sorda, como en todas las lenguas románicas, el rasgo tenso-débil es redundante. En las lenguas germá-
nicas y sajonas, por el contrario, este rasgo es el pertinente,
sobre todo en posición inicial, donde [b, d, g] están ensordecidas —tensión sorda, distensión sonora— y [p, t, k] son sordas
aspiradas [10].

7.1.4.8. Resumiendo, podemos establecer el siguiente cuadro, con los rasgos de nuestros fonemas explosivos orales [11]:

Rasgos	*p*	*b*	*t*	*d*	*k*	*g*
Vocálico/no vocálico	—	—	—	—	—	—
Consonántico/no consonántico	+	+	+	+	+	+
Denso/difuso	—	—	—	—	+	+
Grave/agudo	+	+	—	—	+	+
Estridente/mate	—	—	—	—	—	—
Oral/nasal	+	+	+	+	+	+
Sonoro/sordo	—	+	—	+	—	+
Continuo/interrupto	—	±	—	±	—	±

---

[10] Para más detalles articulatorios, véase A. Quilis y J. A. Fernández
(1979, 111-116).

[11] Además de la citada anteriormente, puede verse la siguiente biblio-
grafía: Andresen *(1960),* Delattre *(1969, 1958 a),* Delattre, Liberman, Cooper
(1955), Durand *(1954),* Fischer-Jørgensen *(1954),* Gerstman *(1957),* Halle, Hughes y Radley *(1957),* Harris, Hoffman, Liberman, Delattre, Cooper *(1958),*
Hoffman *(1958),* Householder *(1956),* Johansson *(1969),* Liberman, Harris,
Eimas, Lisker, Bastian *(1961),* Liberman, Delattre, Cooper *(1958),* Lisker y
Abramson *(1964, 1967),* Lotz, Abramson, Gerstman, Ingemann, Nemser *(1960),*
Menon, Rao y Thosar *(1974),* Quilis *(1964),* Sharf *(1962),* Treon *(1970),* Vie-
regge *(1970),* Wang *(1959).*

7.2. Explosivas nasales

Las explosivas nasales, como ya hemos dicho, comparten con las explosivas orales la forma y la dirección de las transiciones del segundo y tercer formantes de las vocales contiguas.

7.2.1. Distribución.

Desde el punto de vista fonológico, el español conoce tres fonemas explosivos nasales /m, n, ɲ/, que funcionan como tales en posición silábica prenuclear (explosiva): /káma/ - /kána/ - /káɲa/ *cama - cana - caña.*

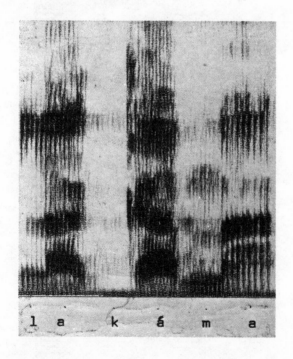

Fig. 7.10 *a. Sonograma de la secuencia* La cama

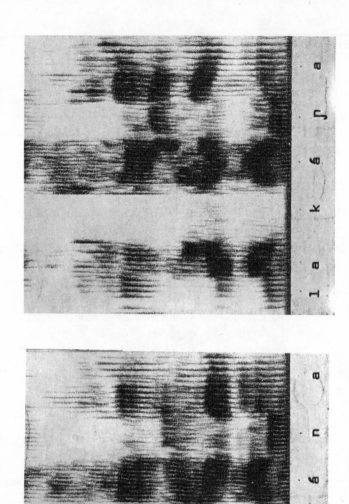

FIG. 7.10 b. *Sonogramas de las secuencias* La cana, La caña

En posición silábica postnuclear (implosiva) quedan neutralizados, dando como resultado el archifonema nasal /N/.

En el plano fonético, la realización plena de estos fonemas se produce también en posición prenuclear. En posición postnuclear se asimilan al sonido siguiente. De este modo, tendríamos las siguientes realizaciones de la consonante nasal en posición postnuclear:

/-N/ +
- consonante alveolar = [n]: [únláðo] *un lado*
- consonante bilabial = [m]: [úmpán] *un pan*
- consonante labiodental = [ɱ]: [úɱfaról] *un farol*
- consonante dental = [n̪]: [ún̪tómo] *un tomo*
- consonante interdental = [n̟]: [ún̟θéro] *un cero*
- consonante palatal = [n̠]: [ún̠ʧíko] *un chico* [12]
- consonante velar = [ŋ]: [úŋkáso] *un caso*

Dos son los motivos que justifican todas estas realizaciones: en primer lugar, el fonológico: al no existir diferencias significativas entre las explosivas nasales en posición postnuclear, su lugar articulatorio no es pertinente; en segundo lugar, el puramente fonético, pero, a su vez, en íntima conexión con el anterior: al no ser significativos los distintos lugares de articulación, lo importante, en el plano del habla, es que se realice una oclusión bucal y que quede una resonancia nasal; la existencia de esta común resonancia nasal es lo que verdaderamente interesa que permanezca como resultado de las diferentes realizaciones nasales.

7.2.2. CARACTERIZACIÓN ACÚSTICA.

Lo que distingue de un modo fundamental las explosivas nasales de las orales es la existencia en las primeras de ciertos formantes durante su momento de tensión, que reemplazan el

---

[12] Nosotros distinguimos este alófono [n̠], en [án̠ʧa] *ancha*, por ejemplo, que es palatalizado, de [ɲ], alófono de /ɲ/, en [káɲa] *caña*, que es plenamente palatal.

vacío que se produce durante la tensión de las explosivas orales, incluso sonoras; en éstas, el formante de sonoridad aparece a una frecuencia mucho más baja que el primer formante nasal (FN_1) de nuestras consonantes. El FN_1 está situado aproximadamente a una frecuencia de 250 cps, y tiene una intensidad menor que el F_1 de las vocales: aproximadamente 6 db menos. En los espectrogramas de la figura 7.10 se refleja esta disminución de la intensidad en la disminución del grado de negror de este primer formante nasal. De todos los formantes que aparecen durante la tensión de estas consonantes parece ser que el principal responsable de la percepción de la nasalidad es el primero; los superiores no dejan sentir apenas el efecto de la nasalidad, y son muy débiles: de unos 15 db menos que un formante de frecuencia análoga, de cualquier vocal.

Las investigaciones realizadas por Liberman, Delattre, Cooper y Gerstman *(1954)* utilizando la síntesis del lenguaje pusieron de relieve que:

a) Las explosivas nasales se diferencian de las orales por la forma de T_1: parece que parte del nivel del FN_1 (aproximadamente 250 cps) y pasa verticalmente al formante de la vocal contigua; por el contrario, en las explosivas orales sonoras T_1 parte de cero o de 120 cps.

b) Para la percepción de las nasales como clases de consonantes diferentes de las orales es necesaria la presencia de unas resonancias nasales en el espectro. Estas resonancias se establecieron en el trabajo citado a unas frecuencias de 240 cps, 1.020 cps y 2.460 cps, siendo más intensa la primera.

Según Delattre *(1958,* 240), la frecuencia de los formantes nasales que aparecen durante la tensión de estas consonantes, superiores a 250 cps, desempeñan también un pequeño papel: las experiencias realizadas por medio de la síntesis del lenguaje indican que la percepción del lugar labial se ve favorecido por la presencia de un F_2 débil entre los 1.000 y 1.500 cps, y por la ausencia o la debilidad del F_3; los lugares de articulación dentales y velares se ven favorecidos por la presencia de un F_3 en los alrededores de los 2.300 cps (además del F_2). Sin embargo, los formantes de la tensión nasal no proporcionan un índice para la distinción entre dental y velar [13]. Los trabajos de A. S. House *(1957)* y de André Malécot *(1956)* han puesto de relieve las características acústicas de las explosivas nasales, con lenguaje sintético y real, respectivamente.

House sintetizó los sonidos de tensión de las consonantes nasales /m, n, ŋ/ aisladas y las sometió al juicio de un grupo de oyentes. Los resultados son los siguientes:

Estímulo	*Respuestas %*		
	m	*n*	*ŋ*
m	81	11	8
n	33	61	6
ŋ	20	18	62

Lo cual supone un porcentaje del 68 % de respuestas correctas, es decir, el 81 %, 61 % y 62 % reconocieron el lugar de articulación.

El trabajo de Malécot es una comprobación de los resultados obtenidos por medio de la síntesis del lenguaje en los Laboratorios Haskins [14] sobre el lenguaje real. Se grabaron las sílabas del tipo CV y VC formadas por las consonantes nasales /m, n, ŋ/, más la vocal central /ə/; se grabaron también las consonantes aisladas y la vocal central aislada, para combinarlas después, etc. Toda esta serie de experiencias, juzgadas por un grupo de oyentes, dio los siguientes resultados:

a) Las transiciones de las vocales contiguas son los índices para la percepción de [m, n, ŋ]: sirven para identificar los lugares de articulación.

---

[13] El trabajo de Obrecht y Babcock *(1964)*, por medio de la síntesis del lenguaje, concluye que la frecuencia de resonancia nasal del F_1 y la transición del F_2 son un índice muy fuerte para el reconocimiento de la nasal, mientras que los F_2 y F_3 de las resonancias nasales son índices mucho menos importantes de lo que podría esperarse.

[14] Liberman, Delattre, Cooper, Gerstman *(1954)*.

b) Las resonancias nasales sirven en primer lugar como marcadores de clase, diferenciando las explosivas nasales de las orales.

c) Estas resonancias nasales también contribuyen, aunque en un grado muy pequeño, a identificar el lugar de articulación, siendo más importante esta identificación cuando se encuentran en posición silábica postnuclear. El reconocimiento de estas resonancias nasales (consonantes) aisladas da los siguientes resultados:

Estímulo	Respuestas %		
	m	*n*	*ŋ*
m	96	4	0
n	46	52	2
ŋ	60	28	12

Lo que supone un porcentaje del 55 % de respuestas correctas. Al comparar este cuadro con el de House puede verse cómo el porciento de respuestas correctas es más favorable en el experimento de las consonantes sintetizadas [15].

Todos estos resultados tienden a confirmar la clasificación de las consonantes nasales dentro del grupo de las explosivas, en lugar de hacer de ellas un grupo aislado o de considerarlas como continuas. Aunque, como dice Malécot *(1956*, 281*)*, las consonantes nasales puedan pronunciarse aisladas, sin vocales, generalmente, no pueden ser separadas de ellas si queremos que, desde el punto de vista de la percepción, conserven su individualidad fonémica.

---

[15] Pero hay que tener en cuenta que en el trabajo de House se utilizaron nueve sujetos entrenados, y en el Malécot, 50 no entrenados.

7.2.3. CARACTERÍSTICAS ACÚSTICAS DE LAS EXPLOSIVAS NASALES ESPAÑOLAS.

En los análisis realizados sobre las explosivas nasales españolas hemos podido comprobar que: *a*) en las realizaciones de /m/ aparecen tres formantes que mantienen una situación frecuencial bastante constante, con independencia de la vocal silábica; *b*) en las realizaciones de /n/, la mayoría de las veces no aparece el F_2 situado aproximadamente a los 1.400 Hz; sí son constantes el F_1 y el F_3; *c*) en las realizaciones de /ɲ/, la mayoría de las veces sólo está presente el F_1, apareciendo en blanco la región de frecuencias medias y altas de su espectro. Los valores medios de los tres primeros formantes de las consonantes nasales españolas son los siguientes:

	F_1	F_2	F_3
m	270	1.020	1.990
n	361	1.400	2.372
ɲ	292	1.630	2.420

Las transiciones del F_1 son siempre negativas. Las T_2 y T_3 pueden verse en el cuadro adjunto, teniendo en cuenta que: T_3 de [ma] fluctúa entre la no transición o una transición muy pequeña, bien positiva, bien negativa; T_2 de [ɲ] fluctúa entre la no transición o una transición negativa; en [ɲo, ɲu]; T_3 es muy pequeña, fluctuando entre negativa o positiva.

	i		*e*		*a*		*o*		*u*	
	T_2	T_3	T_2	T_3	T_2	T_3	T_2	T_3	T_2	T_3
m	—	—	—	—	—	=	—	=	—	=
n	—	—	—	—	—	=	+	—	+	—
ɲ	=	=	+	+	+	+	+	—	+	—

La figura 7.11 muestra el sonograma de las realizaciones de los tres fonemas nasales en posición fonética normal: [la

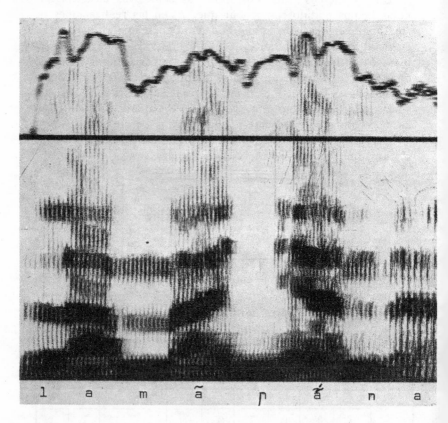

FIG. 7.11. *Sonograma de la secuencia* La mañana

māɲǎna] *la mañana*. Obsérvense las transiciones negativas del contorno [a] hacia [m]; las fuertemente positivas hacia [ɲ], con ausencia de resonancias en la parte central y alta de su espectro; y, por último, las transiciones ligeramente negativas hacia [n] del F_2 de las vocales.

7.2.4. CLASIFICACIÓN ACÚSTICA.

Los fonemas oclusivos nasales se clasifican en:

7.2.4.1. Nuestros tres fonemas son difusos, ya que el F_1 está situado en una frecuencia baja del espectro, y el F_2, cuando aparece, en zonas muy superiores a los 1.000 Hz.
7.2.4.2. En cuanto a los rasgos *grave/agudo*, teniendo en cuenta lo dicho en el § 5.2.2.2.1, podemos establecer

> *grave:* /m/
>
> *no grave:* $\begin{cases} \textit{agudo: } /\text{ɲ}/ \\ \textit{no agudo: } /\text{n}/ \end{cases}$

Este es, como vemos, el rasgo que diferencia entre sí a los tres fonemas explosivos nasales.

7.2.4.3. Todos son *nasales* y *continuos*, además de *sonoros* [16].
7.2.4.4. Resumiendo, podemos establecer el siguiente cuadro con los rasgos de nuestros fonemas explosivos nasales:

Rasgos	m	n	ɲ
Vocálico/no vocálico	—	—	—
Consonántico/no consonántico	+	+	+
Denso/difuso	—	—	—
Grave/no grave	+	—	—
Agudo/no agudo	—	—	+
Nasal/oral	+	+	+
Sonoro/sordo	+	+	+
Continuo/interrupto	+	+	+

[16] Admás de la citada, puede verse la siguiente bibliografía: Delattre *(1954)*, Fujimura *(1962)*, que sólo estudia el murmullo nasal; Hecker *(1962)*, Lindquist - Gauffin y Sundberg *(1976)*, Nakata *(1959, 1959 a)*, Ochiai *(1957, 1963)*, Ochiai y Fukumura *(1957, 1957 a, 1957 b)*, Tarnóczy *(1948)*.

VIII

FRICATIVAS

8.0. TERMINOLOGÍA

Las consonantes que integran este capítulo reciben, desde el punto de vista acústico, el nombre de *fricativas* o *espirantes*, por ser lo más audible de ellas la fricción que produce el aire al pasar a través de la estrechez formada entre dos órganos articulatorios. Por ello, reciben en el plano de la fonética fisiológica el nombre de *constrictivas*. El momento más perceptible de las consonantes fricativas se encuentra en su tensión: éste es el más importante, tanto acústica como articulatoriamente.

8.1. CLASIFICACIÓN Y DISTRIBUCIÓN

Las fricativas presentan en español una pequeña irregularidad: en el plano fonológico existen cinco fonemas: /f, θ, s, ǰ, x/ [1]; pero en el plano fonético hay, además de las cinco realizaciones de estos fonemas, tres más: [β, ð, γ], ascendiendo el número total de sonidos consonánticos fricativos a ocho. Estos tres últimos son alófonos, en distribución complementaria de /b, d, g/ [2].

---

[1] En las zonas seseantes o ceceantes se reducen, como es sabido, a cuatro por desaparecer la oposición θ/s.

[2] Se realizan como fricativas en todos los casos, con excepción de los señalados en el § 7.1.1.

La serie de los alófonos fricativos se dividen articulatoriamente en los siguientes órdenes: labial [β, f], dental [ð, θ], alveolar [s], palatal [ǰ] y velar [γ, x].

8.2. Caracterización acústica

Las consonantes fricativas poseen un ruido de fricción que constituye una de sus principales características. Además, como todas las consonantes, infieren en los formantes de las vocales contiguas ciertas transiciones.

El ruido de fricción no basta para la identificación de todas las fricativas. Katherine S. Harris *(1958)* encontró que el nivel al que aparecía el ruido de fricción era el índice principal para la distinción entre [s] (sobre los 3.500 cps) y [ʃ] (sobre los 2.000 cps); que [s, ʃ] se distinguían de [θ, f] porque en éstas el ruido aparecía sobre los 1.000 cps; pero [θ] se distingue de [f] sólo por las transiciones.

Una investigación reciente de Delattre, Libermann y Cooper *(1962)* ha puesto de relieve que la identificación del lugar de articulación depende tanto de los índices acústicos que se encuentran en el ruido de fricción, como de los que proporcionan las transiciones de los segundos y terceros formantes.

Las consonantes fricativas presentan en español dos grupos bien delimitados: *a)* el de aquellas consonantes que poseen predominio de resonancias en las zonas de bajas frecuencias, y *b)* el de las fricativas cuyas resonancias se encuentran en las zonas de altas frecuencias u ocupan todo su espectro.

8.2.1. Fricativas de resonancias bajas.

Encuadramos en este grupo: [β, ð, γ, ǰ]. Se caracterizan porque las zonas de resonancia se encuentran situadas, principalmente, en la mitad inferior de su espectro.

8.2.1.1. [β, ð, γ].

Lo primero que distingue claramente los alófonos fricativos [β, ð, γ] de los oclusivos [b, d, g] es la presencia en el espec-

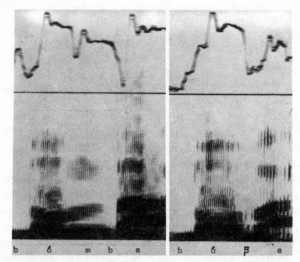

FIG. 8.1. *Sonogramas reducidos de las realizaciones de /b/: oclusiva* (bomba) *y fricativa* (boba)

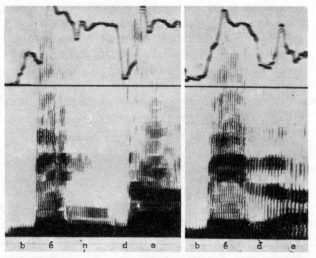

FIG. 8.2. *Sonogramas reducidos de las realizaciones de /d/: oclusiva* (venda) *y fricativa* (veda)

tro de los primeros de zonas de frecuencia más o menos amplias y más o menos intensas, que se aproximan en su configuración a los formantes vocálicos. En las figuras 8.1, 8.2 y 8.3
están representados los espectrogramas de las realizaciones fricativas y oclusivas de /b, d, g/.

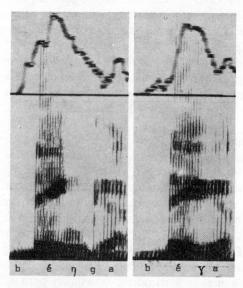

FIG. 8.3. *Sonogramas reducidos de las realizaciones de /g/: oclusiva*
(venga) *y fricativa* (vega)

La aparición de estas zonas de resonancia depende del grado
de constricción de los órganos articulatorios: si en las explosivas (oclusivas, articulatoriamente) el cierre a la salida del aire
reflejaba un vacío absoluto en su espectro, interrumpido únicamente en las sonoras por la barra de sonoridad, que como
resonancia de la vibración de las cuerdas vocales traspasa los
órganos articulatorios, en las fricativas la abertura de los mismos permite una resonancia mayor y también una mayor facilidad en la comunicación de esta resonancia al exterior; por
ello, cuanto menor sea la constricción, más formantes de reso-

nancia tendrá el espectro de las fricativas (por ser mayor la abertura de los órganos articulatorios).

Este mayor o menor número de formantes nos interesa, sobre todo, en el tipo de fricativas como [β, ծ, γ], las que —tal vez por su condición de alófonos, tal vez por ser el devenir, a causa de un proceso de lenición, de antiguas explosivas— muestran grados muy diversos de fricación: desde una constricción próxima a la oclusión, hasta una abertura próxima a la vocalización; compárese, por ejemplo, en las figuras 8.1 y 8.2 entre la fricación de [β] en *boba* y de [ծ] en *veda*, respectivamente; esta última presenta una constricción menor, que se manifiesta en el sonograma en la aparición de zonas de resonancia bien definidas entre los segundos y terceros formantes de las vocales contiguas.

El movimiento de los formantes es aproximadamente el mismo que poseen las explosivas, con algunas pequeñas diferencias en cuanto a la velocidad de T_1, o en T_2 y T_3 en algunos casos.

Las diferencias con las correspondientes explosivas sonoras son las siguientes: [β] coincide en todo con [b], menos en T_3 de [u]; [ծ] coincide con [d], menos en T_3 de [a, o, u]; [γ] coincide con [g], menos en T_3 de [e, a]. Por lo tanto, podemos deducir que: T_2 es igual para los alófonos oclusivos y fricativos; T_3 difiere para algunos contornos. En cuanto T_1, la diferencia reside en una mayor lentitud de transición para las fricativas.

Resumiendo, podemos establecer el siguiente cuadro:

	i		e		a		o		u	
	T_2	T_3	T_2	T_3	T_2	T_3	T_2	T_3	T_2	T_3
β	−	−	−	−	−	−	−	−	−	=
ծ	−	−	−	=	+	+	+	+	+	+
γ	=	=	+	−	+	−	=	−	=	−

8.2.1.2. [ĵ].

En las figuras 8.4 y 8.5 representamos los espectrogramas de [ĵ] en posición fonéticamente normal. Articulatoriamente,

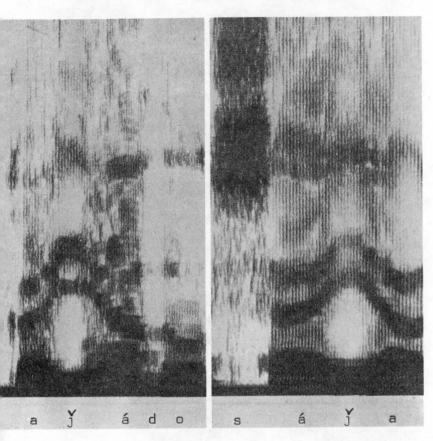

FIG. 8.4. *Sonograma de* cayado   FIG. 8.5. *Sonograma de* saya

estas constrictivas han sido emitidas con un grado de estrechamiento que no ha llegado en ningún caso a la fricación llamada «rehilada». Podemos observar en ellas: *a*) su F_1 está mucho más bajo que el de las vocales contiguas; *b*) su F_2 es más débil que el de las vocales; *c*) la lentitud de las transiciones; *d*) la fuerte transición positiva del F_2.

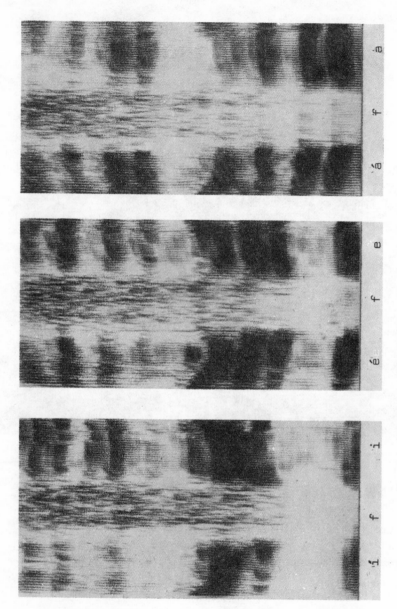

FIG. 8.6a. Sonogramas reducidos de /f/ en posición intervocálica

Los movimientos de los formantes para T_2 son negativos con [i] y positivos con [e, a, o, u]; para T_3 son positivos con [i, e, a] y negativos con [o, u]:

	i		e		a		o		u	
	T_2	T_3	T_2	T_3	T_2	T_3	T_2	T_3	T_2	T_3
ǰ	−	+	+	+	+	+	+	−	+	−

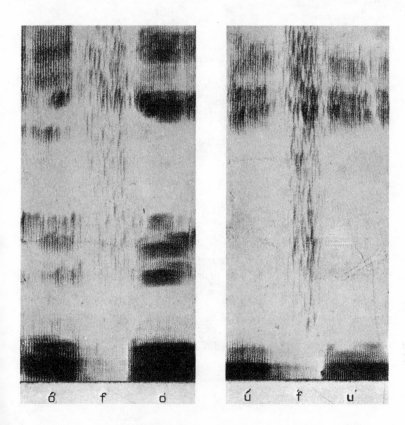

FIG. 8.6 b. *Sonogramas reducidos de /f/ en posición intervocálica*

En el § 10.2.1 trataremos los casos de [ʒ] sonora y ensordecida, procedentes de la neutralización λ/ǰ.

8.2.2. FRICATIVAS DE RESONANCIAS ALTAS.

El resto de las consonantes fricativas son de *resonancias
altas*. En este caso se encuentran [f, θ, s, x]. De estas cuatro,

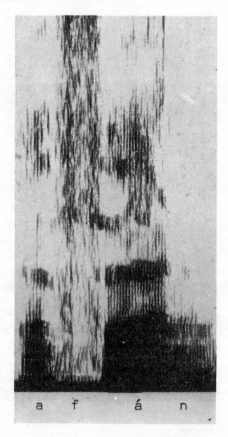

FIG. 8.7. *Sonograma de* afán

la que presenta mayor intensidad es [s], le sigue [x] y, por último, con una intensidad muy débil [f, θ].

8.2.2.1. [f].

En la figura 8.6 están los cinco espectros de la labiodental sorda [f], intervocálica. Por su carácter labial, T_2 y T_3 son negativas cuando [f] está en un contorno de [i, e, a] y horizontal con las otras vocales. Su frecuencia comienza a unos 2.100 cps, y puede notarse su debilidad, comparando su grado de ennegrecimiento con el de las vocales que la rodean:

	i		*e*		*a*		*o*		*u*	
	T_2	T_3	T_2	T_3	T_2	T_3	T_2	T_3	T_2	T_3
f	—	—	—	—	—	—	=	=	=	=

En la figura 8.7 se presenta el sonograma de [afán] *afán*. Puede notarse la debilidad de [f] comparando su grado de ennegrecimiento con el de las vocales contiguas.

8.2.2.2. [θ].

En la figura 8.8 están los espectros de la linguointerdental sorda [θ]. Los formantes de las vocales que están en su contorno muestran el mismo movimiento que en las dentales, esto es, T_2 y T_3 negativas con [i, e, a], T_2 positiva con [u, o] y T_3 negativa con [u, o]:

	i		*e*		*a*		*o*		*u*	
	T_2	T_3	T_2	T_3	T_2	T_3	T_2	T_3	T_2	T_3
θ	—	—	—	—	—	—	+	—	+	—

Su frecuencia varía tremendamente: en [θa] alcanza los 6.400 cps, mientras que en [θu] se extiende desde los 2.400 cps, es decir, 4.000 cps más abajo. El descenso de estos 4.000 cps se debe al aumento del volumen de la cavidad anterior de resonancia, motivado por la labialización.

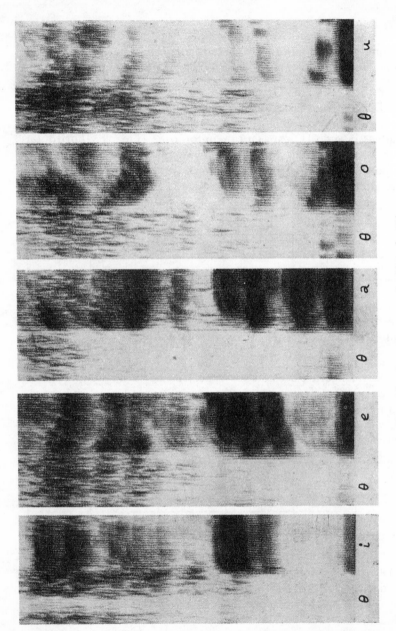

Fig. 8.8. *Sonogramas reducidos de* /θ/

El carácter mate de esta fricativa se refleja en las bandas inarmónicas de formantes (v., sobre todo, [θe]). Comparando [θ] con sus vocales silábicas, resalta también, como en el caso anterior, su débil intensidad.

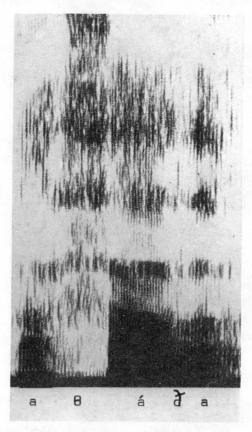

FIG. 8.9. *Sonograma de* azada

La figura 8.9, sonograma de *azada,* refleja una intensidad de [θ] tan débil como la de [f]. Si se comparan las transiciones de los segundos formantes de [á] se puede ver que en [afán]

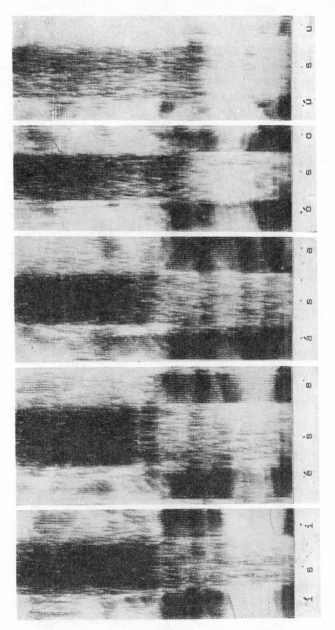

FIG. 8.10. *Sonogramas de* [s] *apicoalveolar*

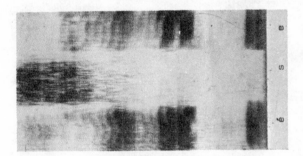

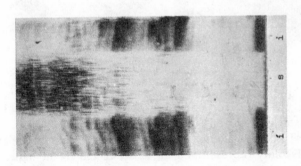

Fig. 8.11 *a. Sonogramas de* [s] *apicodentoalveolar plana*

presenta una transición negativa, propia de las labiales, mientras que en [aθáða] es positiva.

8.2.2.3. [s].

En español, /s/ es el fonema que quizá presente más realizaciones. En este trabajo nos vamos a limitar a describir las tres variantes más extendidas:

a) [s] apicoalveolar, representada en los espectrogramas de la figura 8.10. Sus frecuencias se extienden desde los 3.888 Hz en [ása] hasta los 2.511 Hz en [úsu].

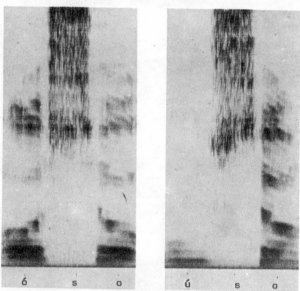

Fig. 8.11 *b. Sonogramas de* [s] *apicodentoalveolar plana*

b) [s] apicodentoalveolar plana, representada en la figura 8.11 *a* y *b*. Sus frecuencias se extienden desde 5.670 Hz en [ása] hasta los 3.483 en [úso].

c) [s] predorsodentoalveolar, con predominio de la articulación alveolar, representada en la secuencia de la figura 8.12. Sus frecuencias comienzan aproximadamente a los 4.455 Hz, en [pása].

Varios puntos podemos concluir de la comparación de estas realizaciones de /s/:

1. El comienzo de la frecuencia de esta fricativa varía conforme al contorno vocálico en que esté situada. Las frecuencias más altas aparecen en las vocales deslabializadas [i, e, a]; las más bajas, en las labializadas [o, u]. El redondeamiento del orificio labial aumenta, como ya hemos indicado, el resonador anterior, aumentando, al mismo tiempo, el carácter grave de la consonante. La frecuencia óptima se registra en la posición fonéticamente normal de la consonante, esto es, entre vocales abiertas [a], que son las que menos influyen en la consonante.

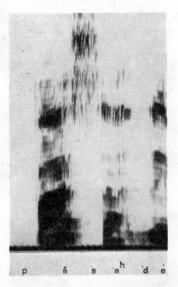

FIG. 8.12. *Secuencia con realización de* [s] *predorsodentoalveolar*

2. Cuanto más posterior sea la realización, tanto más estridente es la consonante. Las articulaciones alveolares presentan un grado de intensidad mayor, así como mayor desorden en la distribución de sus frecuencias. Este mayor desorden, la estridencia, en una palabra, se debe a la presencia de una barrera,

de un obstáculo suplementario a la salida del aire, que son los dientes. A medida que el lugar de articulación va avanzando y se sitúa en la proximidad dental, la estridencia va disminuyendo, dejando paso a la cualidad de mate, que se hace patente en el espectro de la [s] predorsodentoalveolar de la figura 8.12. La característica mate lleva consigo una distribución más regular de las regiones de frecuencias, distribución que origina unos espectros semejantes a los de [θ].

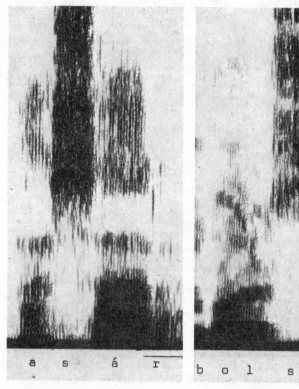

FIG. 8.13. *Sonograma de* asar.   FIG. 8.14.   *Sonograma de* (em)bolsar.
[s] *apicoalveolar*   [s] *apicoalveolar*

3. Cuanto más anterior es la articulación, más alto es el comienzo de las frecuencias. Compárense las frecuencias, dadas antes, de cada una de las realizaciones de /s/.

Las figuras 8.13 y 8.14 representan la realización apicoalveolar de [s] en [asár] *asar* y [-bolsár] de em*bolsar*, pronuncia-

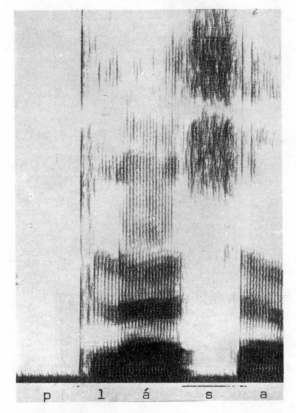

FIG. 8.15. *Sonograma de* plaza. [s] *predorsoalveolar*

das por un madrileño y un burgalés, respectivamente. Los comienzos de frecuencia de la fricación aparecen a los 3.400 Hz en *asar* y 3.078 en em*bolsar*.

238 — Fonética acústica

La figura 8.15 muestra una realización predorsoalveolar en [plása] *plaza,* de un colombiano. El comienzo de las frecuencias de [s] está a los 4.212 Hz.

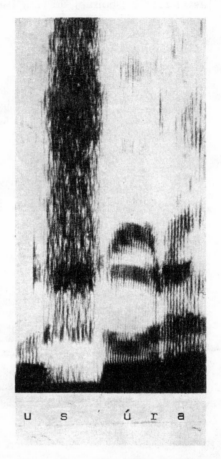

FIG. 8.16. *Sonograma de* usura. [s] *apicoalveolar*

La figura 8.16 representa una [s] perteneciente al mismo madrileño de la figura 8.13; el comienzo en [usúra] *usura* de las frecuencias de [s] es mucho más bajo a causa de la labialización de [u].

En el cuadro siguiente mostramos las transiciones para los dos primeros tipos de /s/ (s_1 = apicoalveolar, s_2 = apicodentoalveolar plana). Varían mucho de uno a otro, al variar sensiblemente el lugar de articulación [3].

	i		*e*		*a*		*o*		*u*	
	T_2	T_3	T_2	T_3	T_2	T_3	T_2	T_3	T_2	T_3
s_1	=	=	—	=	—	=	+	—	+	—
s_2	+	+	=	+	+	+	+	+	+	+

8.2.2.4. [x, ç].

1. [x].—La figura 8.17 representa los espectrogramas de las realizaciones de la fricativa linguovelar sorda [x] con cada una de las cinco vocales. Estas [x] son algo vibrantes; esta condición se refleja en las estriaciones verticales que acompañan a su espectro. Como puede verse en la figura, la altura a la que comienzan las fricaciones es bastante variable. Su condición de mate aparece también reflejada en los refuerzos horizontales de intensidad que aparecen, con más o menos regularidad, a todo lo largo de su fricación.

La figura 8.18 representa el espectrograma de [x] intervocálica en [káxa] *caja*, emitida por un madrileño-hablante. Su espectro está cubierto por concentraciones horizontales de energía que le infunden el carácter mate. La figura 8.19 reproduce la secuencia [aflíxa], pronunciada por un hablante colombiano. Puede verse en la [a] primera el descenso de la transición del F_2 en contacto con [f] (es decir, transición negativa); por el contrario, en [a] de la sílaba [xa] la transición es positiva.

---

[3] Véase también Quilis *(1966)*, para la negación de los alófonos dentales de /s/.

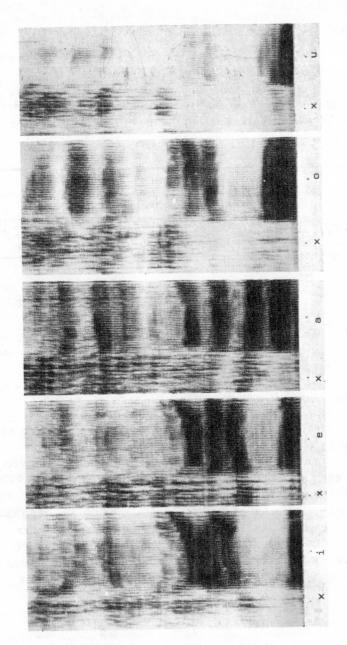

Fig. 8.17. *Realizaciones de* [x]

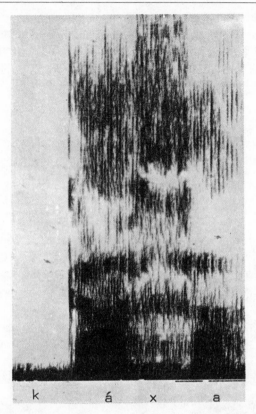

Fig. 8.18. *Sonograma de* caja

Las transiciones de los formantes vocálicos tienen los siguientes movimientos: T_2 es negativa con [i, e]; T_3 es negativa también con las dos; con [a] son positivas las dos; con [o, u] es positiva T_2 y negativa T_3:

	i		e		a		o		u	
	T_2	T_3	T_2	T_3	T_2	T_3	T_2	T_3	T_2	T_3
x	—	—	—	—	+	+	+	—	+	—

2. [ç].—Como es sabido, el fonema /x/ [4] tiene en el español hablado en Chile dos alófonos distribuidos complementariamente: [x] ante /a, o, u/ y [ç] ante /i, e/. El segundo alófono contrasta con el anterior por su alto grado de palatalización.

Normalmente, en español —y en otras lenguas— las realiza-

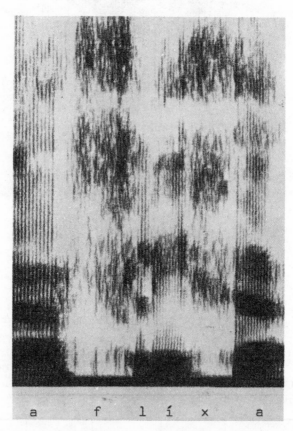

FIG. 8.19. *Sonograma de* aflija

[4] Para las características fonológicas de /x/, véase I. Silva-Fuenzalida: «Estudio fonológico del español de Chile», *Boletín de Filología* (Universidad de Santiago de Chile), VII, 1953, 153-176.

ciones de los fonemas velares varían su lugar de articulación por influencia de la vocal siguiente: ante /o, u/ lo retrasan, ante /i, e/ lo adelantan, y ante /a/ ocupan una situación interme- dia [5]. El adelantamiento articulatorio de las consonantes velares —/x/, /k/, /g/— cuando acompañan a vocales palatales es en Chile tremendamente acusado, produciendo una verdadera pa- latalización de las mismas [6].

Para Lenz, *x* «Delante de *a* se mantiene como postpalatal fricativa» [7]. «Ante *e, i,* la *x*, como todas las dorso-palatales, se vuelve en chileno mediopalatal y hasta prepalatal: χ*énero*, χ*e- nerál*, χ*énte, mu*χ*ér*, que no pocas veces suenan como χ*iénte, mu*χ*iér*, χ*íro*, χ*inéte*, etc.» [8].

A. Alonso, al comentar, en una nota, un pasaje de la fonética araucana de Lenz [9], dice: «... la actual pronunciación chilena de la *je, ji* (tijeras) tiene una articulación muy avanzada, medio- palatal, de la *jo, ju* (trabajo) es velar».

Los análisis acústicos de diversas grabaciones de chileno- hablantes nos proporcionan las características que mencionamos a continuación (Quilis, *1975 a).*

a) [x]. Articulatoriamente, es constrictivo, postdorsolinguo- velar, sordo, presentando las mismas características que su co- rrespondiente del español general, como puede verse en la figura 8.20, perteneciente a un chileno.

b) [ç].—Articulatoriamente, es una constrictiva medio o postpalatal sorda. Acústicamente, presenta las siguientes pro- piedades:

1) Es una consonante *aguda:* su fricación comienza en la parte central superior de su espectro. Según la vocal palatal

---

[5] Véase Antonio Quilis: *Fonética española en imágenes*, Madrid, 1970, especialmente las diapositivas n.º 33, 34, 35 y 43.

[6] Véase A. Alonso: «La interpretación araucana de Lenz», en *BDH*, VI, 1940, pág. 286, y más recientemente, Rodolfo Oroz: *La lengua castellana en Chile*, Santiago de Chile, 1966, págs. 121 y 124-125.

[7] «Estudios Chilenos», en *BDH*, VI, 1940, pág. 136.

[8] *Op. cit.*, pág. 137.

[9] *BDH*, VI, 1940, 239, véase también el comentario de A. Alonso en la página 286.

que siga, varía el comienzo de sus frecuencias, que es ligeramente más bajo con [e] que con [i], aunque algunas veces coincide en el mismo informante para ambas vocales. Con [e], el
comienzo de las frecuencias se extiende desde los 2.400 Hz hasta
los 3.000 Hz, aproximadamente, siendo la media de 2.600 Hz.
Con [i], el comienzo de las frecuencias oscila entre los 2.400 Hz
(en poquísimos casos) y los 3.600 Hz, aproximadamente, encon-
trándose su media en los 2.900 Hz.

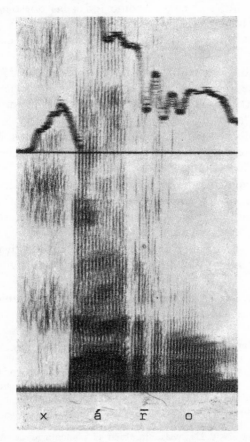

FIG. 8.20. *Sonograma de* jarro, *perteneciente a un hablante chileno*

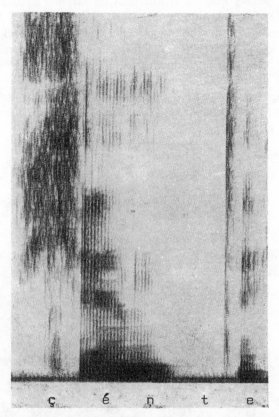

Fig. 8.21. *Sonograma de* gente, *perteneciente a un hablante chileno*

La diferencia entre estos dos valores medios (2.600 Hz, con [e] y 2.900 con [i]) indica un mayor grado de agudeza cuando forma sílaba con esta última vocal.

2) Es una consonante *mate*. Esta característica aparece menos marcada que en el otro alófono [x], porque el grado de presión acústica de [ç] y también el de sonía es mayor.

3) Es una consonante más difusa que [x], aunque dentro del grupo de las consonantes sigue siendo *densa*. Su menor den-

sidad se debe a que las frecuencias en las que aparece su fricación son más elevadas que en [x]; suelen estar a la altura
del segundo o tercer formantes (más generalmente el tercero)
de [e] o de [i]. Su carácter denso viene marcado también por
el hecho de que la parte central de su espectro aparece cubierto por la turbulencia de la fricación.

Las figuras 8.21 y 8.22, pertenecientes al mismo informante
de la figura 8.20, muestran dos realizaciones de [ç]. Como pue-

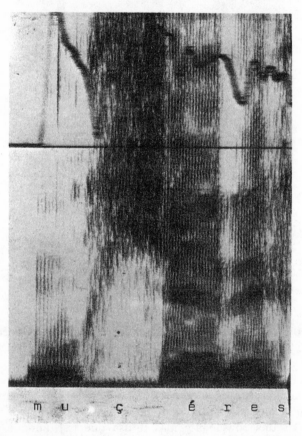

FIG. 8.22. _Sonograma de_ mujeres, _perteneciente a un hablante chileno_

de observarse, el espectro es completamente distinto del de [x] de la figura 8.20. La figura 8.23, perteneciente a otro informante chileno, muestra una total diptongación en la secuencia [çje].

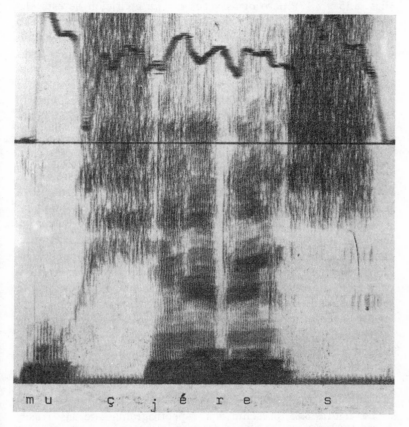

m u   ç   j   é   r   e   s

FIG. 8.23. *Sonograma de* mujeres, *perteneciente a un hablante chileno*

Las transiciones de [ç + e, i] son las propias de las consonantes palatales.

El caso de las transiciones del grupo [çe] merece un pequeño comentario: observando el material analizado se percibe una transición positiva, más o menos acusada, del segundo formante de [e]. Esta transición podría hacer pensar en la realización de un diptongo [çje], pero no siempre ocurre así: hay veces en que efectivamente se desarrolla el elemento vocálico palatal (figs. 8.15 y 8.17), pero otras veces no. La aparición de este elemento vocálico se debe al carácter palatal, constrictivo y tenso del alófono. Los órganos articulatorios abandonan con lentitud el lugar articulatorio de [ç] para adoptar el de [e]; al ser lenta la transición desde uno al otro de los dos elementos mencionados, desarrolla el elemento prenuclear [j], que aparece, sobre todo, en sílaba tónica: su tensión y longitud la favorecen. Este mismo elemento [j] se desarrolla, según Bernales *(1977)*, cuando otras consonantes velares forman sílaba con [e].

8.2.2.5. [h, ɦ].

El trabajo de Delattre *(1958)* caracterizaba acústicamente la fricativa /h/ como poseedora de un breve sonido turbulento a la frecuencia del F_2 (y posiblemente del F_3) de la vocal contigua, y, además, por la ausencia de transiciones y de F_1. Posteriormente, el trabajo de Lehiste *(1964 a)* vino a confirmar el anteriormente citado de Delattre, puntualizando que la concentración de energía que se produce aproximadamente a la frecuencia del F_3 de la vocal con la que forma sílaba la consonante tiene normalmente menos relieve que la del F_2.

En la figura 8.24 están representados los espectrogramas de la fricativa laríngea sorda [h] de un informante andaluz. La debilidad acústica de esta consonante es bien patente en sus espectros. Aparece a una frecuencia de 2.430 Hz, aproximadamente. Es, además, una consonante mate; el resonador bucal no presenta ningún obstáculo suplementario a la salida del aire.

La figura 8.25 presenta los espectrogramas de las frases *La joven gente gitana, La caja* y *¡Pero hombre!* pronunciadas por una informante panameña. En la primera frase hay tres fricativas laríngeas, [h]: [lahóβeŋɦéṇte ɦitána]. La primera, [la hóβeŋ], es totalmente sorda: no aparece en la parte baja de su espectro ninguna barra de sonoridad; la segunda, [ɦéṇte], está sonorizada; el indicio de sonorización se percibe en la parte baja de su espectro como una débil barra de sonoridad no con-

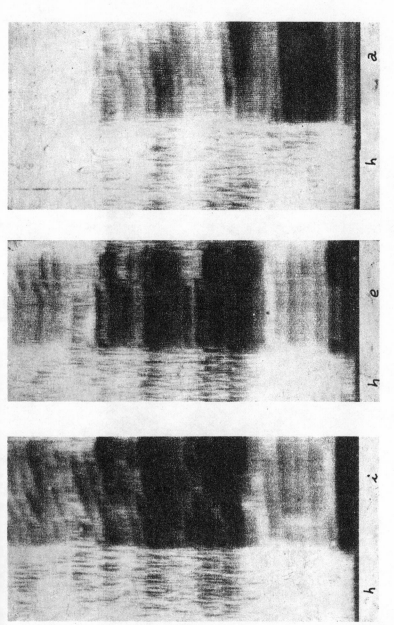

Fig. 8.24. *Realizaciones de* [h] *en un informante andaluz*

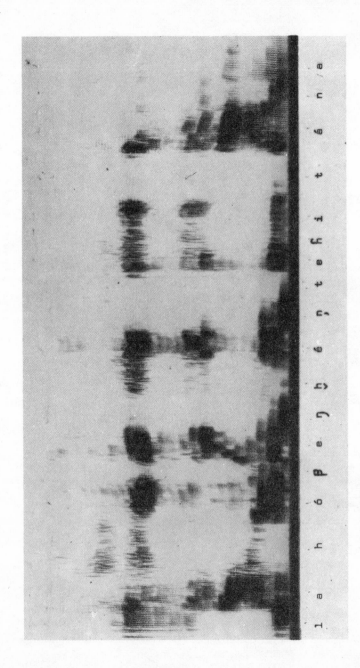

Fig. 8.25 a. *Sonograma de la secuencia* La joven gente gitana *pronunciada por una informante panameña*

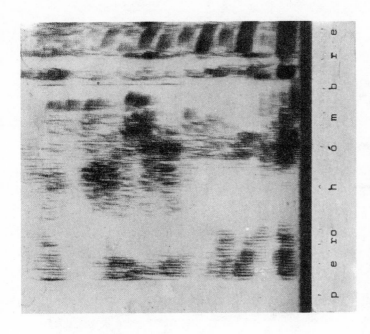

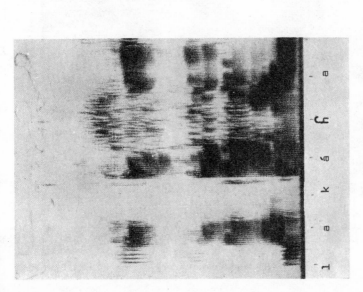

FIG. 8.25 b. *Sonogramas de las secuencias La caja y ¡Pero hombre! pro-nunciadas por una informante panameña*

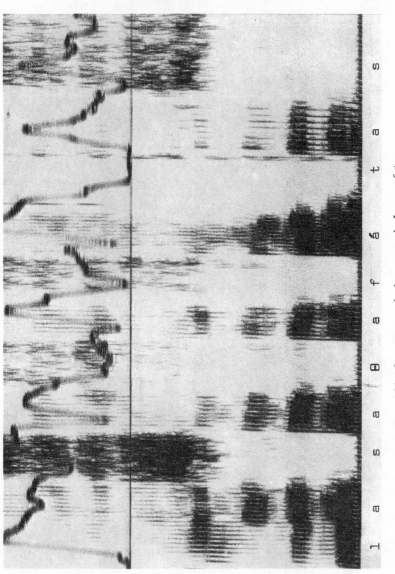

Fig. 8.26. *Sonograma de la secuencia* Las azafatas

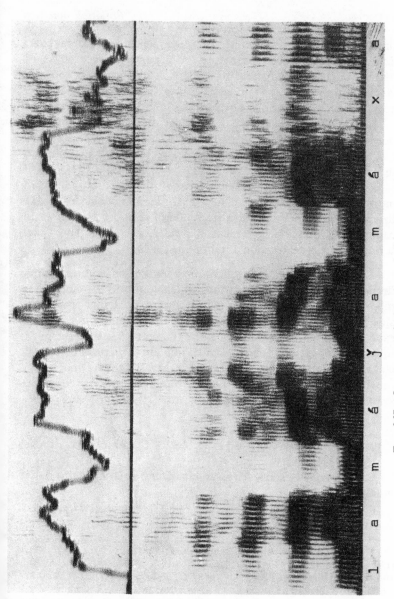

FIG. 8.27. Sonograma de la secuencia La maya maja

tinuada; la tercera, [ɦitána], es plenamente sonora: la barra de sonoridad aparece claramente en la parte inferior de su espectro. La intensidad de estas fricativas laríngeas es, como en las anteriores, extremadamente débil, y su carácter mate puede apreciarse en las bandas horizontales que marcan su espectro.

La fricativa laríngea de [la káɦa] es plenamente sonora, con una amplia barra de sonoridad en la parte inferior de su espectro. Sin embargo, la fricativa, [h], [pero hómbre], es totalmente sorda.

El espectrógrafo es un buen procedimiento para poder comparar el grado de sonorización o ensordecimiento de estas realizaciones laríngeas; a causa de su débil tensión, el oído es incapaz, en la mayoría de los casos, de discernir entre sonoridad, sonorización o realización totalmente sorda.

8.2.3. Las figuras 8.26 y 8.27 representan los espectrogramas de dos frases que contienen las realizaciones de los cinco fonemas fricativos: *las azafatas* y *la maya maja*. Estas frases han sido pronunciadas a un ritmo normal de elocución. Sobre estos espectrogramas se puede ver perfectamente las diferencias de intensidad y de cantidad de cada una de las consonantes, así como sus transiciones; para ver comparativamente mejor este movimiento es por lo que hemos buscado que los contornos sean fonéticamente normales [10].

8.3. CLASIFICACIÓN ACÚSTICA

Las consonantes fricativas se clasifican acústicamente del siguiente modo:

8.3.1. Son *compactas:* [ǰ, x, γ, ç, h]; son *difusas:* [f, θ, s, ð, β].

---

[10] Puede verse, además, la siguiente bibliografía: Barrs *(1966)*, Bush *(1964)*, Carney *(1965)*, Gerstman *(1957)*, Heintz y Stevens *(1961)*, Hughes y Halle *(1956)*, Ingemann *(1968)*, Jassem *(1962, 1965)*, Lisker *(1957 a)*, Mártony, Cederlund, Liljencrants y Lindblom *(1962)*, Nakata *(1960)*, O'Connor, Gerstman, Liberman, Delattre, Cooper *(1957)*, Schwartz *(1968)*, Strevens *(1960)*, Uldall *(1964 a)*.

8.3.2. Son *graves:* [f, β, x, h]; son *agudas:* [θ, s, ᶑ, ʝ, ç].

8.3.3. Son *estridentes:* [s]; son *mates:* [f, θ, ʝ, x, γ, ᶑ, ç, h]. En el espectrograma de las figuras puede verse claramente cómo mientras que en [f, θ, x], por ejemplo, hay regiones de formantes horizontales bastante claros, en [s] aparece todo su espectro en una inarmonicidad tremenda. Por otro lado, las consonantes estridentes tienen una intensidad mayor que las consonantes mates; este grado de intensidad puede verse en el distinto negror de su espectro.

8.3.4. Todas son *orales* y *continuas.*

8.3.5. Son *sonoras:* [β, ᶑ, γ, ʝ]; son *sordas:* [f, θ, s, x, ç, h].

8.3.6. Los rasgos de los fonemas fricativos pueden verse en el siguiente cuadro:

Rasgos	f	θ	s	ʝ	x
Vocálico/no vocálico	—	—	—	—	—
Consonántico/no consonántico ..	+	+	+	+	+
Denso/difuso	—	—	—	+	+
Grave/agudo	+	—	—	—	Ļ
Sonoro/sordo	—	—	—	+	—
Continuo/interrupto	+	+	+	±	+
Estridente/mate	—	—	+	—	—

IX

AFRICADAS

9.0. Terminología

Desde el punto de vista acústico, el grupo de consonantes que nos ocupa recibe el nombre de *africadas*. Articulatoriamente, reciben la denominación de *semioclusivas*, término análogo al que se emplea en la fonética francesa, y que en español forma serie terminológica con las denominaciones semivocal, semiconsonante.

9.1. Distribución

El español conoce, fonológicamente, un solo fonema africado: el linguopalatal sordo /ʧ/; pero fonéticamente posee dos africadas: una, el alófono de /ʧ/, [ʧ], y otra, la palatal sonora, alófono del fonema fricativo linguopalatal central /ʝ/, que transcribimos como [ʤ]. La variante sorda se realiza como tal en todos los contornos; la sonora se encuentra en distribución complementaria con la realización fricativa [ʝ], y se produce como africada, en posición inicial absoluta (después de pausa) o precedida de consonantes nasales o laterales.

Africadas		Fricativas
Fonológicamente	Fonéticamente	Fonológicamente
/ʧ/ ⟶	[ʧ]	
	[ʤ] ⟵	/ʝ/

9.2. Caracterización acústica

Las consonantes africadas se caracterizan porque en su emisión intervienen dos momentos: uno interrupto, similar al de las explosivas, seguido de otro constrictivo. Estos dos momentos se realizan en el mismo lugar articulatorio y, además, durante el momento de su tensión [1].

---

[1] Como es sabido, el problema de la naturaleza fonética de las africadas ha sido siempre muy discutido tanto en el plano de la fonética general, como en el de la fonética descriptiva de algunas lenguas en particular. Para algunos investigadores, como, por ejemplo, M. Grammont, la combinación de una consonante oclusiva con cualquier fricativa da origen a una africada. De este modo, habría tantas consonantes africadas como combinaciones de consonantes existiesen. Para otros, sin embargo, las africadas son oclusivas cuya oclusión se combina con una fricación (Hála, Chlumský, etc.). El problema se centra en saber si son sonidos simples o compuestos. Algunos fonetistas, como Sievers, Jespersen, Tomson, Forchamer y Grammont, consideran las africadas como una combinación de dos sonidos. Sin embargo, Chlumský, Meillet, Hála consideran las africadas como sonidos simples.

La consideración de la africada como sonido simple se basa en los siguientes puntos: 1.º De carácter psicológico, basado en la impresión articulatoria del informante que posee africadas en su lengua materna: para él es un fonema simple y no compuesto (Dauzat: *La Parole*, I, 1899, 619, y Chlumský: *Slavia*, 12, 595). 2.º Las dos fases articulatorias de las africadas (oclusión + constricción) se realizan en el mismo lugar de articulación y por los mismos órganos articulatorios (Roudet: *Eléments de Phonétique Générale*, 1910, p. 159). 3.º El límite silábico en una palabra que contenga una africada estará situado siempre antes o después de ella, pero es imposible dividir una africada entre dos sílabas, como podría hacerse, por ejemplo, con grupos como [t + s] o [t + ʃ] (Chlumský: *Slavia*, 12, 594). 4.º Existen diferencias entre la articulación de una africada y la articulación de combinaciones del tipo [t + s, t + ʃ] (Dauzat: *La Parole*, I, 1899, 618). 5.º Aunque las dos fases principales de las africadas manifiestan una cierta semejanza con los sonidos que forman parte del sistema fonético de una lengua, no quiere decir que sean los mismos sonidos (Hála: *Une contribution*, 89).

Para este problema puede verse la siguiente bibliografía: Forchhammer: «Zur Lösung des Affrikaten-problems», *ANPhE*, 17, 1941, 9-20; Richter: «Die italienischen č- und c- Laute», *ANPhE*, 16, 1940, 1-38; Chlumský: «La question des sons tels que *c, č*, etc., et des aspirées», *Slavia*, 12, 1934, 594-596;

Como consecuencia de los dos modos articulatorios, el sonograma de las consonantes africadas aparece dividido en dos
partes: una primera parte vacía de resonancias, en blanco, idén-

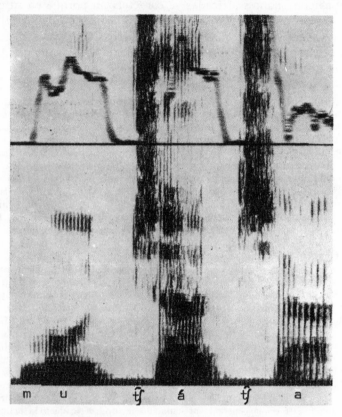

FIG. 9.1. *Realizaciones africadas de* [t͡ʃ] *en* Muchacha

Belgeri: *Les affriquées en italien et dans les principales langues de l'Euro-
pe,* 1924; Dluska: *Polskie afrykaty,* 1937; Hegedüs: «Die Natur der ungari-
schen Affrikaten», *ANPhE,* 15, 1939, 97-102; Dauzat: *La Parole,* I, 1899; Hála:
«Une contribution à l'éclaircissement de la nature phonétique des affriquées», *ZfPh,* 6, 1952, 77-93; Id.: «La nature des consonnes mi-occlusives
mise en lumière au moyen des procédés expérimentaux modernes», *Actes X
CILFR,* 887-889.

tica a la de las explosivas, y la segunda parte, con la turbulencia propia de las constrictivas. Por ello, las africadas participan de las características de los dos modos antes descritos.

El momento de constricción de la africada es mayor que el que se produce en una explosiva aspirada y normalmente menor que el de una fricativa: ésta se percibe como tal cuando su ruido dura por lo menos 110 ms; para la percepción de una consonante como africada sorda es necesario que la turbulencia de la fricación dure por lo menos 50 ms, y para las explosivas sordas aspiradas es necesario que el ruido de su aspiración dure cuanto más 30 ms.

En el dominio del español hay múltiples variantes de africadas, tanto de las sordas como de las sonoras.

9.2.1. Africadas sordas.

En las africadas sordas, las mayores variaciones se reflejan en las duraciones de los momentos oclusivo y fricativo, así como en el nivel de frecuencias en el que aparece la fricación.

Generalmente, la oclusión es mayor que la constricción; pero ocurre a veces, en ciertas áreas dialectales, que la oclusión es menor; en estos casos se puede vislumbrar una tendencia hacia la pérdida del momento oclusivo, y a convertir la consonante explosiva en fricativa. Según el trabajo de Quilis *(1966 a)*, en las africadas del español peninsular la duración media del momento oclusivo es de 9,25 cs, mientras que la del momento fricativo es de 7,36 cs, y la duración total, de 16,61 cs. La diferencia, por consiguiente, entre el momento oclusivo y el fricativo es de 1,89 cs a favor del primer momento.

La frecuencia a la que aparece la fricación nos indicará el lugar de articulación: su altura es directamente proporcional a la anterioridad articulatoria. La frecuencia media a la que comienza la fricación en las africadas del español peninsular es de 2.516 cps [2] (africadas linguoprepalatales), mientras que la

---

[2] Claro está que para comprobar el lugar de articulación de varias africadas en varios informantes es necesario realizar su análisis en los

FIG. 9.2. *Realización articulatoria predorsoalveolar de* [t͡ʃ], tacha, *en una informante sevillana. El comienzo de las frecuencias de la fricación es mucho más alto que en la africada de la figura 9.1*

mismos contornos alofónicos, ya que diferentes contornos pueden hacer variar su frecuencia: la frecuencia más alta en la africada sorda se produce en *tacha*, palabra experimentalmente modelo, por encontrarse la consonante que aquí nos ocupa en posición fonéticamente normal —entre dos vocales abiertas [a]— a 3.160 cps; la influencia de la labialización de las vocales y la anticipación vocálica que caracteriza al español, se manifiesta en un descenso de las frecuencias: por ejemplo, con [o], la frecuencia media es de 2.255 cps.

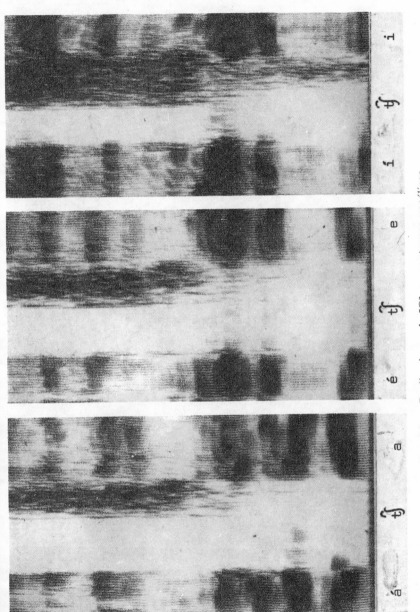

FIG. 9.3a. *Realizaciones de* [f̂] *en contornos vocálicos*

fricación en una informante andaluza, cuyo espectrograma aparece en la figura 9.2, comienza a los 4.010 cps: su articulación
es predorsoalveolar. La anterioridad articulatoria reduce el vo-

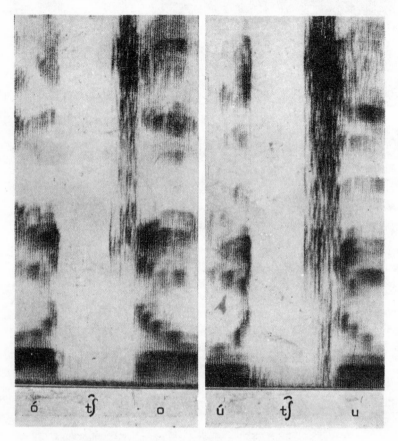

Fig. 9.3 b. *Realizaciones de* [t͡ʃ] *en contornos vocálicos*

lumen de la cavidad anterior de resonancia, aumentando la
agudeza del sonido; agudeza que se manifiesta en el aumento
de las frecuencias.

En la figura 9.3 *a* y *b* encontramos los cinco espectogramas de la africada sorda en posición intervocálica. En ellos, podemos observar la mayor duración del momento oclusivo sobre el fricativo, menos en [íʧi], y es que con la vocal palatal alta [i] el momento de fricación es mayor porque su contorno favorece el mantenimiento de la articulación palatal. La turbulencia de la fricación comienza a una frecuencia bastante alta, a los 3.500 cps, aproximadamente, medidos en [áʧa]; con las vocales labiales, al igual que ocurría con otras consonantes ([s], por ejemplo), su frecuencia desciende hasta los 3.000 cps [óʧo] y 2.500 cps en [úʧu], por haberse aumentado el volumen de la cavidad anterior de resonancia, con el consiguiente aumento de la gravedad, manifestada esencialmente en la parte constrictiva de la africada.

En español no tenemos el problema de la consideración bifonemática de nuestras africadas, ya que no poseemos un /ʃ/ con el que se pudieran establecer contrastes; pero es que, además, se puede ver cómo las transiciones de los formantes anteriores y posteriores a la africada tienen un movimiento hacia el mismo locus. Si fuese una consonante compuesta de [t + ʃ], la vocal anterior a [t] tendría el locus de las dentales, y la posterior a [ʃ], el locus de las palatales, y en nuestras figuras se puede ver claramente cómo los locus del contorno vocálico son los propios de las palatales.

9.2.2. AFRICADAS SONORAS.

Las africadas sonoras presentan en español dos variantes principales de realización: *a*) una, con momento fricativo, que transcribimos con el signo [ʤ]; *b*) otra, sin fricación, o con una brevísima fricación, que transcribimos con el signo [ɟ].

La realización [ʤ] presenta una duración media total de 8,48 cs —la mitad aproximadamente de [ʧ]—, repartida del siguiente modo: momento interrupto, 5,28 cs; momento fricativo, 3,2 cs. La frecuencia media a la que aparece el ruido de la fricación es de 2.184 cps. Si comparamos esta media con la de las africadas —2.516 cps— vemos que la frecuencia de las sonoras es menor en 332 cps. Esta diferencia de frecuencias puede ser debida a que el alófono sonoro aparece por lo general con una zona de contacto palatal mayor y más posterior.

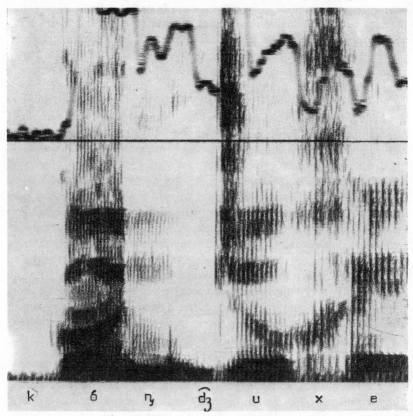

Fig. 9.4. *Realización africada sonora en* Cónyuge

Muchas veces, después de consonante nasal (en casos como *cónyuge*, por ejemplo), la realización [d͡ʒ] se produce sin momento interrupto, que es sustituido por la misma explosión de la consonante nasal. En estos casos, la duración de la fricación es más larga: 7 cs por término medio.

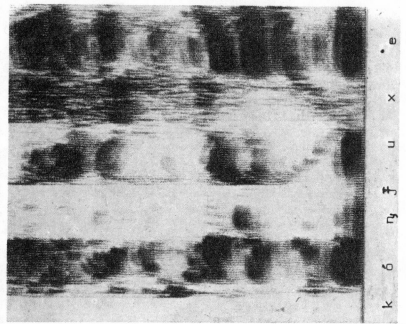

FIG. 9.5. *Realización africada sonora en* El yugo

FIG. 9.6. *Realización africada sonora en* Cónyuge

La realización [ɟ] no presenta momento fricativo, siendo la duración media del momento explosivo de 4,5 cs. En la figura 9.6 tenemos un alófono [ɟ]. En él aparece una fricación muy breve en la parte superior de su espectro; pero realmente, más que fricación, es la explosión de la palatal. Su zona articulatoria es más amplia que en las otras realizaciones, tanto sonora como sorda, y su articulación es más adherente; de ahí la tendencia a mostrarse como una verdadera *oclusiva palatal*, sin fricación.

Tanto en la sonora como en la sorda, el ruido de fricación suele comenzar a la altura del comienzo de la transición del F_2.

En cuanto a las transiciones de las vocales adyacentes, podemos deducir los siguientes datos:

T_2 muestra los siguientes movimientos; es negativa con las vocales agudas [i, e] [3], positiva con [a], y de un grado positivo muy acusado con [o, u].

T_3 es claramente negativa con [o, u]; menos acusadamente negativa con [a], y aparece sin transición o con transición positiva con [i, e].

T_1 es, como siempre, negativa.

i		e		a		o		u	
T_2	T_3	T_2	T_3	T_2	T_3	T_2	T_3	T_2	T_3
—	+	—	+	+	—	+	—	+	—

9.2.3. OTRAS REALIZACIONES DE /tʃ/ EN EL DOMINIO HISPÁNICO.

Hemos mencionado anteriormente el polimorfismo existente en el dominio hispánico en las realizaciones africadas, que se extienden en una amplia gama desde la africada más ortodoxa (oclusión + constricción) hasta la fricativa total. Veamos algunos ejemplos.

---

[3] En nuestros análisis de Puerto Rico, citados en el § 9.2.3, hemos encontrado en la gran mayoría de los casos un movimiento positivo de T_2 con /i, e/.

En el trabajo de Alvar y Quilis *(1966)* se analizaron las características de la /t͡ʃ/ «adherente». Esta africada aparece en el andaluz, en el canario y en el español de América. Sus características son: 1) la duración del momento oclusivo es mucho mayor que la del fricativo: tiempo medio de la oclusión, 7,3 cs; tiempo medio de la fricación, 2,8 cs; la media del tiempo de la oclusión casi triplica a la fricación, mientras que en el español peninsular la diferencia entre ambos momentos es de 1,89 cs en favor del oclusivo; 2) las frecuencias del momento fricativo comienzan a una altura media de 2.516 Hz; esta fricación, además, es muy poco tensa; 3) este tipo de africadas tienen una propensión muy fuerte a la sonorización, apareciendo muchas veces plenamente sonorizadas; en estos casos son muy parecidas a la realización [ɟ] del español peninsular, descrita más arriba.

En el estudio sobre las realizaciones de /t͡ʃ/ en el área metropolitana de San Juan de Puerto Rico (Quilis y Vaquero, *1973)* encontramos hasta seis tipos diferentes, que clasificamos del siguiente modo: Tipo 1: africado (oclusión + fricación). Se percibe como africada. Tipo 2: fricativo (sólo fricación). Se percibe como fricativa. Tipo 3: africado (con tres momentos: fricativo + oclusivo + fricativo). Se percibe como africado. Tipo 4: fricativo (con dos momentos de fricación: el primero, menos intenso, y en general de frecuencia más alta, y el segundo, más intenso y de frecuencia más baja). Se percibe como fricativo. Tipo 5: fricativo (con tres momentos de fricación, diferenciados por su intensidad). Se percibe como fricativo. Tipo 6: africado (con tres momentos: oclusivo + fricativo breve y poco intenso + fricativo intenso). Se percibe como africado. De los seis tipos de /t͡ʃ/ hallados, un mismo informante presentó cinco, y otros cuatro informantes realizaron cuatro de los tipos señalados. La distinta configuración de estas variantes puede mostrar, por otra parte, el proceso que puede seguir la evolución /t͡ʃ/ > /ʃ/: mantenimiento del momento oclusivo + momento fricativo > tres momentos: oclusivo + fricativo poco intenso + fricativo intenso > tres momentos: fricativo + oclusi-

vo + fricativo > dos o tres momentos de fricación diferenciados
por su intensidad > un solo momento fricativo.

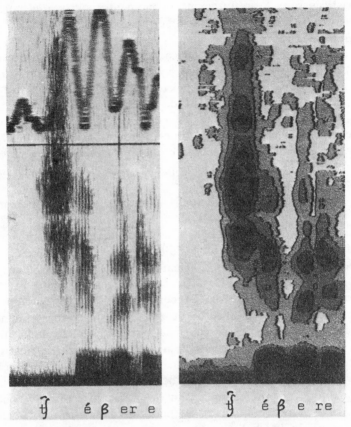

Fig. 9.7. *Realización africada de /ỹ/. Informante puertorriqueño*

Las realizaciones del tipo 1 presentan una duración media
del momento interrupto de 6,31 cs y del fricativo de 7,34 cs,
siendo su duración media total de 13,66 cs. Se diferencia de
la [ỹ] peninsular en una menor duración y en ser el momento
oclusivo menor que el fricativo. El comienzo de la frecuencia

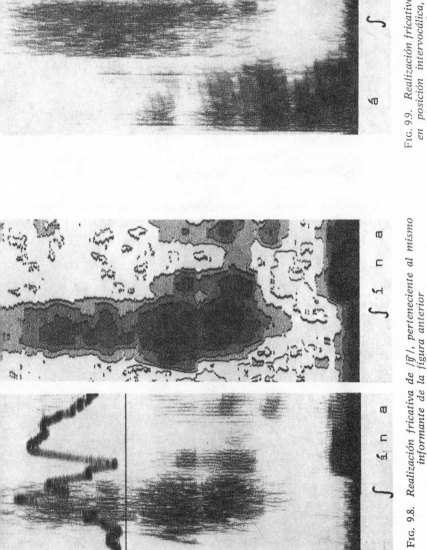

ʃ í n a   ʃ í n a   á ʃ a

Fig. 9.8. *Realización fricativa de /ǰ/, perteneciente al mismo informante de la figura anterior*

Fig. 9.9. *Realización fricativa de /ǰ/ en posición intervocálica, en un informante puertorriqueño*

de fricación presenta un valor medio de 1.619,48 cps, lo que supone 897 cps menos que la peninsular.

El tipo 2 presenta una duración media de 12,99 cs, realizándose el comienzo de su fricación a una frecuencia media de
1.607 cps.

Estos datos indican, en general, una articulación más posterior que la del español central de la Península.

Veamos algunos ejemplos:

Los sonogramas de las figuras 9.7 y 9.8 muestran dos realizaciones de este fonema en posición inicial, pertenecientes a un
mismo informante puertorriqueño: la primera es africada, y la
segunda, fricativa. El sonograma de la derecha en ambas figuras
muestra el contorno de las intensidades de las diferentes regiones de frecuencias de cada espectro: en él puede verse la distribución de las amplitudes (cada grado diferente de negror
enmarcado por una línea representa un intervalo de 6 db con

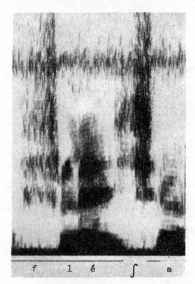

Fig. 9.10. *Realización fricativa de /ʃ/ en un informante puertorriqueño.*
Está constituida por dos momentos fricativos de distinta intensidad y
frecuencia

relación al anterior o al siguiente). Al comparar estos dos sonogramas se perciben entre ambos las siguientes diferencias:
a) el comienzo de la distribución de la energía es más brusco
en [ʧ]; *b*) derivado de ello, la línea de intensidad presenta un
ascenso mucho más vertical en [ʧ] que en [ʃ], en donde sube
gradualmente; *c*) la duración es bastante mayor en [ʃ]. En realidad, en posición inicial, [ʧ] es una [ʃ] sin intensión o con
comienzo brusco. (En pruebas realizadas con el segmentador,
[s] se percibe como [ts] cuando se corta el principio.)

La figura 9.9 representa el sonograma de una realización [ʃ]
puertorriqueña, en posición intervocálica.

La figura 9.10 muestra una realización de /ʧ/, de las que
hemos denominado de tipo 4. En ella podemos observar: *a*) los
dos momentos de fricación; *b*) la diferente intensidad de ambos
(menos intenso el primero); *c*) el diferente comienzo de sus
frecuencias (más alto el primero). Este tipo se percibe, en ge-

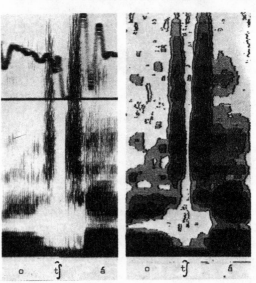

Fɪɢ. 9.11. *Realización africada de /ʧ/ en la secuencia* [oʧá] *de* abrochar.
Informante puertorriqueño. Obsérvense sus tres momentos: fricación +
+ oclusión + fricación. Se percibe como africada

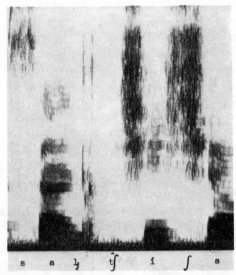

s   a   ǰ   tʃ   í   ʃ   a

FIG. 9.12.   *Realizaciones africada y fricativa de /ʧ/ en la misma palabra*

neral, como [ʃ] (en algún caso, cuando las diferencias de intensidad son muy notorias, más de las que aquí presentamos, se percibe casi como [ʧ]).

La réalización de /ʧ/, que hemos llamado de tipo 3, está representada en la figura 9.11. En ella, nuestra africada está constituida por tres momentos: fricación + interrupción + fricación, recayendo la mayor intensidad en este tercer momento fricativo. Pese a su primer momento fricativo, que siempre es más breve que el tercero, se perciben como si fuesen realizaciones africadas del tipo 1 (oclusión + fricación). (Africadas de este tipo hemos encontrado también en Panamá.)

Por último, la figura 9.12 muestra dos realizaciones distintas de /ʧ/ en una misma palabra.

El artículo de Duque y Tassara *(1976)* sobre las africadas de Valparaíso muestra cuatro tipos de realizaciones de /ʧ/: tres africados (1, la oclusión es el doble de la fricación; 2, los momentos oclusivo y fricativo son iguales; 3, el momento oclu-

sivo dura la mitad que el fricativo) y uno fricativo; las variantes africadas son las más generales [4].

Sobre el asturiano occidental, el trabajo de Martínez Álvarez *(1969)* muestra las características acústicas de las africadas
sordas [ǰ], [ts] y [th] (= africada, palatal, apical, sorda) del
bable de Quirós.

9.3. CLASIFICACIÓN ACÚSTICA

Nuestro fonema africado es: *compacto, agudo, interrupto*
y *estridente*, ya que las consonantes interruptas mates son las
explosivas, y en las africadas, como puede verse fácilmente en
los espectrogramas, existe un ruido de fricación de las mismas
características que la estridente linguoalveolar sorda [s].

---

[4] Sobre la africada palatal de Valdivia, véase Bernales *(1978)*.

X

LÍQUIDAS

10.1. Concepto y terminología

El término «consonante líquida» se rehabilitó en la fonética acústica para incluir bajo esta denominación las consonantes laterales y las vibrantes. Ello fue debido a la existencia en estas consonantes de ciertas características que les infieren una fisionomía intermedia entre los sonidos vocálicos y los consonánticos. Desde el punto de vista articulatorio, presentan una abertura global mayor de la cavidad supraglótica, pese a que en algún lugar de esta cavidad la lengua puede presentar algún obstáculo a la salida del aire. Acústicamente, poseen rasgos vocálicos y consonánticos: como vocales, solamente tienen una fuente armónica; como consonantes, aparecen zonas de antirresonancia en su espectro. La estructura formántica de las líquidas es muy similar a la de las vocales; difiere de éstas en: a) la frecuencia del fundamental es menor; b) su intensidad global también es menor.

Sobre la naturaleza acústica de este grupo de consonantes se han realizado muy pocas investigaciones, no sólo espectrográficas, sino sintéticas.

De la investigación realizada por medio de la síntesis del lenguaje [1] podemos deducir algunos índices que afectan únicamente a [l, r]. Estos son, según Delattre *(1958)*, los siguientes:

---

[1] O'Connor, Gerstman, Liberman, Delattre y Cooper *(1957)*.

1. Durante la tensión, un primer formante de frecuencia relativamente alta, de unos 400 Hz de media, que distingue estas consonantes sobre todo de las nasales, cuyo formante de tensión no puede sobrepasar los 250 Hz.

2. También durante la tensión, la aparición de formantes superiores al F_1, de intensidad mayor que los de la consonante nasal, pero menor que los de las vocales.

3. Las transiciones aparecen en continuidad con los formantes de la tensión, mientras que las transiciones de las nasales pueden aparecer en discontinuidad.

4. Las transiciones aparecen con una lentitud relativa: una media de alrededor de 100 Hz (la transición de las oclusivas, por ejemplo, posee una media de 50 Hz).

5. El locus de [r] está situado aproximadamente a unos 1.100 Hz; el de [l], a unos 1.300 Hz.

6. [r] [2] y [l] se diferencian entre sí por el locus de T_3, que es relativamente bajo para [r] (alrededor de 1.500 Hz) y alto para [l] (alrededor de 2.500 Hz).

7. Desde el punto de vista de la percepción, las experiencias de Mijawaki, Liberman, Fujimura, Strange y Jenkins *(1973)* pusieron de relieve que las líquidas [l] y [r] se comportan como el resto de las consonantes, es decir, su percepción es categorial.

10.2. DISTRIBUCIÓN

Fonológicamente, el español conoce dos grupos de consonantes líquidas:
1. Los fonemas laterales: /l/ y /ʎ/.
2. Los fonemas vibrantes: /r/ y /r̄/.

Los fonemas laterales se oponen entre sí sólo en posición silábica prenuclear: *lana/llana, polo/pollo,* etc. Los fonemas vibrantes funcionan sólo en interior de palabra, en posición silábica prenuclear: *pero/perro;* en posición postnuclear se neutralizan, y en posición inicial de palabra sólo aparece /r̄/.

---

[2] Se refiere a [r] retrofleja del inglés estadounidense.

Por otra parte, /l/ conoce, en distribución complementaria, los siguientes alófonos: [l] alveolar: [ála] *ala;* [l̪] linguodental: [ál̪to] *alto;* [l̟] linguointerdental: [ál̟θa] *alza;* [ʎ] linguopalatalizada: [kóʎt͡ʃa] *colcha.* El fonema vibrante simple, /r/, conoce la variante fricativa, [ɹ], y el múltiple, /r̄/, la variante asibilada, [ř], y la fricativa, [ɹ̝], amén de la variante faríngea que aparece, por ejemplo, en Puerto Rico.

10.2.1. Líquidas laterales.

Las líquidas laterales se caracterizan por su continuidad, lo que da origen a que en su espectro aparezcan ciertos formantes análogos a los vocálicos.

De los trabajos de Quilis, Esgueva, Gutiérrez y Cantarero *(1979* y *1979 a)* podemos deducir las siguientes características acústicas sobre las consonantes laterales españolas.

10.2.1.1. Líquida /l/.

La duración media de /l/ en posición silábica prenuclear o postnuclear, y sin formar parte de una secuencia consonántica tautosilábica, es de 6,03 cs [3].

Las frecuencias medias correspondientes a los tres primeros formantes de /l/ en las diferentes ocurrencias son las siguientes:

	F_1		F_2		F_3	
	tónica	átona	tónica	átona	tónica	átona
[l-]	327,46	333,25	1.587,01	1.606,11	2.603,76	2.586,26
[-l-]	328,34	337,18	1.534,36	1.508,34	2.576,52	2.464,82
[-l]	329,48	343,75	1.563,56	1.528,86	2.580,81	2.575,68
x̄	328,42	338,06	1.561,64	1.547,77	2.587,03	2.542,25

---

[3] [l] en sílaba tónica presenta mayor duración que en átona. La mayor duración aparece en [-l] ante pausa, y la menor en [-l-].

De las cifras expuestas se desprende que: *a*) en posición átona, F_1 presenta una frecuencia mayor que en tónica, lo que indica una mayor abertura articulatoria. Este sería uno de los rasgos consonánticos de las líquidas laterales, pues, como señaló Straka *(1963)*, con la disminución de la energía articulatoria, las consonantes tienden a abrirse; *b*) los valores del F_1 descienden, respectivamente, desde la posición final seguida de pausa a la medial y a la inicial precedida de pausa; *c*) por el contrario, las medias generales muestran un valor más alto para la frecuencia del F_2 en sílaba tónica, lo que indicaría, según Delattre *(1951)*, una articulación más anterior en esta posición y/o un resonador anterior más pequeño; *d*) los valores más bajos del F_2 se dan en [-l]; *e*) las medias generales del F_3 muestran así mismo una frecuencia más alta en posición tónica que en átona; también, en este caso, las frecuencias más bajas aparecen en [-l-].

Al comparar los valores expuestos más arriba con los dados por Lehiste *(1964 b)* para los tres primeros formantes del /l/ inglés, los resultados no pueden ser más dispares. Los datos para esta lengua son los siguientes:

	F_1	F_2	F_3
[l-]	293	948	2.608
[-l-]	418	930	2.378
[-l]	453	792	2.589

Si se comparan estos datos con los fisiológicos que proporciona Delattre *(1965*, 88-90), puede comprobarse cómo el F_1 de [l-] en inglés es más bajo que el mismo F_1 de [-l], porque en posición inicial /l/ es una realización más cerrada que en posición final, en una proporción de uno a cinco. Al comparar las posiciones articulatorias de /l/ en inglés y en español, puede deducirse que la consonante inglesa es menos anterior y más retrofleja que la española: de ahí la mayor altura del F_2 de la lateral española.

En nuestro /l/ español, el F_1 aparece a una frecuencia más baja que el correspondiente de la vocal con la que forma sílaba, y se ve poco influido por ella. Es, por lo tanto, relativamente independiente de su vocal silábica. El F_2 es también relativamente independiente del de la vocal siguiente: en general, su frecuencia desciende desde /i/ hasta /u/, aunque con las vocales posteriores suele fluctuar; de todas formas, las diferencias entre las frecuencias más altas y las más bajas no son muy grandes.

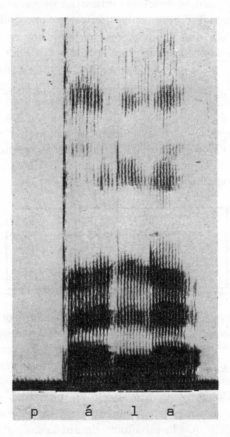

FIG. 10.1. *Realización de /l/ intervocálica en* Pala

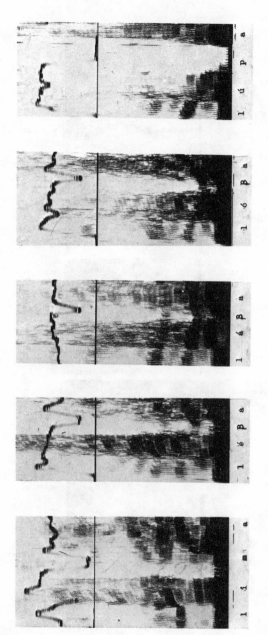

Fig. 102. *Sonogramas reducidos de /l-/ en posición inicial*

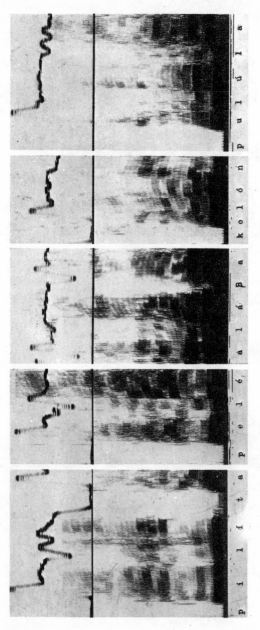

FIG. 10.3. *Sonogramas reducidos de /-l-/ en posición medial*

En los espectrogramas que reproducimos, puede verse el movimiento de los F_2 de /l/ que se dirigen siempre hacia un punto situado en el comienzo de la transición de su vocal silábica. Cuando /l/ se encuentra situada en posición intervocálica, presenta un movimiento que tiende a unir los F_2 de cada vocal. En nuestros documentos, no hemos observado relación alguna entre el grado de abertura o cierre de la vocal silábica y la situación pre o postnuclear de /l/.

El F_3 no aparece siempre. En general, parece que su posición es independiente con relación a la vocal silábica.

Las transiciones presentan los siguientes movimientos: T_1 siempre es negativa.

T_2 son negativas con /i, e/ y positivas con /o, u/; con /a/ hay fluctuación: predomina la transición positiva, pero hay casos de transición negativa y otros en los que no aparece transición.

El F_2 de /l/ aparece aproximadamente a la misma altura que el de /a/.

La intensidad de /l/ es menor que la de su vocal silábica.

10.2.1.2. *Líquida* /ʎ/.

El fonema /ʎ/, tanto en posición inicial como medial, presenta las siguientes características:

La duración media de las realizaciones de /ʎ/ es de 7,32 cs [4].

Las medias correspondientes de los tres primeros formantes aparecen en el siguiente cuadro:

	F_1		F_2		F_3	
	tónica	átona	tónica	átona	tónica	átona
[ʎ-]	288	290	2.069	2.025	2.766	2.541
[-ʎ-]	293	294	2.085	2.061	2.698	2.640
x̄	290	292	2.077	2.043	2.732	2.590

---

[4] [ʎ] presenta mayor duración en sílaba tónica que en átona. La duración mayor es la de [ʎ-] en sílaba tónica, y la menor, también en [ʎ-] en sílaba átona.

En el F_1 no existe prácticamente ninguna diferencia en la frecuencia, entre la posición tónica y la átona. Hay que señalar que su frecuencia es mucho más baja que la de los primeros formantes de las distintas realizaciones de /l/.

El F_2 mantiene una frecuencia más alta en sílaba tónica que en átona. Como contraposición a lo que ocurre con el F_1, en éste su frecuencia es mucho mayor que el correspondiente de /l/.

También el F_3 presenta mayor frecuencia en sílaba tónica que en átona, siendo así mismo esta frecuencia mayor que en [l].

El F_1 de /ʎ/, por lo general, está situado por debajo del F_1 de la vocal con la que forma núcleo silábico, y es independiente de éste; muchas veces se produce incluso un alvéolo entre ambos. La intensidad del F_1 de la lateral es también menor que el de la vocal.

El F_2 de /ʎ/ está situado siempre a mayor frecuencia que los homólogos de /a, o, u/, variando su situación con /i, e/. Este F_2 tiene poca fluctuación: entre las frecuencias más altas y las más bajas hay una diferencia media de 200 cps, lo que representa aproximadamente la mitad del valor de fluctuación del F_2 de /l/. Por otra parte, este F_2 anticipa el comienzo del F_2 de su vocal núcleo silábico.

Las transiciones del primer formante son siempre negativas.

Las T_2 son siempre positivas con /a, o, u/, predominando con /i, e/ también las de este signo.

La intensidad de /ʎ/ es siempre menor que la de su vocal núcleo silábico.

10.2.1.3. *Comparación entre* /l/ *y* /ʎ/.

Comparando los dos fonemas laterales, encontramos varios puntos de divergencia, de los que pensamos que unos no son diferenciadores y otros sí.

Entre los no diferenciadores, hemos de señalar:

1. La *duración* intrínseca de ambos fonemas: es mayor la de /ʎ/ (media de 7,32 cs, frente a 6,03 cs de /l/).

k a ʎ á r

FIG. 10.4. *Realización de* /ʎ/ *intervocálica en* Callar

2. El *límite superior* del F_1: 539 cps de media para /l/, frente a 508 cps de media para /ʎ/.

3. La *frecuencia* del F_1: 333 cps de media para /l/, frente a 291 cps para /ʎ/.

4. La *frecuencia* del F_3: 2.565 cps de media para /l/ y 2.661 cps para /ʎ/.

Estos índices reflejan que la palatal tiene una duración mayor, que su F_1 se encuentra a algunos ciclos por debajo, y que

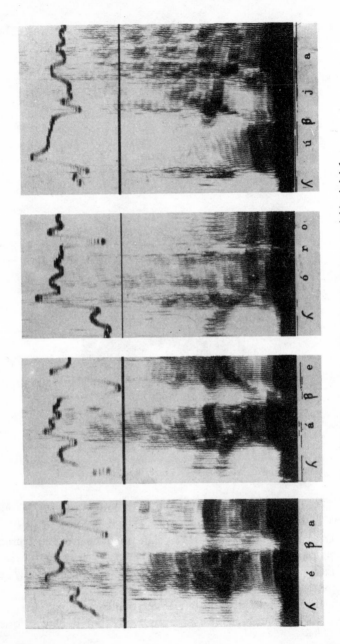

FIG. 10.5. *Sonogramas reducidos de /ʎ/ en posición inicial*

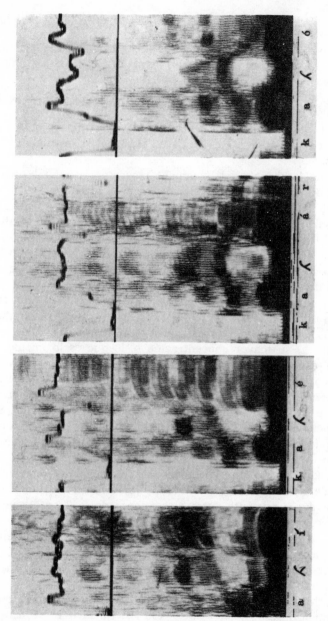

FIG. 10.6. *Sonogramas reducidos de /λ/ en posición medial*

su F_3, por el contrario, se encuentra algo más alto. Estos cuatro puntos no nos parecen decisivos para la distinción de ambas laterales.

Los índices diferenciadores son, a nuestro parecer, los siguientes:

1. La *duración de las transiciones*, cuya diferencia es casi el doble, a favor de /λ/: media de /l/, 1,86 cs; media de /λ/, 3,31 cs.

2. La *frecuencia* del F_2, mucho mayor en la palatal: media del F_2 de /l/, 1.555 cps; media del de /λ/, 2.060 cps.

Esta diferencia se hace patente en las cartas de formantes de las figuras 10.7 y 10.8. En la correspondiente a /l/ (realizaciones [-l-], en este caso), las distintas realizaciones de este fonema ocupan una posición central dentro del «triángulo vocálico» correspondiente, y, en general, su situación corre pareja con la de su vocal silábica. Sus realizaciones están situadas por término medio entre las ordenadas de los 1.350 cps y 1.816 cps, y las abscisas, de los 290 cps y los 376 cps. En la correspondiente a /λ/ (en la fig. corresponden también a [-λ-]) hay que señalar: *a*) su mayor concentración o, lo que es lo mismo, su menor campo de dispersión; *b*) su situación en el «triángulo vocálico» no es central, sino alto anterior: ocupa, como puede verse en la figura, una situación frecuencial media por encima de /i, e/, y con una anterioridad relativa semejante a /e/. Sus realizaciones están situadas por término medio entre las ordenadas de los 1.975 cps y los 2.275 cps, y entre las abscisas de los 267 cps y los 315 cps.

3. Otro punto diferenciador que creemos muy importante es el de las *transiciones del segundo formante*, T_2, y, junto a él, la *diferencia* existente entre el comienzo de la T_2 y el cuerpo de su correspondiente F_2:

T_2 de /l + i/ es siempre negativa, con una diferencia entre el comienzo de T_2 y el cuerpo de su F_2 de −303,59 Hz. T_2 de /λ + i/ aparece como negativa o sin transición. El valor medio que hemos encontrado es de −73 Hz.

T_2 de /l + e/ es siempre negativa, con una diferencia entre el comienzo de T_2 y su F_2 de −152 Hz. En /λ + e/, T_2 es pre-

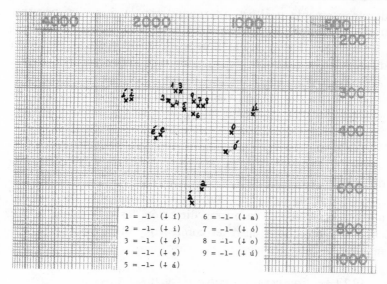

1 = -l- (+ í)   6 = -l- (+ a)
2 = -l- (+ i)   7 = -l- (+ ó)
3 = -l- (+ é)   8 = -l- (+ o)
4 = -l- (+ e)   9 = -l- (+ ú)
5 = -l- (+ á)

Fig. 10.7. *Carta de formantes de /-l-/*

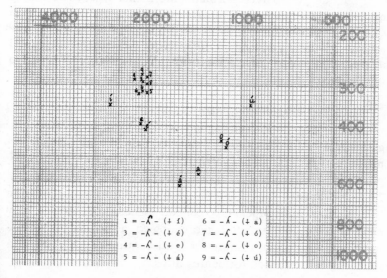

1 = -ʎ- (+ í)   6 = -ʎ- (+ a)
3 = -ʎ- (+ é)   7 = -ʎ- (+ ó)
4 = -ʎ- (+ e)   8 = -ʎ- (+ o)
5 = -ʎ- (+ á)   9 = -ʎ- (+ ú)

Fig. 10.8. *Carta de formantes de /-λ-/*

dominantemente positiva, alternando con la dirección negativa
o sin transición: la diferencia hallada es de + 62 Hz.

En T_2 de /l + a/ predomina la dirección positiva, siendo la
diferencia de + 135 Hz. En /λ + a/ es siempre positiva, siendo
la diferencia de + 458 Hz.

Las T_2 de /l + o/ son siempre positivas: la diferencia es de
+ 174 Hz. T_2 de /λ + o/ es siempre positiva, con una diferencia de + 501 Hz.

Las T_2 de /l + u/ son siempre positivas: la diferencia es de
+ 139 Hz. T_2 de /λ + u/ es siempre positiva, con una diferencia
de + 622 Hz.

Como puede deducirse, aunque las transiciones de /l/ y /λ/
a veces coinciden en la misma dirección, las diferencias de frecuencia que existen entre el comienzo y el cuerpo de su formante son muy grandes.

10.2.1.4. *Comparación entre /l/ y /n/.*

El F_1 de /l/ aparece normalmente a una frecuencia mayor
que el de /n/. Los F_2 y F_3 de /l/ aparecen a mayor frecuencia
que los de la consonante nasal. Los formantes de la lateral presentan una intensidad mucho mayor que los de /n/. La lateral
aparece con mayor riqueza de formantes a lo largo del espectro
que la nasal.

10.2.1.5. *Comparación entre /λ/ y /ĵ/.*

Al comparar la lateral linguopalatal [λ] con la fricativa, linguopalatal central sonora [ĵ] se nota que: 1.º El primer formante de [ĵ] tiene menos intensidad y está a menor frecuencia,
por lo que aparece con un carácter marcadamente consonántico.
2.º Normalmente, hay discontinuidad en los formantes altos de
[ĵ]; hay una interrupción, o, cuando menos, una pérdida muy
elevada de su intensidad; como es lógico, a medida que disminuye la constricción, disminuirá la discontinuidad o se elevará
la intensidad de estos formantes altos.

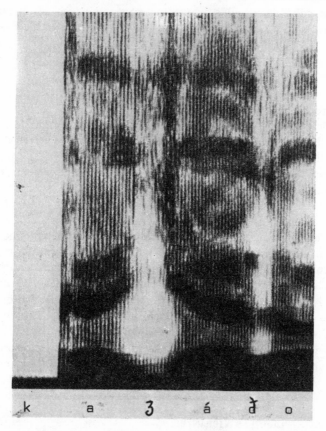

FIG. 10.9. *Sonograma de* Callado, *pronunciado por un bonaerense*

10.2.1.6. *Comparación entre* /ʎ/ *y* /ɲ/.

Al comparar /ʎ/ con /ɲ/ podemos observar que: 1.º El primer formante de la nasal palatal aparece casi a la misma frecuencia que el de la lateral. 2.º El F_2 de /ʎ/ (media 2.060 Hz) es más alto que el de /ɲ/ (media 1.630 Hz). 3.º El F_3 de /ʎ/ (media 2.661 Hz) aparece también a una frecuencia mayor que el de /ɲ/ (media 2.420 Hz). 4.º La intensidad de los formantes de la nasal es mucho menor que la de la lateral.

La velocidad de las transiciones es menor en las palatales central y nasal que en la lateral, sobre todo con las vocales [a, o, u].

10.2.1.7. *La fricativa* [ʒ].

Como es sabido, en algunas zonas del dominio hispánico, los dos fonemas /ʎ/ y /ǰ/ han perdido, por un proceso articulatorio de deslateralización, su propiedad distintiva, llegando a confluir las dos en la fricativa central [ǰ]. Las realizaciones de /ǰ/ se extienden, como en abanico, desde [ǰ] hasta [ǳ], como ya hemos visto. Pero entre esos dos extremos se encuentra la fricativa mal llamada «rehilada», [ʒ].

El trabajo de Bès *(1964)* puso por primera vez de manifiesto que el rehilamiento no es un fenómeno exclusivo del español, sino que es común a tantas fricativas sonoras del mismo tipo que existen en otras lenguas. Posteriormente, los importantes artículos de Barbón Rodríguez *(1975 y 1978)* demuestran la carencia de valor científico, tanto desde el punto de vista articulatorio como acústico del término «rehilamiento», ya que se trata de un «modo articulatorio común, igual y no diferente en lo esencial de cualquier fricativa sonora de su clase» *(1978, 212)*.

En la figura 10.9 damos una muestra de esta consonante, plenamente sonora. Obsérvese la turbulencia de la fricación y cómo ésta es más intensa en su parte final.

10.2.2. LÍQUIDAS VIBRANTES.

Las consonantes vibrantes se caracterizan por su cualidad de interruptas.

En la figura 10.10 aparecen los sonogramas de las secuencias *para*, [r], y *parra*, [r̄]. En la primera, se puede observar una interrupción muy breve entre las dos vocales [a], que corresponde a la rápida oclusión articulatoria del ápice de la lengua contra los alvéolos. En la secuencia de la vibrante múltiple, *parra*, aparecen tres interrupciones (señalada la primera por *o* en la figura), que corresponden a otras tantas oclusiones, y dos elementos vocálicos (señalado el primero por *e* en la figura), que corresponden a los momentos de abertura entre el ápice lingual y los alvéolos; estos últimos, cuya composición espectrográfica presenta características análogas a las de una vocal (existencia de zonas formánticas netamente caracterizadas), aparecen entre cada una de las oclusiones.

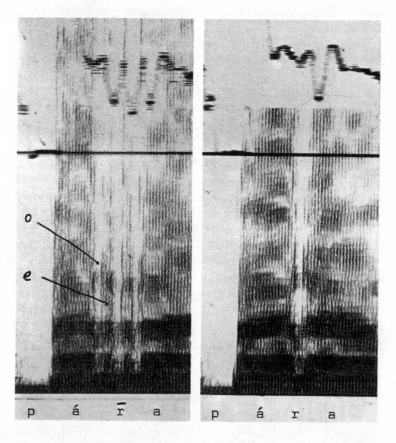

Fig. 10.10. *Realización de la vibrante múltiple,* parra, *y de la simple,* para

10.2.2.1. *Vibrante simple* [r].

La duración media del momento interrupto en la consonante vibrante simple es de 2 cs (en sílaba tónica, 2,2 cs; en sílaba átona, 1,86 cs).

Las transiciones de los formantes adyacentes a esta consonante son las siguientes: T_1 es negativa; T_2 es negativa con [i, e], positiva con [o, u]; con [a] la transición es muy pequeña, siendo unas veces positiva y otras negativa; T_3 con [a] es muy pequeña, bien negativa, bien positiva, y negativa con las demás vocales.

En la figura 10.11 se encuentran los espectrogramas reducidos de *París, céreo, caras* y *corona*. Se percibe claramente la interrupción de [r] y las transiciones de los formantes. Obsérvese, por ejemplo, cómo en [parís] T_2 es casi como una continuación del F_2 de [a], interrumpido por [r].

10.2.2.2. *Vibrante múltiple* [r̄].

La duración media total de esta consonante es de 8,51 cs (sílaba tónica, 8,25 cs; sílaba átona, 8,77 cs) y la de sus transiciones de 2,13 cs (sílaba tónica, 2,3 cs; átona, 1,94 cs).

La media de interrupciones que aparece en cada vibrante múltiple es de tres, siendo su duración media de 1,5 cs (en sílaba tónica, 1,47 cs; en sílaba átona, 1,55 cs).

La media de elementos vocálicos es de dos, siendo el valor medio de su duración de 1,8 cs (en sílaba tónica, 1,7 cs, y en átona, 1,9 cs).

Las frecuencias medias para los dos primeros formantes de /r̄/ (F_1 r̄ y F_2 r̄), con cada una de nuestras cinco vocales, son las siguientes:

F_1 r̄	F_2 r̄	F_1 vocal	F_2 vocal	
368	1.246	359	2.020	*i*
468	1.178	488	1.739	*e*
557	1.193	637	1.303	*a*
408	1.062	467	1.097	*o*
332	948	381	980	*u*

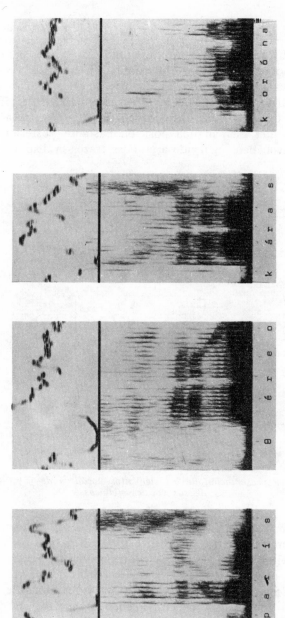

FIG. 10.11. *Sonogramas de* [r] *en* París, Céreo, Caras, Corona

En la figura 10.12 se han representado los valores del cuadro anterior sobre una carta de formantes. En la figura, los números indican la situación de [r̄], con cada una de las vocales con las que forma sílaba; es decir, 1 representa la [r̄] de [r̄i], etc. Como puede observarse, las coordenadas de /r̄/ con cada una de las vocales ocupan una posición bastante posterior en el triángulo vocálico, siguiendo a grandes trazos la disposición vocálica.

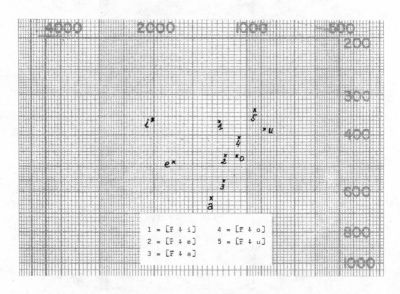

FIG. 10.12. *Representación de los elementos vocálicos de [r̄] (números) y de sus vocales silábicas*

Las transiciones en esta vibrante múltiple son las siguientes: T_1 es siempre negativa. T_2 es negativa con [i, e, a] y positiva con [o, u]. T_3 con [a] es muy pequeña, y suele ser bien positiva, bien negativa; es negativa con todas las demás vocales.

En la figura 10.13 se encuentran los sonogramas de [r̄] en diferentes contornos vocálicos. Pueden observarse las dos [r̄] de *correr*, la [-r] de *horror*, y la casi continuación de los se-

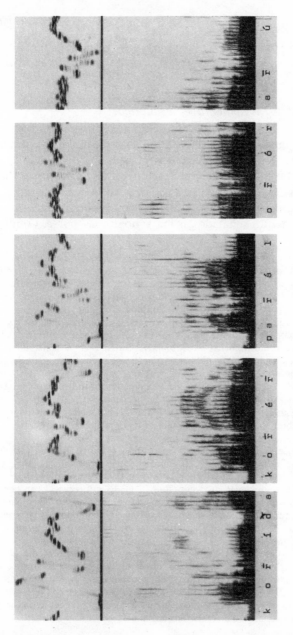

FIG. 10.13. *Sonogramas de* [r̄] *en* Corrida, Correr, Parral, Horror *y* Arru[llo]

gundos formantes de [r̄] entre los correspondientes formantes de las vocales contiguas (p. ej., en *corrida, correr* y *arru*, de «arrullo»).

10.2.2.3. *El elemento esvarabático.*

En español, los grupos tautosilábicos formados por fonema oclusivo más vibrante o fricativo labiodental más vibrante, situados en posición silábica prenuclear —/pr, br, tr, dr, kr, gr, fr/—, desarrollan en su realización un elemento esvarabático [5]. La figura 10.14 muestra cuatro secuencias (*prado, trece, fresa* y *droga*) en las que aparece muy claramente el mencionado elemento, señalado en los sonogramas por *e*. Como puede

---

[5] La presencia del elemento vocálico parásito en estos grupos fue señalada por primera vez por Rodolfo Lenz en sus «Chilenische Studien» publicados en la revista *Phonetische Studien*, tomos V (1892, págs. 272-293) y VI (1893, págs. 18-34), describiéndolo del siguiente modo: «yo he oído a españoles y peruanos, y a menudo también a chilenos cultos, pronunciarla (la *r*) con sonoridad muy completa, como en *arte, trabajar, cuerpo*, donde entre el golpe de lengua de la *r* y las consonantes vecinas puede percibirse un perfecto sonido glótico *(svarabhakti)*. Entre vocal y consonante sonora o en posición final, este elemento vocálico es en Santiago muy común, especialmente en la pronunciación culta».

(La traducción española de los «Chilenische Studien» fue recogida en la *Biblioteca de Dialectología Hispanoamericana*, VI, 1940, págs. 87-258, bajo el título *Estudios Chilenos*. Nuestra cita corresponde a las págs. 103-104. Véase también en el mismo volumen el trabajo de Amado Alonso, *Rodolfo Lenz y la Dialectología Hispanoamericana*, págs. 271-278.)

Más tarde se ocupa del mismo problema Navarro Tomás *(1918*, 385-386), refiriéndose a la presencia del elemento esvarabático y a su duración: «la vibración de la *r* en interior de sílaba *(prado, tropa, brazo*, etc.) tiene aproximadamente igual duración que la de la *r* intervocálica; pero dicha vibración no sigue inmediatamente a la explosión de la consonante anterior, sino que entre una y otra se produce generalmente un pequeño elemento vocálico, cuya duración iguala con frecuencia y aun a veces supera a la de la misma *r*».

Para Gili Gaya *(1921)*, «la duración de este sonido intermedio alcanza en la mayoría de nuestros casos una duración superior a la misma *r*».

Bertil Malmberg («Los grupos de consonantes en español», en Malmberg, *1965*, 29-49) estudia el fenómeno más extensamente, deduciendo de él toda una serie de consecuencias para la historia del español y para ciertas formaciones dialectales sincrónicas.

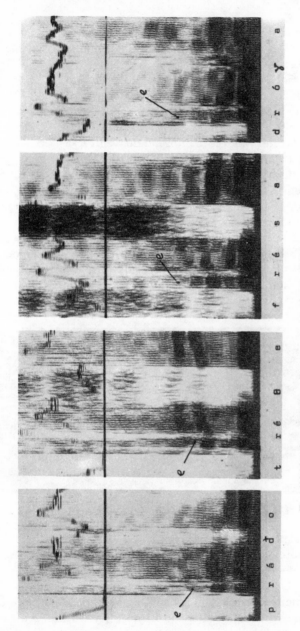

FIG. 10.14. *Sonogramas de secuencias tautosilábicas «consonante + r», en las que aparece el elemento esvarabático*

observarse, su duración es considerable, dándose, además, la presencia en él de formantes.

Las características de este elemento esvarabático, en los grupos consonánticos mencionados, son, según Quilis *(1970,* e investigaciones en curso), las siguientes:

1. La duración del elemento vocálico es muy variable: hemos encontrado valores comprendidos entre las 0,8 cs hasta las 5,6 cs. La media de su duración es de 2,9 cs.

2. La duración de la oclusión de la consonante vibrante se extiende entre 1,6 cs y 3,6 cs. /r/ se realiza siempre con una sola oclusión, cuando no es fricativa, lo que no es muy frecuente. Su duración media es de 2 cs.

3. Este elemento esvarabático posee una estructura acústica muy semejante a la de una vocal: conformación de formantes a lo largo de su espectro. Estos formantes están mejor marcados cuanto mayor es su duración y su intensidad. Normalmente, la intensidad es menor que la de la vocal siguiente.

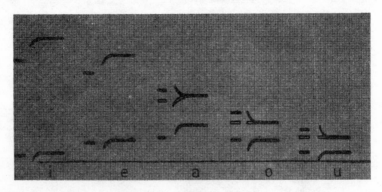

FIG. 10.15. *Esquema de los dos primeros formantes del elemento esvarabático con las vocales* [i, e, a, o, u]

Constantemente, aparecen los dos primeros formantes, estando los demás bastante debilitados. Otras veces aparecen más formantes en las frecuencias altas del espectro.

El primer formante del elemento esvarabático aparece a igual o a mayor frecuencia que el de F_1 de [i] y a igual o a menor frecuencia que el de [e]. Con la vocal [a], suele estar situado por debajo del comienzo de la transición del F_1 de [a]; con [o, u] suele aparecer a igual o menor nivel que el de su F_1.

El segundo formante de este elemento esvarabático aparece normalmente a un nivel más alto que el F_2 de las vocales posteriores [u, o], o cuanto más a la misma frecuencia del comienzo de la transición de su segundo formante; con la vocal [a] aparece a la frecuencia del comienzo de la transición de su segundo formante. Con las vocales anteriores [i, e], está situado siempre a una frecuencia más baja que el comienzo de la transición de su segundo formante.

Los valores medios obtenidos para los dos primeros formantes del elemento esvarabático, con cada una de nuestras cinco vocales aparecen en el siguiente cuadro:

[ə]		Vocal		
F_1	F_2	F_1	F_2	
348	1.745	318	2.360	*i*
388	1.645	414	2.011	*e*
469	1.482	642	1.486	*a*
396	1.213	445	1.114	*o*
340	1.111	343	988	*u*

Como puede observarse en la figura 10.16, donde se han llevado sobre una carta de formantes los valores del cuadro anterior, la situación del elemento esvarabático sigue muy de cerca la disposición triangular de su vocal núcleo silábico.

4. Las vocales que aparecen después de la oclusión muestran las siguientes transiciones en su segundo formante: con las vocales anteriores [i, e] siempre es negativa; con [a] es positiva unas veces y negativa otras, para una misma consonante, y a veces, un mismo informante; con las vocales posteriores es positiva la mayoría de las veces (en algunos casos no aparece transición).

   Resumiendo, podemos concluir diciendo que: *a*) la situación
de los formantes del elemento esvarabático sigue a la de los
formantes de las vocales que forman el núcleo silábico; y
b) como consecuencia, su configuración se adecúa al núcleo silábico. (En la fig. 10.13 damos el esquema del elemento esvarabático con cada uno de nuestros cinco fonemas vocálicos.)

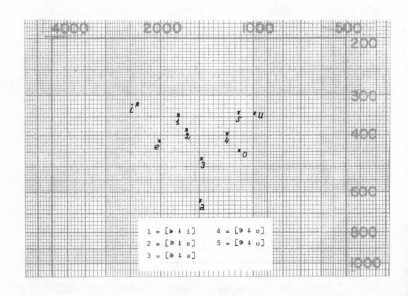

FIG. 10.16. *Representación de los elementos esvarabáticos (números) y de
sus vocales silábicas*

   Dada la naturaleza de este elemento, no es de extrañar que
cuando se desarrolla y se constituye como vocal plena, formando un nuevo núcleo silábico, sea de la misma naturaleza que
el núcleo silábico al que pertenecía; es decir, que *pra* > *para*,
bro > *boro*, etc.; por ejemplo, *tiguere* (< *tigre*), *tarabilla* (< *tra-
billa*), *corónica* (< *crónica*), *gurupa* (< *grupa*), *chácara* (< *cha-
cra*), etc.

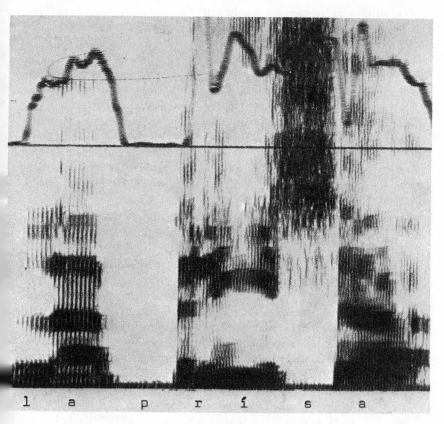

FIG. 10.17. *Sonograma de la secuencia* La prisa

10.2.2.4. [r̃].

En algunas zonas del dominio hispánico, tanto peninsulares como americanas [6], el fonema /r̄/ se ha asibilado [7]. El estudio

[6] Para la repartición geográfica del fenómeno, pueden verse los trabajos de Amado Alonso: «De geografía fonética», en su libro *Estudios lingüísticos. Temas hispanoamericanos*, Madrid, Gredos, 1953, 151-195; Daniel N. Cárdenas: «The Geographic Distribution of the Assibilated R, RR in Spanish America», *Orbis*, VII, 1958, 407-414; Antonio Llorente Maldonado

acústico del fenómeno, realizado por Quilis y Carril *(1971)*, muestra que esta realización asibilada presenta las siguientes características:

a) Es continua, en contraste con [r̄], que es interrupta.

b) Normalmente es sonora. En los análisis citados más arriba, sólo el 12,5 % de los casos presentaba ensordecimiento, y de ellos, el 25 %, en contacto con consonante sorda.

c) En los casos de sonoridad, el F_1 presenta una altura similar a la de las consonantes líquidas.

d) Esta realización asibilada posee normalmente un F_2, cuya situación frecuencial es mayor que la de [r̄]. Su altura media es la siguiente: con /i/, 1.650 Hz; con /e/, 1.601 Hz; con /a/, 1.621 Hz; con /o/, 1.354 Hz, y con /u/, 1.303 Hz; es decir, está situado por debajo del F_2 de /i, e/, por encima del F_2 de /o, u/ y, con pequeñas variaciones, aproximadamente al mismo nivel del F_2 de /a/.

En el 50 % de los casos estudiados, este F_2 ha presentado una total armonicidad, siendo, lógicamente, inarmónicos el resto de los F_2. Esta característica repercute en que cuando es armónico, su frecuencia es más baja que cuando es inarmónico, y también lo es el comienzo de su fricación. En ese aumento de frecuencia en el caso de la inarmonicidad nos parece ver un reflejo de tendencias hacia un mayor carácter sibilante.

e) La realización asibilada, como puede verse en la figura 10.18, se caracteriza eminentemente por poseer una fricación turbulenta que ocupa la mitad superior de su espectro. El comienzo de la fricación se realiza por encima del F_2 de [r̄] y es más alto con /i, e, a/ que con /o, u/. El descenso en contacto con estas últimas se debe al efecto de la labialización. Con las vocales anteriores y central mantiene aproximadamente la misma altura, y lo mismo ocurre con las posteriores; ello nos in-

de Guevara: «Algunas características lingüísticas de La Rioja en el marco de las hablas del Valle del Ebro y de las comarcas vecinas de Castilla y Vasconia», *RFE*, XLVIII, 1965, 321-350.

[7] Para las causas fisiológicas que pueden motivar este cambio, véase el artículo de George Straka: «L'histoire de la consonne *r* en français», *Neuphilologische Mitteilungen*, 1965, 572-606.

dica que su lugar de articulación permanece estable cualquiera que sea el contorno vocálico en que se encuentra situado.

f) Las transiciones del F_2 son las siguientes: con /i, e/, fuertemente negativas; con /a/ presenta bastantes variaciones: tanto puede ser positiva, negativa, como no tener transición, sin que se perciba relación entre estos valores y la posición del F_2 de [řˇ] respecto al F_2 de [a]. Por otro lado, estas transiciones

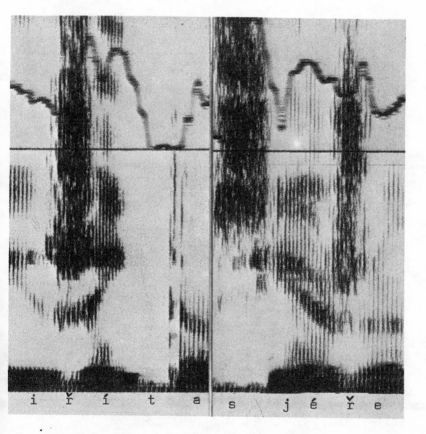

Fig. 10.18. *Realizaciones asibiladas de la vibrante múltiple en* Irrita y Cierre

no son muy pronunciadas; con /o/, los valores más generales
son positivos, ya que, por regla general, el F_2 de [ř] está por
encima de su segundo formante. Cuando éste está por debajo,
la transición es negativa, y cuando está al mismo nivel, no aparece; como en este caso, las transiciones varían con /u/ según
la posición del F_2 de [ř]: cuando está por encima son positivas,
negativas cuando está por debajo, y horizontales si se encuentra al mismo nivel.

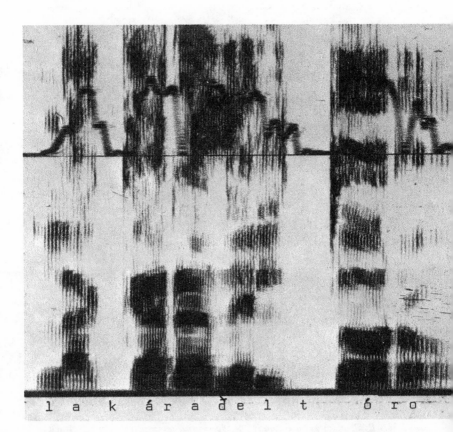

FIG. 10.19. *Sonograma de la secuencia* La cara del toro

La realización mencionada que nos ocupa se distingue de [s] fundamentalmente: por la distinta altura en el comienzo de la fricación (mayor en [s]) y por la mayor altura frecuencial que alcanza el espectro de [s]; por la concentración de energía, que se produce a una frecuencia más baja en [řّ]; porque la

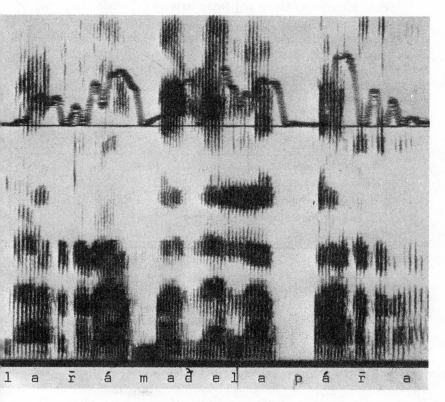

Fig. 10.20. *Sonograma de la secuencia* La rama de la parra

anchura de la mayor concentración de energía es menor en [řّ] que en [s]; porque el carácter de la fricación es más estridente en [s]; por las transiciones del F_2, particularmente con /i, e, a/;

por la mayor intensidad de [s], y, sobre todo, en las [ř] sonoras, por la presencia del primer formante.

Se distingue de [ʒ]: por la frecuencia diferente del comienzo de la fricación, mayor en [ʒ]; su espectro fricativo alcanza
valores más altos que el de [ř] (aunque más bajos que [s]);
la zona en que se concentra la energía ocupa en [ʒ] una posición intermedia entre [ř] (más baja) y [s] (más alta); por las
transiciones del F_2, que son positivas para [ʒ] con todas las
vocales, aumentando este carácter desde la zona anterior a la
posterior [8].

10.3. CLASIFICACIÓN ACÚSTICA DE
LAS CONSONANTES LÍQUIDAS

Rasgos	*l*	λ	*r*	*r̄*
Vocálico-No vocálico	+	+	+	+
Consonántico-No consonántico	+	+	+	+
Continuo-Interrupto	+	+	—	—
Interrupto simple-Interrupto múltiple ...			+	—
Compacto-Difuso ... ..., ...	—	+		

---

[8] Puede verse, además, la siguiente bibliografía: Hála *(1965)*, Isačenko
(1965), Lisker *(1957 a)*, Lehiste *(1964 c)*.

XI

LA SÍLABA

La sílaba ha sido uno de los grandes problemas que desde siempre ha estado presente en la fonética y en la fonología. Las obras de Bohuslav Hála *(1966)* y de Alexandru Rosetti *(1963)* muestran claramente toda la complejidad de la cuestión y aportan soluciones más o menos satisfactorias sobre la naturaleza de la sílaba.

Pero la verdadera solución al problema de la división silábica la proporcionará la fonética acústica y, más concretamente, la síntesis del sonido.

Bertil Malmberg estudió los límites silábicos en *(1955)*, basándose en las transiciones de los formantes vocálicos. Por medio de la síntesis pudo ver cómo una consonante explosiva entre dos vocales se percibía formando sílaba con la vocal que poseyese las transiciones.

En la figura 11.1 aparece el esquema de dos vocales sintetizadas [a] con la consonante explosiva [g] entre ellas formando la secuencia [aga]. Esta [g] se percibirá formando sílaba con la segunda vocal, [a ga], cuando la primera [a] aparezca con sus formantes en posición horizontal, y la segunda [a] posea las transiciones de las velares, como muestra la parte superior de la figura 11.1. Por el contrario, se percibirá formando sílaba con la primera vocal [ag a] cuando ésta posea las transiciones propias de [g] y la segunda vocal tenga sus formantes sin transición, como muestra la parte inferior de la mencionada figura.

La experiencia no ha resuelto todo el problema, pero sí ha marcado una línea de investigación; como dice el mismo autor *(1956 a)* «No pretendo haber resuelto con estas experiencias el problema silábico. Pero pretendo haber sido el primero en encontrar un rasgo físico susceptible de ser interpretado por el oído como una diferencia de límite silábico. Probablemente hay otros. Utilizando los métodos sintéticos será posible cualquier día encontrarlos y definirlos en términos acústicos, primero, y, después, también en términos articulatorios».

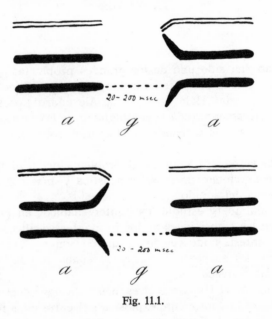

Fig. 11.1.

Según puede verse en la figura 7.7, en las que aparecen las secuencias heterosilábicas [-pt-] y [-kt-], son las diferentes transiciones de las vocales silábicas las responsables del reconocimiento de cada una de las dos consonantes. En el caso de [ápta] *apta,* [á] muestra T_1 y T_2 negativas, mientras que la T_2 de [ta] es positiva. En [ákta], T_2 de [á] es más positiva que la T_2 de [ta].

El recuento estadístico de Rafael Guerra *(1981)* sobre la estructura de la sílaba española arroja los siguientes datos:

Estructura silábica	Frecuencia relativa
1. cv	52,62
2. cvc	19
3. v	9,57
4. vc	8,34
5. cvv	3,17
6. ccv	3,06

El resto son estructuras silábicas escasísimas [1].

---

[1] Para la duración de la sílaba en español, véase Kimbrough Oller *(1979)*.

XII

EL ACENTO

12.1. Características generales

El acento es un rasgo prosódico que permite poner de relieve una unidad lingüística superior al fonema (sílaba, morfema, palabra, sintagma, frase; o un fonema, cuando funciona como unidad de nivel superior) para diferenciarla de otras unidades lingüísticas del mismo nivel. Por lo tanto, el acento se manifiesta como un contraste entre unidades acentuadas y unidades inacentuadas.

12.2. Tipología acentual

Algunas lenguas se caracterizan por la posición fija del acento en la palabra: son las lenguas de *acento fijo;* por ejemplo, en francés o en turco, el acento recae siempre sobre la última sílaba; en finés y en checo se sitúa en la primera sílaba; en polaco, sobre la penúltima, etc.

En otras lenguas, el acento puede ocupar distintas posiciones (dos o tres) dentro de la palabra: son las lenguas de *acento libre;* por ejemplo, el inglés, el italiano, el español, etc.

Cuando la posición del acento depende de cualquier otra característica fonológica de la palabra, nos hallamos ante un *acento condicionado.* Por ejemplo, el acento latino, condicionado a la cantidad de la penúltima sílaba: es decir, se sitúa sobre la penúltima sílaba, salvo si ésta es breve, en cuyo caso se sitúa sobre la antepenúltima.

12.3. Función del acento

El acento desempeña diversas funciones:

a) La *función contrastiva*, que se ejerce en el eje sintagmático, es decir, entre las secuencias de unidades, al poner de relieve las sílabas acentuadas frente a las no acentuadas. Esta función aparece tanto en las lenguas de acento fijo, como en las lenguas de acento libre.

b) La *función distintiva* se ejerce en el eje paradigmático, en las lenguas de acento libre. Su cambio de situación sirve para distinguir dos unidades de significado diferente. Por ejemplo, en inglés, *content* con acento en la primera sílaba es un sustantivo: *cóntent* 'contenido', mientras que con el acento sobre la segunda sílaba es un adjetivo: *contént* 'contento'; lo mismo ocurre con *import; ímport* 'importación', frente a *impórt* 'importar', etc. En italiano, *áncora* 'ancla'/*ancóra* 'todavía'; *débito* 'deuda'/*debíto* 'debido'; *cápito* 'llego'/*capíto* 'comprendido'/ *capitó* 'llegó'. En español, *paso/pasó; término/termino/terminó.* En portugués, *sábia* 'erudita'/*sabia* 'él sabía'/ *sabiá* 'nombre de un pájaro'; *amara/amará,* etc.

c) La *función demarcativa*, en las lenguas de acento fijo, señala los límites de las diversas unidades en una secuencia: puede indicar el final de una palabra, como en francés o en turco; el principio, como en checo; u ocupar una posición fija con relación al principio y al final de la palabra, como en polaco.

d) La *función culminativa*, en las lenguas de acento libre o combinado, señala la presencia de una unidad acentual, sin indicar exactamente los límites.

12.4. Clases de acentos

Tradicionalmente se consideraba que el relieve dado a una sílaba por medio del acento se debía a la mayor fuerza con que eran pronunciadas las sílabas acentuadas. Esta fuerza era una manifestación de la energía articulatoria, de la espiración, de la amplitud vibratoria de las cuerdas vocales, de la tensión de los músculos de la lengua o de los labios, etc. De ahí que este tipo de acento recibiese los nombres de _acento de energía, acento de intensidad, acento de fuerza, acento dinámico, acento espiratorio._

Frente a él se encontraba el _acento musical_ o _acento melódico,_ que dependía de las variaciones melódicas o variaciones de la frecuencia del fundamental. Dentro de este acento musical se encuadraban tanto los fenómenos de entonación, como los que se utilizan para distinguir las palabras en las lenguas tonales.

Además, también se hablaba de _acento cuantitativo,_ fundamentado en la duración de cada unidad.

Los procedimientos instrumentales hoy existentes han puesto de relieve que en la emisión y percepción del acento intervienen tanto los factores fisiológicos enumerados más arriba como la frecuencia del fundamental o la duración, por ello no se utilizan ya las denominaciones de acento de energía, de intensidad, etc., sino que sólo hablamos de _acento._

Por otra parte, también ha caído en desuso el término _acento musical,_ prefiriendo hablar de _entonación_ cuando el rasgo tonal, como manifestación de la frecuencia fundamental, desempeña una función lingüística al nivel de la oración; o de _tono,_ cuando ese mismo rasgo tonal desempeña una función lingüística al nivel de la palabra (lenguas tonales).

12.5. CLASIFICACIÓN DE LAS PALABRAS POR LA POSICIÓN DEL ACENTO

Según el lugar que ocupa la sílaba acentuada en el interior de una palabra, se puede realizar la siguiente clasificación:

1.º _Oxítona_ (o _aguda),_ cuando la sílaba acentuada ocupa el último lugar en la palabra: /mamá/ _mamá,_ /papél/ _papel._ Inglés, /impórt/ 'importar'. Italiano, /kapitanó/ 'él mandó'.

2.º *Paroxítona* (o *llana*), cuando la sílaba acentuada ocupa el penúltimo lugar en la palabra: /febréro/ *febrero*, /amerikáno/ *americano.* Inglés, /ímport/ 'importación'. Italiano, /kapitáno/ 'capitán'.

En español, los vocablos paroxítonos son los más frecuentes; de ahí que la ortografía no los distinga con ningún signo diacrítico, salvo en determinados casos.

3.º *Proparoxítona* (o *esdrújula*), cuando la sílaba acentuada ocupa el antepenúltimo lugar en la palabra: /mekániko/ *mecánico*, /teléfono/ *teléfono*, /linguístika/ *lingüística.* Italiano, /kapítano/ 'ellos llegan por casualidad'.

4.º En español, en formas compuestas, la sílaba acentuada puede adelantarse aún a la sílaba antepenúltima, en cuyo caso recibe la denominación de *superproparoxítona* (o *sobresdrújula*): /kómetelo/ *cómetelo*, /ábremelo/ *ábremelo*, /r̄epíteselo/ *repíteselo.*

Esquemas:

oxítona	— — — _́_
paroxítona	— — _́_ —
proparoxítona	— _́_ — —
superproparoxítona	_́_ — — —

12.6. EL ACENTO ESPAÑOL

El acento desempeña en la lengua española las funciones distintiva, contrastiva y culminativa.

Por ser una lengua de acento libre, la función distintiva compensa con creces la relativa pobreza del sistema fonológico español. Veamos algunos ejemplos:

_́_ — —	— _́_ —	— — _́_
término	termino	terminó
célebre	celebre	celebré
límite	limité	limite
depósito	deposito	depositó

´ —	— ´
libro	libró
llamo	llamó
peso	pesó
fíe	fié

12.7. Palabras acentuadas y palabras inacentuadas en español

Es evidente que toda palabra aislada, sacada fuera del contexto en que se halla, presenta una sílaba con una determinada carga acentual; pero las cosas cambian cuando esa misma palabra se encuentra situada en el decurso de la cadena hablada. En la frase se percibe claramente la presencia de sílabas tónicas en unas palabras determinadas y su ausencia en otras.

En español, una palabra no tiene nada más que una sílaba acentuada llamada *acentuada* o *tónica,* por contraposición a todas las demás, que carecen de esa energía articulatoria, y que son *inacentuadas* o *átonas.*

En condiciones normales, tan sólo un grupo de palabras, los llamados adverbios en *-mente,* poseen dos sílabas tónicas: /miserábleménte/ *miserablemente,* /sólaménte/ *solamente,* etc.

Según Quilis *(1978),* la diferencia existente en la lengua hablada entre palabras acentuadas e inacentuadas es la siguiente: palabras acentuadas, 63,44 %; inacentuadas, 36,56 %.

12.7.1. Palabras acentuadas.

Las palabras que en español siempre llevan una sílaba acentuada son:

1) *El sustantivo:* /el gáto/ *el* gato, /la mésa/ *la* mesa.

2) *El adjetivo:* /el gáto négro/ *el gato* negro, /la kása grís/ *la casa* gris, /la tríste biúda/ *la* triste *viuda,* etc.

3) *El pronombre tónico,* que funciona como sujeto o complemento con preposición: /tú sábes póko/ tú *sabes poco,* /él i

nosótros xugarémos/ él y nosotros *jugaremos,* /para mí i para tí/ *para* mí y *para* ti, etc.

4) *Los indefinidos,* adjetivos o pronombres, apocopados o no: /algúN óNbre/ algún *hombre,* /biéne algúno/ *viene* alguno, /niNgúN ótro káso/ ningún otro *caso,* /álgo fatigádo/ algo *fatigado,* etc.

5) *Los pronombres posesivos:* /la kúlpa és mía/ *la culpa es* mía, /éste lápiθ és tújo/ *este lápiz es* tuyo, /el gáto nó és buéstro és nuéstro/ *el gato no es* vuestro, *es* nuestro.

6) *Los demostrativos,* tanto pronombres como adjetivos: /kiéro éste líbro/ *quiero* este *libro,* /prefiéro akél/ *prefiero* aquél.

7) *Los numerales,* tanto cardinales como ordinales: /dós kásas/ dos *casas,* /míl kásas/ mil *casas,* /biéne el priméro/ *viene el* primero. Sin embargo, en un compuesto numeral, el primer elemento no se acentúa: /dos míl kásas/ dos *mil casas,* /kuareNta i séis gátos/ cuarenta y *seis gatos.*

8) *El verbo,* aunque sea auxiliar: /el gáto kóme/ *el gato* come, /se kásaN ói/ *se* casan *hoy,* /el páxaro és négro/ *el pájaro es* negro, /pépe á komído/ *Pepe* ha comido.

9) *El adverbio:* /kóme póko/ *come* poco, /xuéga mál/ *juega* mal. (Véase más adelante el § 12.7.2.10 de las palabras inacentuadas.)

10) Las formas interrogativas *qué, cuál, quién, dónde, cuándo, cuánto, cómo:* /ké kiéres/ ¿qué *quieres?,* /kómo bá la vída/ ¿cómo *va la vida?*

12.7.2. PALABRAS INACENTUADAS.

Las palabras que en español no llevan acento son:

1) *El artículo determinado:* /el álma/ el *alma,* /la kása/ la *casa,* /los músikos/ los *músicos.* Sin embargo, el artículo indeterminado se acentúa: /úN sáko/ un *saco,* /únas pésas/ unas *pesas.*

2) *La preposición:* /bíno desde málaga/ *vino* desde *Málaga,* /trabáxa para koméR/ *trabaja* para *comer.* (Se exceptúa *según,* que, tanto preposición como adverbio, es tónica: como prepo-

sición: /segúN lo estableθído/ según *lo establecido*, /segúN él estói biéN/ según *él estoy bien;* como adverbio: /segúN me díθes bíno mál/ según *me dices, vino mal.)*

3) *La conjunción.* En la conjunción hay que tener en cuenta que son átonas:

a) Las copulativas *y, e, ni:* /nó bí ni el konéxo ni la liébre/ *no vi ni el conejo ni la liebre,* /xosé i pédro/ *José* y *Pedro.*

b) Las disyuntivas *o, u:* /o biénes o me bói/ o *vienes* o *me voy.*

c) La polivalente *que,* copulativa: /ábla ke ábla/ *habla* que *habla;* disyuntiva: /ke kiéra ke nó kiéra á de leéR/ que *quiera* que *no quiera ha de leer;* determinativa: /ke lo páses biéN/ que *lo pases bien;* final: /béN ke te diga úna kósa/ *ven* que *te diga una cosa,* etc.

d) Las adversativas *pero, sino, mas, aunque* (ya sea adversativa, ya concesiva): /ábla pero mál/ *habla,* pero *mal.*

e) Las causales *pues, porque, como, pues que, puesto que, supuesto que:* /puesto ke nó kiéres kédate/ puesto que *no quieres quédate.*

f) Las consecutivas *pues, luego, conque:* /ás deskaNsádo biéN koNke aóra a trabaxáR/ *has descansado bien* conque *ahora, a trabajar.*

g) Las condicionales *si, cuando:* /si kiéres bói/ si *quieres voy,* /kuaNdo lo díθe será beRdáD/ cuando *lo dice, será verdad.*

h) Las concesivas *aunque, aun cuando:* /auN kuaNdo kiéra nó puéde beníR/ aun cuando *quiera, no puede venir.*

Son conjunciones tónicas:

a) Las disyuntivas *ora, ya, bien:* /óra xuéga óra lée/ ora *juega ora lee.*

b) La consecutiva *así:* /nó mentiría así le matáraN/ *no mentiría* así *le mataran.*

c) La temporal *apenas:* /apénas se lábe sále/ apenas *se lave, sale.*

d) Las compuestas, adversativas: *no obstante, con todo, fuera de;* consecutivas: *en efecto, por tanto, por consiguiente, así que;* temporales: *aún no, no bien, ya que, luego que, después que, en tanto que* (es átono *en cuanto* o su forma menos culta *en cuanto que:* /eN kuaNto la siNtió/ en cuanto *la sintió);* las condicionales: *a no ser que, dado que, con tal que;* las concesivas: *por más que, a pesar de que, mal que, ya que,* etc.

4) *Los términos de tratamiento:* /doN xosé/ don *José,* /doɲa maría/ doña *María,* /frai pédro/ fray *Pedro,* /saNto tomás/ santo *Tomás.*

5) El primer elemento de los compuestos: /maria xosé/ María *José,* /dos míl/ dos *mil,* y de las palabras compuestas en las que aún se sienten sus componentes: /tragalúθ/ tra*galuz,* /bokamáNga/ boca*manga.*

6) *Los pronombres átonos* que funcionan como complemento y el reflexivo *se:* /se lo díxe sériaméNte/ se lo *dije seriamente,* /os bímos ói/ os *vimos hoy.*

7) *Los adjetivos posesivos,* apocopados o no: /mi pádre i mi mádre/ mi *padre* y mi *madre,* /nuestra kása/ nuestra *casa,* /tus dós gátos/ tus *dos gatos,* /buestros íxos/ vuestros *hijos.* Compárese entre /nuestros gátos/ y /los gátos nuéstros/. En Asturias, León y Castilla la Vieja se acentúan estos posesivos.

8) Las formas *que, cual, quien, donde, cuando, cuanto, como,* cuando no funcionan como interrogativas ni exclamativas: /lo dexé komo lo bí/ *lo dejé* como *lo vi,* /bíno kuaNdo salía/ *vino* cuando *salía.*

Obsérvese en los siguientes ejemplos la diferencia acentual existente entre estas formas, según funcionen como interrogativas o no:

¿Cuándo lo viste?	——	*Cuando jugaba*
¿Dónde estaba?	——	*Donde siempre*
¿Qué pasa?	——	*Que la gente discute*
¿Cómo se encuentra?	——	*Como ya sabes*
¿Quién grita?	——	*Quien quiere*
¿Cuánto quiere?	——	*Cuanto pueda*

Cual no se acentúa cuando ejerce una función modal: *le puso cual digan dueñas.*

9) En los vocativos y expresiones exclamativas cortas de cariño o reproche son inacentuados los elementos que acompañan

al núcleo. Compárese entre: /nó puédo bueN óNbre/ *no puedo,* buen *hombre,* /nó és úN buéN óNbre/ *no es un buen hombre,* /béN aquí graN píkaro/ *ven aquí,* gran *pícaro,* /éres úN gráN píkaro/ *eres un* gran *pícaro.* Usadas como tratamiento, en formas vocativas, pierden su acentuación palabras como *señor, señora, señorito, -a, hermano,* etc. Compárese entre: /adiós | seɲoR péreθ/ *adiós,* señor *Pérez,* /biéne el seɲóR péreθ/ *viene el* señor *Pérez,* /perdóne | eRmano xuáN/ *perdone,* hermano *Juan,* /peRdóno al eRmáno xuáN/ *perdono al* hermano *Juan.*

10) Hay formas léxicas, que en virtud de lo que hemos dicho son tónicas o átonas según su función:

Luego: tónica, en función temporal: /luégo bámos/ *luego vamos;* átona, en función consecutiva: /piéNso | luego eGsísto/ *pienso,* luego *existo.*

Aun: tónica, función adverbial: /aúN bíbo/ *aún vivo;* átona, función preposicional: /ni aunN para bibíR tiéne ánimos/ *ni* aun *para vivir tiene ánimos.*

Mientras: tónica, función adverbial: /estúdia | miéNtras | jó léo/ *estudia;* mientras, *yo leo;* átona, función conjuntiva: /estúdia mieNtras jó léo/ *estudia* mientras *yo leo.*

Medio: tónica, función adjetival: /á pasádo médio día/ *ha pasado* medio *día;* átona, en lexías complejas (formas compuestas): /está medio doRmído/ *está medio dormido,* /biéne al medio día/ *viene al* medio *día.*

Más: tónico, como adverbio: /kiéro más/ *quiero más;* átono, cuando es nexo de relación: /kuátro mas dós/ *cuatro más dos.*

Menos: tónico, cuando es adverbio: /pésa ménos/ *pesa menos;* átono, cuando funciona como nexo de relación: /kuátro menos dós/ *cuatro menos dos,* /kuéNta tódo menos lo ke pasó/ *cuenta todo* menos *lo que pasó.*

12.8. ACENTO ENFÁTICO O DE INSISTENCIA

Aunque las palabras acentuadas en español sólo poseen una sílaba acentuada (recuérdese la excepción de los adverbios en

-mente), ocurre a veces que por un énfasis especial que tiene por objeto poner de relieve una palabra determinada, o por afectación propia de algunas personas, se señala por medio de un segundo acento una de las sílabas inacentuadas de la palabra o una palabra átona: /baxo mi r̄éspoNsabilidáD/ *bajo mi responsabilidad*, /iNtéRpretáda/ *interpretada*, /trabáxo de lá memória/ *trabajo de la memoria*, etc.

Este acento también puede manifestarse como refuerzo de un acento ya existente, para poner de relieve alguna parte de un enunciado, o distinguir dos enunciados que podrían confundirse. Por ejemplo, en la secuencia /él estába akí/ *él estaba aquí*, las tres palabras están acentuadas; pero si por no haber comprendido bien el mensaje, porque se desea una ratificación del mismo, o por extrañeza, se pregunta *¿Quién estaba aquí?*, se responderá *ÉL estaba aquí*. Del mismo modo, a la pregunta *¿Dónde estaba?*, se responderá: *él estaba AKÍ*, o a *¿Está aquí todavía?*, la respuesta será: *él ESTÁBA aquí*. Otro ejemplo: si deseo hacer en una situación determinada una distinción entre el *un* numeral y artículo indefinido, dado que los dos son tónicos, deberé utilizar el acento enfático sobre el numeral: *dáme ún melón* (uno cualquiera), frente a *dáme ÚN melón* (sólo uno).

12.9. PRODUCCIÓN DEL RASGO ACENTUAL

Siguiendo a Ladefoged *(1967,* 1-49) y a Lehiste *(1970,* 106-153), podemos describir, desde el punto de vista fisiológico, la producción del rasgo acentual del siguiente modo:

Los músculos que actúan en la respiración son: los intercostales externos, los intercostales internos y el diafragma.

Los intercostales externos y el diafragma originan la inspiración: cuando se dilatan, amplían el volumen de la cavidad torácica y, con ella, el de los pulmones. Al aumentar el volumen de los pulmones, disminuye la presión del aire contenido en ellos, con lo que penetra aire del exterior, realizándose la fase de la inspiración.

Cuando los músculos intercostales se contraen, disminuye

el volumen de la cavidad torácica, ejerciendo presión sobre el aire contenido en los pulmones, que sale al exterior, realizándose la fase de la espiración. La fuerza que se ejerce por estos músculos se transmite al aire que hay en los pulmones y se refleja, a su vez, en la presión infraglótica.

Al final de una larga espiración entran en juego otros músculos que fuerzan la salida del aire con el objeto de poder mantener constante la presión infraglótica.

Los estudios electromiográficos de la actividad de los músculos intercostales internos durante la emisión repetida de una sola sílaba acentuada han puesto de manifiesto que se produce un aumento general en el conjunto de la actividad muscular mientras se emite la sílaba, y que esta actividad aparece principalmente en los momentos de explosión que preceden inmediatamente a cada sílaba. En la secuencia hablada, sin embargo, no existe una correspondencia directa entre el aumento de la actividad muscular para cada una de las sílabas, aunque sí es constante este aumento en cada sílaba tónica del enunciado.

Si el acento lingüístico está relacionado con un aumento de esfuerzo, las diferencias acentuales se reflejan en los cambios de la presión del aire infraglótico. Estos cambios influyen en la producción de la frecuencia fundamental, en la amplitud vibratoria de las cuerdas vocales y en la sonía.

Un aumento en la presión y de la corriente del aire infraglótico origina un aumento en la vibración de las cuerdas vocales: este aumento de la presión infraglótica produce un incremento logarítmico en la frecuencia vibratoria de las cuerdas vocales. Del mismo modo, la sonía es proporcional al cuadrado de la presión infraglótica.

12.10. INVESTIGACIONES SOBRE LA NATURALEZA DEL ACENTO

Las distintas consideraciones sobre la naturaleza del acento se dividen en tres grupos muy generales:

a) Para unos autores, el acento está en función de la energía articulatoria.

Así, para Daniel Jones *(1949,* 227), «el acento se define como el grado de fuerza con que... una sílaba se emite». Según L. Bloomfield *(1933,* 90), «consiste en pronunciar una de esas sílabas más fuertemente que otra u otras». Pike *(1947,* 250 y 63) dice que el acento es «un grado de intensidad sobre alguna sílaba que la convierte en más prominente o más fuerte que una sílaba inacentuada». Según M. Grammont *(1960,* 115), «cuando un fonema o un grupo de fonemas se articula con más fuerza y esfuerzo que los fonemas o grupos de fonemas vecinos se dice que está afectado de un acento de intensidad o simplemente de un acento».

A pesar de estas definiciones, G. F. Arnold *(1957,* 441) opina del siguiente modo: «Debemos, sin embargo, reiterar nuestro convencimiento de que la fuerza articulatoria es frecuentemente una dificultad y, algunas veces, una medida imposible para el reconocimiento del acento lingüístico en inglés...»

b) Para otros lingüistas, el acento es una forma de percepción:

De este modo lo definen B. Bloch y G. L. Trager *(1942,* 35 y 47) cuando dicen que consiste en «degrees of loudness» o en «different grades of distributions of loudness», es decir, en el grado de sonía [1].

c) Otros, como Ladefoged, Draper y Whitteridge *(1958,* 1), piensan que las diferencias de acento pueden ser definidas mejor en función del comportamiento del hombre ante ellas, es decir, bajo un aspecto psíquico-acústico.

En realidad, las distintas concepciones del acento han ido evolucionando casi paralelamente con las de la fonética: en una primera etapa se le considera como un esfuerzo fisiológico y una impresión auditiva: ambos criterios en el marco de la fonética articulatoria (y auditiva). En un segundo estadio se buscan sus rasgos acústicos dentro de la fonética instrumental

---

[1] El término *sonía* equivale al inglés *loudness,* al alemán *Lautheit* y al francés *sonie.* El *Vocabulaire de la Psychologie,* de Henri Piéron (2.ª ed., París, 1957, pág. 336), lo define como: «Carácter de la sensación auditiva unida a la presión acústica del sonido.»

acústica. Por último, se investiga sobre el papel de los índices acústicos controlando las variables que se puedan presentar por medio de la síntesis del lenguaje y juzgándolas en diversas pruebas de percepción: fonética experimental y psico-fonética.

La percepción de los sonidos del lenguaje, como dice Fry *(1958,* 127), es un complejo de las dimensiones físicas de cantidad, intensidad, frecuencia fundamental y estructura acústica (con sus correlatos psicológicos de duración de la persistencia del sonido, sonía o intensidad subjetiva, tonía o percepción de la altura tonal del sonido y timbre o cualidad), y el juicio lingüístico depende de su interacción. Todos estos factores influyen en el comportamiento acentual.

Hay que añadir también, según el mismo Fry *(1958,* 128-129), la memoria cinésica de la articulación del habla del mismo oyente, que puede desempeñar un gran papel en la percepción del acento, como ya señalaba hace muchos años S. Jones *(1932,* 74-75), cuando decía: «Accent is *sui generis,* depending for its perception on the kinaesthetic sense... The listener refers what he hears to how he would say it.» Estas observaciones fueron ratificadas posteriormente por Liberman *(1957)* y por Fry *(1966).*

La complejidad del acento reside en que todos estos elementos pueden intervenir en su configuración; cada uno de ellos en diferente proporción: desde ser el único, hasta intervenir en cierta medida como elemento integrador secundario.

Las investigaciones más intensas en este dominio se han realizado sobre la lengua inglesa. Como muchas de sus conclusiones son válidas desde el punto de vista de la fonética general, tanto por sí mismas como por su metodología, nos referiremos a ellas:

¿En qué proporción intervienen cada uno de los factores señalados anteriormente en la percepción del acento?

1. El *timbre* del sonido parece tener cierta importancia, aunque las opiniones no se muestran unánimes.

Para Fry *(1958,* 128), la sustitución en inglés, por ejemplo, de /ə/ por otra vocal, la reducción de un diptongo a una sola vocal o la centralización de un alófono vocálico son índices poderosos para la percepción del acento. Sin embargo, en Fry

(1964), la duración es un índice más importante para la percepción del acento que la estructura formántica. Del mismo modo, para M. O. Berger *(1955)*, la cualidad de una vocal es el primer índice del acento.

Sin embargo, en un trabajo posterior, concluye el mismo Fry *(1964)*, que son necesarios más experimentos para poder asegurar que la estructura formántica de las vocales pueda influir en los juicios sobre la percepción del acento [2].

2. La *duración* es el factor más importante del acento en estoniano, a juicio de Alo Rann *(1957-58)*, de Adams y Munro *(1978)*, y en checo, según Janota *(1967)*.

En francés, según Pierre Delattre *(1938, 7)*: «Estaría más justificado hablar de acento de duración. En efecto, el papel de la duración es muy positivo. La duración es el único de los tres elementos acústicos que es siempre, por su prominencia, un factor del acento. Es el único que puede variar independientemente de los otros dos [tono e intensidad]. Y es, en sentido positivo, el elemento más estrechamente unido al acento.»

Sin embargo, como examinaremos más adelante, A. Rigault no llega a las mismas conclusiones de Delattre.

3. La *intensidad* fue considerada como principal índice del acento para la lengua inglesa por Parmenter y Blanc *(1933)* [3].

4. Las opiniones más recientes, como a continuación veremos, conceden a la *frecuencia del fundamental* el papel predominante en la función acentual. Algunos, como Wiktor Jassem *(1959)*, señalan que éste es el primero y único índice en la percepción del acento polaco.

El análisis del sonido por medio del espectrógrafo permitió observar la combinación de las cuatro dimensiones físicas en la función acentual y obtener consecuencias sobre la preponderancia relativa de unas sobre otras. Casi simultáneamente, la síntesis del lenguaje permitió aislar cada variable y juzgar su

---

[2] W. Meyer-Eppler *(1957)* señala como sustitución de un hipotético cambio de tono en las vocales cuchicheadas [a, u], una modificación en la posición de algunos de sus formantes.

[3] Dejamos deliberadamente a un lado todo lo concerniente al acento español. De él nos ocuparemos más adelante.

efecto, actuando de este modo sobre las dimensiones psicológicas.

Expondremos a continuación los resultados obtenidos en los principales trabajos en los que se utilizaron uno u otro de los procedimientos mencionados.

D. B. Fry, en un artículo en el que adelantaba algunos datos de la investigación que llevaba a cabo sobre el acento, y en el que dejaba a un lado el factor tonal, teniendo sólo en cuenta la duración y la intensidad, llegaba a la siguiente conclusión: como índice de contraste en la percepción del acento, la duración predomina sobre la intensidad *(1955)*.

Tres años más tarde, el mismo autor publica un importantísimo trabajo (Fry, *1958)* en el que se conjugaban los factores cantidad, intensidad y frecuencia del fundamental. Al intervenir esta última dimensión, las conclusiones se modificaban radicalmente. Cada uno de los tres factores intervienen del siguiente modo:

1. En los bisílabos ingleses analizados en el trabajo, *object*, *subject*, etc., en los que la diferente situación del acento sobre cada sílaba les hace cambiar de categoría morfológica, encuentra que los cambios de duración en las vocales influyen considerablemente en la percepción del acento en la primera o segunda sílabas: a mayor duración vocálica, mayor sensación de acento.

2. La intensidad tiene una influencia similar, pero, en cierto modo, menos marcada. Los datos obtenidos por el autor muestran que una variación en la proporción de la intensidad no produce, en ningún caso, un cambio completo en el juicio del acento entre la primera y segunda sílabas.

3. El cambio de la frecuencia fundamental es el que desempeña el papel más importante en la percepción del acento, pero este cambio para que sea un índice constante y el más importante debe entenderse en el sentido de que no es un mero cambio en su nivel de frecuencias, sino un cambio en la dirección del fundamental de la sílaba; este movimiento puede afectar a toda la sílaba o a parte de ella, al producirse en cierto momento una inflexión. De ahí, que, aunque sean cosas total-

mente diferentes, se produzca una cierta relación entre acento y entonación, relación anotada también por Dwight L. Bolinger *(1955)* para el inglés.

H. Mol y E. M. Uhlenbeck relegaron en su trabajo *(1956)* la intensidad a un último lugar. El factor más importante para ellos es el fundamental, siendo la duración una co-variable del tono. También para Katwijk *(1972)* es la frecuencia del fundamental.

D. L. Bolinger, en un importante artículo basado en la síntesis del lenguaje *(1958)*, llega a las siguientes conclusiones: 1. Las pruebas realizadas, con lenguaje natural y artificial, muestran que el primer índice del acento es la prominencia tonal. 2. La intensidad es despreciable como factor determinativo y cualitativo del acento. 3. La duración es una co-variable con el fundamental.

Para Ilse Lehiste y Gordon E. Peterson *(1959 a)*, la percepción de un acento, lingüísticamente significativo, se basa en la intensidad, en la frecuencia fundamental, en la cualidad de la vocal y en la duración.

Philip Liberman *(1960)* considera que la frecuencia fundamental parece el índice más relevante en la conformación del acento, pero, en contraposición con otras teorías, la intensidad desempeña un papel más importante, al parecer, que la duración.

John Morton y Wiktor Jassem *(1965)* deducen de sus investigaciones que todo cambio en la frecuencia fundamental da como resultado una marca de acento sobre la sílaba en la que se ha realizado el cambio de tono.

En un interesante trabajo sobre el francés, en el que André Rigault *(1961)* combinó el análisis (espectrográfico) con la síntesis del lenguaje, se deducen los siguientes hechos: en primer lugar, la frecuencia es la que desempeña el principal papel en la percepción del acento; en segundo lugar, hay que señalar como índice la presencia de la intensidad, pero con una influencia mucho menor que la del tono; en último lugar se encuentra el tono. Los mismos resultados aparecen en los análisis de palabras aisladas y de frases.

También en rumano, según Avram *(1967)*, es la frecuencia del fundamental la responsable de la percepción del acento.

El comportamiento del fundamental es el factor más importante para la percepción del acento sueco, según Bertil Malmberg *(1955 a, 1956 a* y *1961)* y Westin, Buddenhagen y Obrecht *(1966);* lo mismo para el noruego del este, según Fintoft *(1965).*

Y para terminar esta larga enumeración citaremos a P. Strevens *(1958)* cuando dice que «las variaciones de intensidad tienen un efecto pequeño o nulo. Las variaciones de duración han sido poco estudiadas con este instrumento (PAT), pero su efecto sobre la percepción del acento es menor que las variaciones del tono».

El trabajo de Isenberg y Gay *(1978)* dio a conocer que la duración, la intensidad total, la frecuencia del fundamental y la reducción espectral en los dos primeros formantes, todos ellos eran índices poderosos para la percepción del acento en un bisílabo sintético aislado, que formaba la palabra desprovista de sentido /bap-bap/. (En esta palabra se variaban los parámetros y se pedía a los oyentes que la identificasen como *óbject* u *objéct).* Por otra parte, el trabajo de Nakatani y Aston *(1978),* actuando con una palabra sin significado introducida en una frase, mostró que la duración era un índice más importante que la frecuencia fundamental para la percepción del acento y que la amplitud no sirve como índice para la percepción del acento (Gay, *1978).*

Como se desprende de las investigaciones realizadas hasta ahora, hay acuerdo casi general en destacar la frecuencia del fundamental como índice del acento, seguido por la duración; la intensidad queda como índice muy secundario [4].

---

[4] Además de la bibliografía expresamente citada en este capítulo, puede consultarse la siguiente: Bolinger *(1957, 1958, 1961* y *1962),* Burgstahler y Straka *(1964),* Contreras *(1965),* David y McDonald *(1956),* Garde *(1965* y *1968),* Garding y Gerstman *(1960),* Ladefoged *(1963),* Ladefoged y McKinney *(1963),* Lehiste *(1961),* Martinet *(1954),* Rigault *(1970),* Rossi *(1967),* Truby *(1965).*

12.11. LA NATURALEZA DEL ACENTO ESPAÑOL

Sobre el español los trabajos son mucho menos numerosos, y aún no definitivos.

Dos son las posiciones tradicionalmente adoptadas frente a la naturaleza de nuestro acento:

1. La de los que creen que el acento es función del fundamental: la *Gramática* de la Real Academia Española dice: «*Acento* es la máxima entonación con que en cada palabra se pronuncia una sílaba determinada» (*1959*, 459).

Para otros de cantidad y tono, como Andrés Bello (*1949*, § 32): «El *acento* consiste en una levísima prolongación de la vocal que se acentúa, acompañada de una ligera elevación del tono.»

2. La de los que piensan que es una mera consecuencia de la intensidad: Rufino José Cuervo (*1954*, 941): «Por el acento se realiza una sílaba entre las demás de una palabra, o una sílaba que de por sí forma palabra entre otras sílabas inmediatas. Esto se consigue o aumentando la expiración con que producimos el sonido o alzando el tono; el primer acento, llamado de intensidad o expiración, es el que conocemos en castellano y en las demás lenguas europeas modernas...; al definir nuestro acento debemos caracterizarlo por la mayor intensidad.»

T. Navarro Tomás (*1950*, 181) considera el acento español como acento de intensidad. *Intensidad* es el título del capítulo dedicado al acento en su *Manual de Pronunciación*. En el mismo capítulo indica: «El oído español es evidentemente más sensible a las modificaciones del acento de intensidad que a las de otros elementos fonéticos» (pág. 183). En el § 183, al establecer las relaciones entre el tono y el acento de intensidad dice: «En la pronunciación de las palabras aisladamente consideradas coinciden en líneas generales el tono y el acento de intensidad, recayendo de ordinario el tono normal sobre la misma sílaba que lleva el acento y pronunciándose por debajo de este tono, con inflexión ascendente o descendente, según los casos, las demás sílabas de la palabra» (pág. 215). En el *Manual de entonación española*, comenta: «El elemento esencial en la estructura prosódica de las palabras es en español el acento dinámico o de intensidad» *(1948, 25)*.

Del mismo modo, piensan en la intensidad Joaquín Gallinares *(1944)* y Ethel Wallis *(1951)*.

Una posición intermedia ocupa Salvador Fernández Ramírez *(1951, 9)* cuando dice: «Acento de intensidad y acento melódico caracterizan... la estructura fonética de la lengua española, sin un predominio destacado de uno sobre otro.»

El primer estudio acústico que debemos destacar en español es el de Dwight L. Bolinger, con la colaboración de Marion Hodapp *(1961)*. Bolinger, a través de diversos análisis espectrográficos, de diferentes controles auditivos, y apoyándose en sus investigaciones sobre la naturaleza del acento inglés, se inclina a «creer que el tono es el elemento imperante en el acento del español» (pág. 47), y la intensidad y la duración, factores secundarios. Pero el señalar que el tono es el elemento más importante, como él mismo comenta, no implica que tenga que producirse forzosamente una elevación del mismo por encima del cuerpo tonal de la frase, sino simplemente «una salida de ella, sea para arriba o para abajo. Los descensos no abundan tanto como las subidas, pero son, sin embargo, frecuentes» (pág. 35).

Al no conocer que lo importante en la percepción del acento es el simple cambio tonal, ascendente o descendente, como hemos dicho, se llegaba a la conclusión de que el tono y el acento eran incompatibles al examinar frases como *¿ya ha venido?*, en las que el tono sube en la sílaba *-do*, pero el acento se mantiene en la sílaba *-ni-*: el tono, por lo tanto, no podía ser el índice del acento; tenía que ser la intensidad. Pero las cosas suceden de otra manera, como demuestra Bolinger: en la sílaba *-do* el tono sube para realizar esa juntura terminal ascendente que es la interrogación, pero en la sílaba *-ni-* el tono desciende, produciendo en esa quiebra de la línea tonal la percepción del acento.

Heles Contreras publicó, como continuación del trabajo anterior, el artículo *(1963)* que corrobora y complementa la tesis sostenida por Bolinger. Las conclusiones aducidas por Contreras, después de diversos experimentos, son las siguientes:

«1. El tono es un poderoso indicio de acento, que actúa reforzado o en conflicto con la duración y la intensidad.

2. El énfasis que nuestro oído interpreta como acento se puede conseguir por lo menos de dos modos diversos por medio del tono: por un quiebro de la línea tonal hacia arriba o hacia abajo, o por la oposición de una sílaba con tono ondulante a una con tono parejo.

3. En ausencia de claves tonales, los factores de duración e intensidad desempeñan la función de marcar el acento.

4. Cuando estos últimos factores entran en conflicto, parece predominar la duración» (págs. 229-230).

Y un poco más adelante, aún concluye:

«1. En la mayoría de los casos, son dos o más factores los que determinan el acento de una sílaba. Además del tono, la duración y la intensidad, interviene a veces la sonoridad (es decir, el contraste sonoro/áfono).

2. El único factor que en los casos examinados puede determinar el acento por sí solo (siendo los otros neutrales u opuestos) es el tono.

3. Las formas en que se manifiesta la prominencia tonal son variadas, e incluyen contrastes como alto/bajo, tono ondulante/tono parejo.

4. Dos factores parecen tener especial importancia en determinar la prominencia tonal: extensión y velocidad del ascenso o descenso tonal, y diferencia de tono entre puntos adyacentes de las sílabas» (pág. 234).

La conclusión definitiva de Heles Contreras es que el tono es el elemento principal, la «clave del acento», jugando la intensidad un papel más secundario que el de la duración (página 237).

Nuestra experiencia también nos inclina a favor de las tesis de Bolinger y Contreras, pero dando a la duración más importancia de lo que los mencionados lingüistas parecen concederle; esto, por lo menos, hemos creído observar en los numerosísimos espectrogramas analizados, cuyo objetivo no era precisamente el estudio del acento.

Lo que sí parece concluyente, después de los trabajos citados y de nuestras propias observaciones, es que la intensidad desempeña un papel prácticamente despreciable en la función del acento español [5].

Quilis *(1971)* analizó más de un centenar de palabras que contrastaban por el acento, tanto en una frase portadora como aisladas. Utilizó cinco lectores. En el análisis del material se hallaron los valores de los siguientes índices: *a)* la frecuencia del primer armónico; *b)* la duración de las vocales, expresada en centésimas de segundo; *c)* el valor máximo de la línea de intensidad (amplitude display) en cada vocal; *d)* el área que comprende la línea de intensidad, en milímetros cuadrados.

Esta investigación se llevó a cabo con el objeto de: *a)* comprobar las tesis expuestas anteriormente, introduciendo algunas modificaciones en los análisis; *b)* comprobar las observaciones que veníamos realizando desde hacía tiempo en el sentido de que los valores de la intensidad instantánea sobre la línea de intensidad no corrían paralelos con la percepción de tonicidad o atonicidad de las vocales, y habíamos pensado calcular, de la manera más aproximada posible, la superficie que comprendía la línea de intensidad como representación más idónea de lo que puede ser la intensidad de un sonido, ya que esta área es el conjunto de las amplitudes de los componentes de un segmento durante toda su duración, y no en un momento dado como es la intensidad. El trabajo reciente de Laurent Santerre y André Bothorel *(1969-1970)* confirmó nuestra idea. De todos modos, los resultados obtenidos en el cálculo de esta superficie no dan, para el español, un índice definitivo: aparece siempre acompañando a alguno de los otros tres o a todos; y esto es lógico que suceda así dadas las dos relaciones sobre las que se calcula su valor.

Los resultados de nuestros análisis fueron los siguientes:

1. Coinciden los *cuatro índices* analizados sobre la vocal que percibimos como acentuada en un 30,47 %.

---

[5] Navarro Tomás *(1964)* puso, sin razón, en tela de juicio el artículo citado más arriba de Heles Contreras *(1963)*. Éste le contestó reafirmando sus conclusiones y las de Bolinger, en Contreras *(1964)*.

2. De 40 casos, en un 38 % coinciden *tres índices,* repartidos de la siguiente manera:

a) en 15 vocales acentuadas coinciden la frecuencia del fundamental, el tiempo y el área;

b) en 16 vocales acentuadas coinciden la línea de intensidad, la frecuencia del fundamental y el área;

c) en nueve, coinciden la línea de intensidad, el tiempo y el área.

3. En 21 casos, o sea, el 20 %, aparecen sólo *dos índices,* distribuidos del siguiente modo:

a) en ocho vocales coinciden frecuencia del fundamental y área;

b) en cinco vocales coinciden tiempo y área;

c) en cuatro vocales coinciden frecuencia del fundamental y tiempo;

d) en dos vocales coinciden línea de intensidad y tiempo;

e) en una vocal coinciden línea de intensidad y frecuencia del fundamental;

f) en una vocal coinciden línea de intensidad y área.

4. En ocho casos, o sea, en el 7,62 %, sólo aparece *un índice:*

a) Frecuencia del fundamental en cinco vocales.

b) Tiempo en dos vocales.

c) Línea de intensidad en una vocal.

5. No aparece *ningún índice* de los señalados en cuatro casos, lo que representa el 3,8 % del total.

6. En el total de las palabras analizadas, la frecuencia del fundamental está presente entre los máximos en 81 casos (como único índice en cinco) y el tiempo en 69 (como único índice en dos). Únicamente en dos palabras no aparecen ni el uno ni el otro. El área sola no se ha presentado en ningún caso.

7. En 24 palabras, la frecuencia del fundamental no está entre los índices máximos, pero hay que tener en cuenta que: a) en 16, figura a la misma altura que otra u otras vocales; b) en ocho aparece a un nivel más bajo que otra u otras de las vocales de la misma palabra.

Pese a ello, y teniendo también en cuenta los casos señalados anteriormente en los que sobre las vocales tónicas no aparece ningún máximo de frecuencia de fundamental, se perciben como claramente acentuadas las vocales que deben serlo.

Examinando detenidamente las configuraciones armónicas de estas palabras se nota claramente una discontinuidad en su consecución temporal, discontinuidad puesta ya de manifiesto por Bolinger y Heles Contreras.

Es curioso observar, además, que en estos análisis los movimientos de los armónicos presentan simetría: cuando la palabra es oxítona, la ruptura se produce en sentido descendente; cuando es paroxítona o proparoxítona y la frecuencia de la vocal acentuada coincide con otra u otras, el movimiento tiende a ser circunflejo; cuando en los mismos esquemas acentuales la frecuencia de la vocal átona es la más baja, la ruptura se produce en sentido ascendente.

8. En los casos en que la frecuencia del fundamental no está presente, como un máximo, la duración de la vocal tónica suele ser aproximadamente un 25 % mayor que las demás vocales átonas de la palabra.

Concluyendo, podemos afirmar que, según el análisis instrumental, el índice más importante para la percepción del acento en español es la frecuencia fundamental, que se puede reflejar en una mayor altura, en una discontinuidad de él y de los armónicos, o en ambas a la vez. La duración sería el segundo componente. Los otros dos factores no desempeñan prácticamente ninguna función (un sonido como [s] presenta una línea de intensidad y un área mucho mayor que la vocal tónica. Muchas veces, una vocal átona tiene una línea de intensidad más alta que la vocal tónica).

No obstante, aunque los resultados de tres trabajos diferentes conceden al fundamental el lugar primordial en la percepción del acento, sólo podremos estar seguros de su verdadero valor, así como de la importancia de los demás elementos, cuando estas tesis se sometan a la experiencia de la síntesis del lenguaje.

12.12. FRECUENCIA DE LOS ESQUE-
MAS ACENTUALES EN ESPAÑOL

Siempre se dice que el esquema acentual más frecuente en español es el paroxítono, que la ortografía no señala normalmente con diacrítico (salvo las excepciones por todos conocidas). Esta afirmación ha sido más intuitiva que comprobada sobre recuentos amplios que mostrasen los porcentajes de los patrones acentuales de nuestra lengua.

El único trabajo estadístico que hasta ahora conocíamos es el de Pierre Delattre *(1965*, 28). En él se opera sobre la base de una población de 1.500 palabras para la lengua española. El punto débil de este recuento es, a nuestro juicio, el considerar todos los monosílabos como palabras acentuadas y el no distinguir entre bisílabos acentuados e inacentuados. Dejando a un lado estos detalles, y pese a la pequeña población examinada, sus resultados son bastante aproximados a los de nuestro trabajo, que mencionamos más adelante: el esquema más numeroso es el paroxítono (casi cuatro veces superior a los otros dos); le sigue el oxítono en los bisílabos y trisílabos (no así en los tetrasílabos, que es el esquema proparoxítono) y, por último, el proparoxítono.

En nuestro trabajo (Quilis, *1978),* analizamos una población de 20.361 palabras, procedentes de la lengua hablada. Las conclusiones más importantes de la mencionada investigación son las siguientes:

1. En primer lugar, la diferencia existente entre palabras tónicas y átonas es la siguiente:

Palabras	Frecuencia absoluta	Frecuencia relativa
Tónicas	12.917	63,44 %
Átonas	7.444	36,56 %
Totales	20.361	100

2. En el total de las categorías átonas, la distribución es la siguiente:

Palabras	Frecuencia absoluta	Frecuencia relativa en las categorías átonas	Frecuencia relativa en la población
Monosílabas	6.717	90,23 %	32,99 %
Bisílabas	727	9,77 %	3,57 %
Totales	7.444	100	36,56 %

3. En las categorías tónicas debemos distinguir entre los monosílabos, los adverbios en *-mente,* que como se sabe tienen dos sílabas acentuadas, y el resto de los esquemas silábicos: bisílabos, trisílabos, etc. La distribución, atendiendo sólo al número de sílabas, es la siguiente:

N.º de sílabas	Frecuencia absoluta	Frecuencia relativa en las categorías tónicas	Frecuencia relativa en la población
1	3.581	27,72	17,59
2	5.423	41,98	26,63
3	2.625	20,32	12,89
4	850	6,58	4,17
5	274	2,12	1,35
6	36	0,28	0,18
7	10	0,08	0,05
8	1	0,008	0,005
Adv. *-mente*	117	0,9	0,57
Totales	12.917	99,988	63,435

El rango de las palabras en cuanto al número de sílabas se establece del siguiente modo: 1, bisílabos; 2, monosílabos; 3, trisílabos; 4, tetrasílabos; 5, pentasílabos; 6, adverbios en *-mente;* 7, hexasílabos; 8, heptasílabos; 9, octosílabos.

Esta distribución abunda en el axioma ya conocido de que la frecuencia de las palabras es inversamente proporcional al número de sus sílabas.

Si tomamos los 9.219 casos de los tres esquemas considerados (oxítonos, paroxítonos y proparoxítonos; descartando las palabras átonas, los monosílabos tónicos y los adverbios en -*mente*), obtenemos los siguientes valores [6]:

---

[6] En cuestiones de fonoestilística, es importante tener en cuenta la frecuencia de las distintas unidades lingüísticas, tanto por sí misma, como comparada con la frecuencia de esas mismas unidades en la lengua hablada, que es la comúnmente utilizada. Veamos un ejemplo de la siguiente estrofa de Unamuno:

Arlanzón, Carrión, Pisuerga,
Tormes, Águeda, mi Duero,
lígrimos, lánguidos, íntimos,
espejando claros cielos,
abrevando pardos campos,
susurrando romanceros.

Esquemas acentuales	En el texto	En lengua hablada
Oxítonos	11,76 %	17,68 %
Paroxítonos	64,7 %	79,50 %
Proparoxítonos	23,52 %	2,76 %

E incluso a nivel de fonema:

Unidades fónicas	En el texto	En lengua hablada
Cons. vibrantes	10,4 %	2,36 %
/N/	8,06 %	4,86 %
Total consonantes	57,25 %	51,48 %
Total vocales	42,74 %	47,55 %
Diferencia	— 14,51	— 3,93

Esquema	Frecuencia absoluta	Frecuencia relativa
Oxítono	1.629	17,68
Paroxítono	7.336	79,50
Proparoxítono	254	2,76
Totales	9.219	99,94

El rango en cuanto a los esquemas acentuales es el siguiente: 1, paroxítonos (casi cuatro veces superior al de los otros dos); 2, oxítonos; 3, proparoxítonos.

En el conjunto de la población, la distribución de estos esquemas acentuales es la siguiente:

Palabras	Frecuencia relativa
Paroxítonas	36,01 %
Monosílabas átonas	32,99 %
Monosílabas tónicas	17,59 %
Oxítonas	7,98 %
Bisílabas átonas	3,57 %
Proparoxítonas	1,22 %
Adv. -mente	0,57 %

XIII

LA ENTONACIÓN

13.1. DEFINICIONES

Las definiciones sobre la entonación varían según el centro de interés de cada investigador.

a) Unas están referidas exclusivamente al plano de la sustancia, haciendo incidir la función entonativa en las variaciones de frecuencia del fundamental:

D. Jones *(1909)*: «Variaciones en el tono de la voz del hablante».

D. L. Bolinger *(1955 a,* 20): «La línea melódica del habla, la elevación y descenso del «fundamental» o tono cantado de la voz, como distintos de los «hipertonos» que forman nuestros órganos de la voz en las vocales y en ciertas consonantes, y de otros ruidos del aparato del habla que completan el repertorio de las consonantes».

b) Otras definiciones hacen intervenir, además del fundamental, otros parámetros:

L. S. Hultzén *(1957,* 317): «El patrón de tonicidades y atonicidades que comprende el acento y la duración tanto como el tono.»

P. Lieberman *(1965,* 40): «Todo el conjunto de contornos tonales, niveles tonales y niveles acentuales que ocurren cuando se emite una oración.»

K. Hadding - Koch y M. Studdert - Kennedy *(1963,* 65): «Un contorno de frecuencia fundamental. La frecuencia fundamental es... el único índice acústico fuerte de la entonación, aunque otras variables puedan desempeñar un papel como correlatos acústicos de la entonación, como la duración y la intensidad»[1].

c) Finalmente, hay otro grupo de definiciones en las que se tiene en cuenta la función lingüística de la entonación:

Trager y Smith *(1935,* 52): «Los fonemas vocálicos, consonánticos y acentuales tienen alófonos que se manifiestan en términos de posición en la secuencia; los fonemas de plus juntura y de tono tienen alófonos que se manifiestan en términos de secuencias acentuales; las junturas terminales tienen alófonos que se manifiestan en función del tono que les precede; otros fenómenos son metalingüísticos.»

C. H. van Schooneveld *(1961,* 9): La entonación es «primariamente, una sucesión de frecuencias fundamentales, o tonos: cada uno de estos tonos comunica una cierta cantidad de información, que así nos permite clasificarla de acuerdo con su función semántica: una jerarquía de entidades de información que nos permite construir una jerarquía de invariables tonales que las comunican... La entonación debe ser una estructura articulada.»

V. A. Vasilyev *(1965,* 137): «La entonación (en niveles perceptivos y lingüísticos) significa una unión inviolable de las alteraciones: *a)* de la elevación del tono de la voz o de la melodía de los órganos articulatorios; *b)* de la diferenciación o percepción de las palabras o su acentuación en las combinaciones de palabras y frases (en las oraciones habladas); *c)* de la duración, el ritmo y la pausa en las frases; *d)* del timbre de la voz o de un colorido emocional propio de las frases. Además, esta unión sirve al que habla, basándose de manera adecuada en la estructura formal y gramatical de la oración y en su composición léxica, para expresar adecuadamente las ideas, los sentimientos,

---

[1] También B. Siertsema *(1962)* incluye el timbre como componente de la entonación.

emociones y las diversas relaciones modales de lo que se manifiesta.»

P. Denes *(1959,* 106): «La forma lingüística que comunica información de las actitudes emotivas del hablante sobre la materia que se trate, actitudes tales como duda, conformidad, pregunta, afirmación, interés continuado, etc. Los 'tonos' de un patrón de entonación deben ser considerados entonces como existentes en el dominio lingüístico y como elementos constitutivos del lenguaje del mismo modo que los fonemas o las palabras.»

F. Daneš *(1960,* 34): La entonación es «uno de los recursos comunicativos elementales de la lengua, que forma un sistema fonológico especial, y sirve para la organización de enunciados de un modo diferente en diferentes lenguas».

I. Lehiste *(1970,* 83): «El término entonación se refiere a la función lingüísticamente significante de la frecuencia fundamental a nivel de la oración.» «El uso de los rasgos tonales para proporcionar una información lingüística a nivel de oración es uno de los significados del término *entonación.* La entonación también produce significados no lingüísticos; en este aspecto, es análoga al tempo, esto es, al uso de los rasgos de duración a nivel de oración para reflejar las actitudes del hablante y la relativa urgencia del mensaje» *(1970,* 95).

V. A. Artemov *(1965,* 130): La entonación es «un fenómeno que se observa en el lenguaje oral, mediante el cual adquieren una expresión concreta el aspecto comunicativo de lo hablado, así como su significado y régimen sintáctico. Es decir, que la entonación nos sirve para transformar el sentido de la frase, convirtiéndose de hecho en uno de los medios seguros para lograr una comunicación perfecta.

Desde el punto de vista físico, la entonación supone una estructura relativa de las frecuencias vibratorias del tono fundamental, de la intensidad y energía absoluta del sonido, estrechamente vinculados en el tiempo. Los rasgos distintivos de la entonación son sus más o menos reiteradas propiedades físicas, tales como las frecuencias vibratorias, nivel de sonido, tiempo, intervalos y diapasón.

La entonación se percibe ligada a la estructura léxico-sintáctica y a las particularidades estilísticas de la expresión hablada... En su aspecto auditivo, la entonación unifica los distintos elementos de la melodía, del ritmo y el timbre de voz, que tiene mayor o menor importancia en la función comunicativa, según el carácter de lo hablado: narración, pregunta, enumeración, etcétera».

Y en otro trabajo *(1962,* 403) la define como: «El fenómeno lingüístico observable en el lenguaje oral, a través del cual el contenido de sentido de una frase, su significación comunicativa, su composición lexical, la estructura sintáctica y los caracteres estilísticos adquieren una expresión concreta.»

D. Crystal *(1969,* 59-62) da dos tipos de definiciones de entonación: una, negativa, cuando dice: «En el acto de habla hay aspectos de la estructura de la lengua que deben quedar fuera del objetivo de un análisis formal de la prosodia: gramática, vocabulario y fonología segmental. Si uno se imagina estos aspectos fuera del habla, los sistemas de contrastes lingüísticos, en el 'residuo del enunciado' no segmental, debe ser la materia del análisis prosódico»; y otra, positiva: «conjunto de rasgos fonológicos mutuamente definidos que tienen una relación esencialmente variable con las palabras seleccionadas, como opuesto a aquellos rasgos (p. ej., los fonemas (segmentales), la significación lexical) que tienen una relación directa e identificadora con tales palabras».

Como vemos, es imposible poder captar en una definición toda la complejidad sustancial, formal y funcional de la entonación. Por ello, podríamos concluir diciendo que la entonación es un prosodema que utiliza principalmente las variaciones de frecuencia del fundamental para desempeñar una función lingüística a nivel de oración.

13.2. METODOLOGÍA DE LA INVESTIGACIÓN

La metodología de la investigación del suprasegmento entonativo se ha ido perfilando en estos últimos años. La entonación era y es aún tan compleja que muchos investigadores piensan que es imposible, o muy difícil llegar a sistematizarla. Desde luego, lo que no se puede hacer es abordar el análisis del material en su totalidad. Es necesario establecer sucesivas etapas que vayan filtrando y jerarquizando los datos en función de nuestro interés.

El primer paso es el de la elección del corpus que se va a estudiar, en el que hay que tener en cuenta:

1. *La selección del material.*

a) En la mayoría de los casos es imposible estudiar una lengua en todas sus dimensiones geográficas y sociales. Por ello, se hace necesario enfocar el estudio en un área geográfica y en un nivel social determinados. Sucesivas etapas pueden ir cubriendo otros aspectos hasta dar una visión completa del fenómeno. Este procedimiento presenta la ventaja de encontrar en los análisis de cada etapa muchos factores comunes que facilitan el estudio y posteriormente la comparación de las distintas fases.

b) El factor de la espontaneidad: hay que evitar, siempre que sea posible, el texto leído. Como dice Delattre *(1961,* 75): «Para descubrir las características de entonación de una lengua, es necesario aprehenderlas sobre lo vivo en la enunciación verdadera de la improvisación, es necesario evitar el texto leído o recitado.»

Evidentemente, cuando se quieren analizar formas que en la lengua hablada no aparecen frecuentemente, se puede utilizar la técnica que consiste en transformar un tipo de frase en otro, o utilizar un cuestionario sociolingüístico, o hacer que se formulen preguntas entre dos informantes (Léon y Martin, *1970,* 4-5).

c) El número de informantes: En este nivel del análisis lingüístico es donde seguramente el número de informantes sea el punto más importante; evidentemente, hay que utilizar varios, para no falsear los resultados obtenidos, puesto que en la entonación, lo expresivo, lo individual se superpone siempre a lo que puede ser constante, lingüístico. Vale más estudiar muestras cortas utilizando diez informantes, que un texto diez veces más largo sobre un solo informante. Pero, como dicen Léon y Martin _(1970,_ 1), «si se conoce bien la lengua estudiada y si se pueden juzgar fácilmente los efectos estilísticos que hay que eliminar, puede ser aceptado evidentemente un solo sujeto».

_d)_ La grabación del corpus: ha de ser lo más perfecta posible. Se puede realizar sobre el terreno, en cuyo caso las condiciones técnicas óptimas son difíciles de conseguir, o en un estudio, donde se gana en cualidades de registro, pero se puede perder en espontaneidad si el encuestador no tiene la experiencia necesaria para conseguir que sus informantes se sientan en un clima propicio. Hoy, los aparatos grabadores (micrófonos, magnetófonos) han alcanzado una gran perfección técnica y un grado de sensibilidad extraordinario. Esto, que representa una ventaja para los análisis acústicos, también es una desventaja cuando la encuesta se realiza fuera de un estudio, ya que cualquier ruido registrado puede desvirtuar los resultados del análisis.

2. _El análisis del corpus._

En el análisis del corpus hay que tener presente los siguientes puntos:

_a)_ Es necesario diferenciar entre los rasgos de habla, individuales, accidentales, y los de lengua: sistemáticos, arbitrarios, que deben ser el objeto primario de la investigación lingüística.

_b)_ En el análisis en el plano lingüístico se establecerá el sistema de las variaciones entonativas por medio de oposiciones. Se puede proceder en dos direcciones: una es desde la forma a la función: comparando las curvas de entonación de varios enunciados y sus variaciones en contextos y situaciones diferentes, llegamos a obtener un cierto número de patrones entonativos que conforman un sistema de oposiciones. A continuación, se determinan las funciones de estos patrones. El otro procedimiento es el inverso: consiste en partir de la función para llegar a la forma: se plantean preguntas como las siguientes: ¿Cómo reconoce el oyente que un enunciado ha terminado?

¿Cómo reconoce un mandato?, etc. Al buscar la solución, se comparan varios enunciados de un determinado tipo y se pone de relieve el patrón entonativo que realiza esa función. Normalmente, casi todos los investigadores están de acuerdo en utilizar los dos procedimientos.

En la técnica del análisis de la entonación deben seguirse dos procedimientos: el auditivo y el instrumental.

c) El análisis en el plano auditivo, totalmente imprescindible, debe realizarse cuidadosamente, comprobando la repetición del mismo enunciado por la misma persona o por varias personas para eliminar los rasgos casuales o individuales. Además, también se deben realizar pruebas auditivas de reconocimiento de enunciados en los que se han realizado sustituciones, transformaciones, omisiones, para llegar a determinar' los rasgos pertinentes y determinar las relaciones entre los distintos patrones de entonación. Por otra parte, el análisis auditivo puede llevarnos a descubrir la importancia de un parámetro que con el mero análisis instrumental podría pasar desapercibido.

d) El análisis en el plano instrumental es el realizado con la ayuda de aparatos. Como el anterior, es totalmente necesario. Es el que permite establecer las diferencias entre el plano auditivo y físico.

Hay varias técnicas que conjugan de una forma o de otra ambos análisis: la segmentación, la síntesis, el filtrado, etc. La segmentación consiste en cortar fragmentos sucesivos de un enunciado, o la sustitución de un fragmento por otro, y comprobar las reacciones de los oyentes ante la prueba. La síntesis permite variar a voluntad los parámetros acústicos y principalmente la frecuencia del fundamental, controlando las más mínimas reacciones.

El análisis auditivo y el instrumental se complementan. Como dice Malmberg *(1962 a)*, «la cuestión de saber si es el oído o el aparato el que tiene razón está desprovista de sentido. Una descripción fonética completa supone dar cuenta del testimonio del uno y del otro».

e) Es necesario estudiar también estadísticamente el ren-

Fonética acústica

dimiento de los fenómenos prosódicos para comprobar los patrones entonativos que corresponden a determinados enunciados, como postula la técnica fonométrica de E. Zwirner *(1952)*.

13.3. FORMA Y SUSTANCIA DE LA ENTONACIÓN

La adscripción de la entonación a un nivel de análisis lingüístico (o utilizando la dicotomía de Saussure, al plano de la lengua) es un problema cuya solución, en favor o en contra, divide la opinión de los investigadores.

A. Martinet *(1960*, 79), por ejemplo, atribuye a la entonación un papel marginal en el análisis lingüístico: «No se puede, pues, negar valor lingüístico a la entonación. Pero su juego no entra en el cuadro de la doble articulación, puesto que el signo que puede representar la elevación melódica no se integra en la sucesión de monemas y no presenta un significante analizable en una serie de fonemas. Las variaciones de la curva de entonación ejercen, de hecho, funciones mal diferenciadas, funciones directamente significativas como en *il pleut?*, pero más frecuentemente una función del tipo que hemos llamado *expresiva*.» Es, en definitiva, según Martinet, el carácter no discreto de la entonación (frente al discreto de los fonemas) lo que le lleva a disminuir su valor lingüístico.

Otros lingüistas aducen diferentes razones más o menos rotundas y convincentes para negar el status lingüístico al suprasegmento entonativo. Así, Lee S. Hultzén *(1962*, 658) llega a decir que «Sólo cuando la entonación niega la significación exacta de las palabras puede decirse que tiene una función». Para Arisaka *(1940*, 128-131), la entonación es de orden estrictamente fisiológico. Bolinger *(1964*, 833-834) piensa que los significados sintácticos y emocionales de la entonación están tan interrelacionados que «es imposible separar lo lingüísticamente arbitrario de lo psicológicamente expresivo».

En contraposición a la tesis formulada por Martinet, Malmberg *(1962 a*, 477) y Faure *(19667* y *1970)* afirman que el continuum melódico es susceptible de ser segmentado en unidades discretas oponibles situadas en partes perfectamente localizables de la cadena hablada, como lo son los fonemas.

En la misma línea de posibilidad de segmentación se encuadra el trabajo de Isačenko y Schädlich *(1970)* sobre la lengua alemana. Para la gran mayoría de los lingüistas americanos, el nivel de la entonación pertenece sin ninguna duda a la lengua: Pike *(1953)*, por ejemplo, o Trager y Smith *(1935)* consideran que los elementos suprasegmentales forman un sistema y, en el caso de la entonación, aíslan cuatro niveles tonales, que han recibido la denominación de fonemas suprasegmentales.

El problema se centra principalmente en que la entonación, como todo enunciado lingüístico, posee una sustancia y una forma. La forma, o descripción estructural de la entonación, viene dada por la descripción lingüística: establecer el número de elementos que integran ese nivel, sus relaciones y sus funciones. La sustancia es un continuum en el que hay que delimitar las unidades de entonación para obtener unidades discretas y establecer así sus patrones melódicos y la naturaleza de sus elementos. Es en este aspecto de la descripción donde desempeñan un papel primordial el análisis auditivo, que tiene por objeto reconocer, por medio del oído, los tipos estructurales establecidos, y el análisis instrumental, que permite la obtención de los constituyentes físicos y la comprobación de cuál de ellos es el pertinente.

En el caso de los rasgos prosódicos, los diferentes niveles de análisis se ven muy complicados, porque debajo del nivel meramente estructural, donde se dan una serie de oposiciones, bastante limitadas, por otra parte (la mayoría de las veces, binarias: presencia o ausencia de una marca), hay un valor simbólico, susceptible, seguramente, de una dicotomía. Este valor simbólico provoca reacciones diferentes sobre el oyente, por lo que hay que considerar esos términos como significativos; y aun por debajo de estos niveles se encuentra todo el cúmulo de datos, toda la sustancia que sólo se puede elaborar en función del nivel estructural [2]. Entre el nivel de la sustancia y el nivel

---

[2] Véase Malmberg, *1962 a, 1966, 1967 a, 1967 b.*

de la forma nos encontramos, como dice Malmberg *(1966,* 99), con «toda una serie de *niveles* o *grados de abstracción,* elegidos arbitrariamente por el investigador según el fin que se proponga. Entre la descripción analítica de todos los hechos de sustancia concretos que son accesibles al fonetista y a sus recursos instrumentales, por un lado, y una presentación enteramente matemática o algebraica de relaciones puras, por otro, hay una serie ilimitada de estados intermedios. La fórmula global que excluye *a priori* toda referencia a una sustancia, cualquiera que sea, y que obtiene por eso mismo una validez muy general, marca uno de los dos extremos. El otro es la presentación de una masa de hechos, instrumentales o auditivos, que se refieren a un corpus de materiales concretos, y que es válido sólo para éste. La primera de estas descripciones permanece exacta en tanto que el sistema relacional descrito no cambie. La segunda sólo vale para el corpus examinado. La primera es por definición exhaustiva. La segunda no lo es necesariamente».

Relacionado asimismo con el problema lingüístico de la entonación se encuentra el de su *grado de arbitrariedad.* Evidentemente, éste no es comparable al de los fonemas. Nos encontramos de nuevo ante una jerarquización gradual en uno de cuyos extremos se dan una serie de rasgos motivados que vienen determinados por características psicológicas casi constantes, y en el otro, una serie de rasgos propios de las estructuras específicas de la lengua dada (Faure, *1970,* y Rigault, *1964).* Por un lado, existe, ciertamente, todo un conjunto de fenómenos de índole emotiva, expresiva e incluso de peculiaridades regionales que infieren una motivación en las formas entonativas, pero, frente a éstas, la entonación también se ha especializado en determinados usos de orden distintivo. Es decir, existe un grado en el que la entonación es espontánea, natural y estimulada psicológicamente; otro, en el que estas formas naturales de entonación se utilizan intencionalmente, y un último grado en el que aparecen oposiciones entonativas que entran dentro de la estructura peculiar de cada lengua y donde el valor psicofisiológico de la entonación es irrelevante. Ch. Bally *(1952,* 126) decía que «las entonaciones engendradas por la emoción no permanecen en el patrimonio del lenguaje instintivo. Penetran bajo una forma esquematizada en la misma lengua», a lo que habría que añadir la afirmación de F. Daneš *(1960,* 35) de que «Su grado de arbitrariedad es proporcional al grado de intelectualidad de la función entonativa».

En lo que sigue, nos referiremos, en primer lugar, a los problemas de la sustancia entonativa y, a continuación, a los de la forma.

13.4. Producción de los rasgos tonales

Los rasgos tonales tienen su origen en las vibraciones de las cuerdas vocales. Aunque la actividad laríngea ha sido estudiada desde hace más de un siglo, aún quedan muchos aspectos por conocer, dada su complejidad.

Hay dos teorías fundamentales sobre la fonación: la teoría mioelástica y la neurocronáxica. Esta última es la más reciente y se debe a Raoul Husson. Husson *(1960* y *1962)* piensa que un tren de impulsos nerviosos se transmite, a través del nervio recurrente, desde el cerebro hasta los músculos laríngeos. En cada onda de impulsos, los músculos de las cuerdas vocales abren y cierran la glotis, dando lugar así a su función vibratoria. Un gran número de especialistas ha criticado esta teoría basándose en defectos de orden experimental por parte de Husson y en razones de orden fisiológico [3]; por ello, hoy no se le concede validez.

La teoría mioelástica (o «aerodinámico-mioelástica») propone que las cuerdas vocales se aproximan gracias a la actividad de los músculos laríngeos, y su movimiento de vibración se origina y mantiene por medio de una alternancia rápida de fuerzas en direcciones opuestas. Las cuerdas vocales están separadas durante la respiración normal y mantenidas en esa posición (lla-

---

[3] Véase, por ejemplo, Jw. van den Berg: «Sur les théories myo-élastique et neurochronaxique de la phonation», *Revue de Laryngologie de Bordeaux,* 74, 1954, págs. 495-512, y H. J. Rubin: «The Neurochronaxic Theory of Voice Production: a Refutation», *A. M. A. Arch. Otolaryngol.,* 71, 1960, págs. 913-920.

mada «posición fonatoria neutra») por medio de los músculos laríngeos. Para desplazar las cuerdas vocales de su posición fonatoria neutra actúan dos tipos de fuerzas: la aerodinámica y la aerostática. Junto a ellas están las fuerzas debidas a la acción de los ligamentos de las cuerdas vocales que tienden a restablecerlas en su posición fonatoria neutra.

La musculatura respiratoria crea una corriente de aire de gran velocidad. La fuerza aerostática que tiende a separar las cuerdas vocales surge cuando se ejerce la presión infraglótica de la corriente de aire. Esta fuerza alcanza su máximo valor cuando la glotis está cerrada o casi cerrada (lo que ocurre antes de iniciarse la fonación), ya que la presión de aire infraglótico actúa sobre un área de máxima superficie cuando las cuerdas vocales adoptan esta posición. Las cuerdas vocales, entonces, se separan. La corriente de aire pasa a gran velocidad a través de la constricción de la laringe, y esta corriente de aire crea un descenso de presión a través de la glotis. Esta presión negativa pone de manifiesto el llamado efecto o fuerza de Bernoulli, como resultado del cual las cuerdas vocales se aproximan. Cuando la glotis está cerrada, cesa la fuerza de Bernoulli. La fuerza que ejercen los ligamentos de las cuerdas vocales las restablecen en su posición fonatoria neutra. La continua presión del aire infraglótico actúa nuevamente y el ciclo se repite.

El número de vibraciones de las cuerdas vocales depende de una serie de factores interdependientes: de la masa de la parte vibratoria de las cuerdas vocales, de la tensión de la misma, del área de la glotis durante el ciclo, del valor de la presión infraglótica y de la amortiguación de las cuerdas vocales.

1) El espesor de la parte vibratoria de las cuerdas vocales: los individuos con una frecuencia fundamental baja poseen unas cuerdas vocales más voluminosas que los que poseen una frecuencia fundamental alta. Conforme la frecuencia fundamental aumenta, el espesor de las cuerdas vocales disminuye sistemáticamente. Del mismo modo, cuando la frecuencia se eleva, las cuerdas vocales se alargan. En general, la diferencia de constitución de las cuerdas vocales es en gran parte responsable de las diferencias de frecuencia del fundamental en las edades y

en los sexos de los individuos. Uno de los promedios dados es
el siguiente: la media de los niños es de 264 Hz; en las mujeres, de 223 Hz, y en los hombres, de 132 Hz.

2) La tensión de las cuerdas vocales durante la fonación:
la máxima elongación y tensión se alcanza en la frecuencia vibratoria más alta.

3) El área de la glotis durante el ciclo, que determina su
resistencia efectiva y el valor del efecto de Bernoulli sobre ella.

4) El valor de la presión infraglótica, que cuando se aumenta repentinamente incide en la elevación de la frecuencia fundamental.

5) La frecuencia fundamental también está en función de
los otros órganos de la fonación: pulmones y tráquea, por un
lado, y cavidad bucal, por otro. Los problemas aparecen cuando
la frecuencia fundamental se aproxima a las frecuencias de resonancia de la tráquea, los pulmones o la cavidad bucal. Cuando el formante es un poco más alto que la frecuencia de vibración de las cuerdas vocales, la frecuencia fundamental desciende; cuando el formante es un poco más bajo, la frecuencia
fundamental aumenta [4].

Los trabajos de Lieberman, principalmente [5], han puesto de
relieve la relación existente entre las variaciones de la frecuencia del fundamental y la actividad fisiológica que los origina, así
como la descodificación, por parte del oyente, de las señales de
la entonación realizada por medio de la «teoría motor de la
percepción», estructurada en términos de «arquetipo», esto es,
de los correlatos articulatorios primarios de estos rasgos.

En la entonación intervienen, según Lieberman, los rasgos
de sonoridad, prominencia y grupo espiratorio; cada uno de
ellos implica la actividad coordinada de varios músculos, y bajo
diferentes condiciones, diferentes músculos pueden intervenir
en la realización de un rasgo dado. Por otra parte, la frecuencia

---

[4] Véanse los trabajos de I. Lehiste, *1970*, 54-60, y Ph. Lieberman, *1967*,
14-29.

[5] Lieberman *(1960, 1967)*; Lieberman, Harris y Sawashima *(1970)*; Lieberman, Knudson y Mead *(1969)*; Lieberman y Michaels *(1962)*.

del armónico fundamental deriva de la frecuencia de vibración de las cuerdas vocales, que es directamente proporcional a la presión del aire proveniente de los pulmones y a la tensión de determinados músculos laríngeos, como ya hemos señalado; ambas pueden producir cambios similares en la frecuencia fundamental.

En un *grupo espiratorio marcado* (+ breath-group) —que es el que tiene un movimiento terminal ascendente— se produce un cambio en la tensión laríngea al final del grupo que compensa la caída de la presión de aire infraglótico, de tal modo, que la frecuencia fundamental se eleva o termina al mismo nivel de la frecuencia fundamental de todo el contorno. Los correlatos acústicos del rasgo fonológico de *prominencia* son: la duración, la frecuencia fundamental y la intensidad. Sus correlatos articulatorios incluyen aumento de la duración de un segmento y aumento de la presión del aire infraglótico.

Las recientes observaciones electromiográficas realizadas por Lieberman, Harris y Sawashima *(1970,* 41-46) sobre la actividad de los músculos laríngeos (el vocal y el crico-tiroideo) de hablantes normales angloamericanos han dado los siguientes resultados: 1.º El grupo espiratorio no marcado (— breath-group) termina con un descenso de la frecuencia fundamental y no se registra ninguna actividad de los mencionados músculos al final de estos grupos espiratorios. 2.º El grupo espiratorio marcado (+ breath-group) termina siempre con una elevación de la frecuencia fundamental que se produce por medio de un aumento de tensión de los dos músculos; pero de ellos, parece ser más activo el vocal. 3.º Cuando una sílaba aparece marcada por medio de + *prominencia* en un grupo espiratorio no marcado, posee una frecuencia fundamental alta y hay un aumento de la actividad del músculo crico-tiroideo y/o del vocal en esa sílaba. 4.º Cuando una sílaba pronunciada con énfasis está marcada con + *prominencia* en un grupo espiratorio marcado, tiene, a veces, una frecuencia fundamental alta. Sin embargo, no existe correlación con un aumento de actividad de los músculos citados. Es decir, que el correlato articulatorio del grupo espiratorio marcado es un aumento de actividad muscular del crico-tiroideo, del vocal y, posiblemente, de otros músculos laríngeos. Por contraste, en una prominencia marcada (+ prominencia) se produce un aumento de la presión del aire infraglótico. De este modo, una + *prominencia* puede aparecer tanto en un grupo espiratorio marcado, como en uno no marcado. En el primer caso, los músculos laríngeos actúan como implemento del contorno terminal de la frecuencia fundamental, y el hablante utiliza el aumento de la presión del aire infraglótico y/o el aumento de la duración en la vocal para producir la + *prominencia*. Otras veces, el hablante puede utilizar menos presión de aire para una + *prominencia*, como ocurre en un grupo espiratorio no marcado, pero usa actividad laríngea para señalar la prominencia marcada, además de la presión del aire infraglótico.

Estos nuevos datos de Lieberman, así como los obtenidos independientemente por Fromkin y Ohala [6], concuerdan en que el correlato articulatorio arquetipo del grupo espiratorio marcado es un aumento de la actividad muscular laríngea, mientras que el correlato articulatorio de la prominencia marcada es un aumento de la presión del aire infraglótico.

Sólo nos queda indicar que, según el trabajo de L. J. Boë *(1976)*, la media de la frecuencia vibratoria laríngea en 31 hombres y 31 mujeres, en un total de 30 lenguas, es de 118 Hz en los hombres y de 210 Hz en las mujeres.

13.5. Parámetros físicos de la entonación

Como vimos en el Capítulo II, la onda sonora del lenguaje es un complejo de parámetros íntimamente relacionados y difíciles de desglosar si no se recurre a la síntesis del lenguaje. De entre estos parámetros —frecuencia del fundamental, duración, intensidad, estructura de los armónicos—, el que tiene mayor relieve en la función entonativa es el de las variaciones de frecuencia del fundamental, cuyo correlato fisiológico es la vibración de las cuerdas vocales.

---

[6] «Laryngeal control and a model of speech production», citado por Lieberman, Harris y Sawashima *(1970)*.

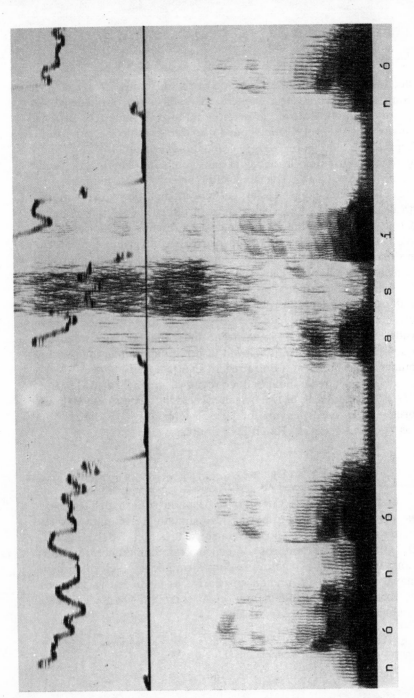

Fig. 13.1. *Sonograma en banda ancha de la frase:* ¡No, no!, así, no

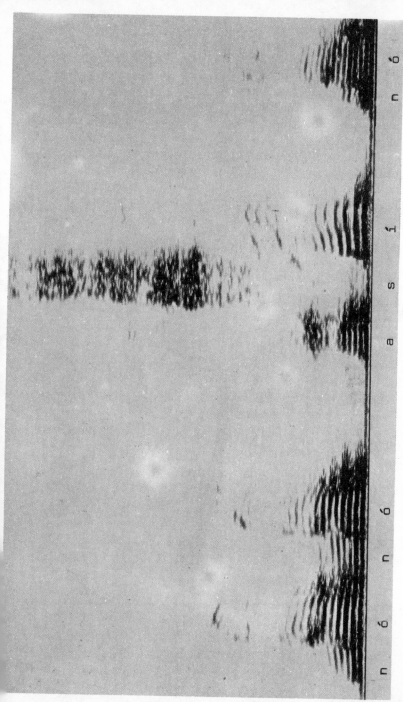

FIG. 13.2. *La misma frase de la figura 13.1, en banda estrecha*

Si resulta relativamente fácil medir los otros parámetros, el de la frecuencia del fundamental no lo es tanto. La mayoría de los investigadores usan el sonógrafo en los análisis de la melodía.

La figura 13.1 presenta un sonograma en «banda ancha» (utilizando filtros de 300 Hz) de la frase ¡*No, no!, así, no*. La figura 13.2 muestra el mismo sonograma en «banda estrecha» (utilizando filtros de 45 Hz): se pueden ver perfectamente el primer

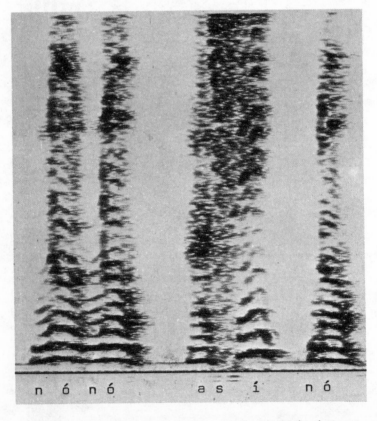

n   ó   n   ó   a   s   í   n   ó

FIG. 13.3. *La misma frase de la figura 13.1, reduciendo el tiempo*

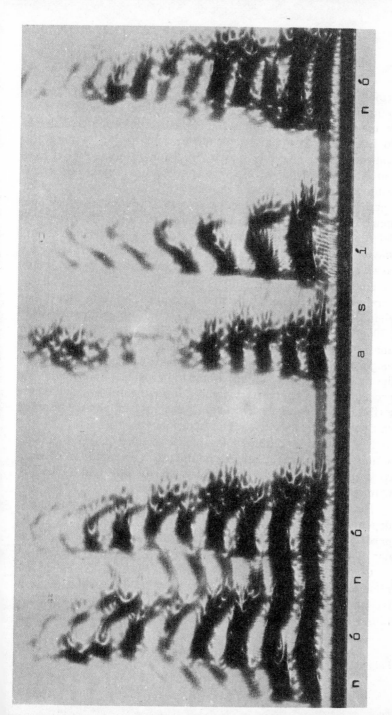

Fig. 13.4. *Amplicación del sonograma de la frase de la figura 13.1, sin variar el tiempo*

armónico, o fundamental y todos los demás armónicos componentes, pero las variaciones del fundamental, aunque se trata de un enunciado con mucho movimiento, no resultan demasiado notorias, sobre todo, teniendo en cuenta que es necesario realizar medidas con la mayor precisión posible. Por ello, es conveniente ampliar el espectro, pudiéndose seguir dos procedimientos: uno consiste en duplicar la velocidad de grabación: como $F = 1/T$, a menor tiempo mayor frecuencia. El resultado aparece en la figura 13.3, donde las variaciones de frecuencia del fundamental son bastante más notorias. No obstante, para mayor facilidad de manejo se puede elegir cualquier armónico en el que aparezcan más claras estas variaciones, ya que, como sabemos, cualquiera de ellos es múltiplo del fundamental. Generalmente, se elige el décimo armónico. Si éste tiene, por ejemplo, en un punto dado 1.300 Hz, el fundamental tendrá $1.300/10 = 130$ Hz, etc. El otro procedimiento es el de utilizar una escala de frecuencias más grande, por medio del *scale magnifier*, que amplía el espectro sin variar el tiempo. En la figura 13.4 está representado el mismo espectro, empleando este procedimiento. Las variaciones del fundamental son netamente visibles. Con cualquiera de estos dos procedimientos es fácil extraer la llamada curva de entonación.

No obstante, continúan las investigaciones en el momento actual para encontrar un procedimiento más rápido, más seguro y que permita hacer los análisis en «tiempo real», bien instrumentalmente, bien con computadoras [7].

Hemos dicho más arriba que la frecuencia del fundamental depende de las vibraciones de las cuerdas vocales, y es cierto, pero hay, además, una serie de factores fonéticos que condicionan el fundamental.

Como pone de manifiesto Ilse Lehiste *(1970, 68-83)*, existe una relación entre la cualidad de la vocal y la altura relativa de la frecuencia fundamental asociada con ella: permaneciendo constantes los demás factores, las vocales altas tienen un fundamen-

---

[7] Entre los trabajos más recientes pueden verse los de Blom *(1972)*, Filip *(1972)* y Smith *(1972)*.

tal más elevado. Según los trabajos de Lehiste y Peterson *(1971 a)*, a las siguientes vocales les corresponden las frecuencias fundamentales medias que se indican a continuación:

Vocal	Hz
i	183
ɪ	173
e	169
ɛ	166
æ	162
ə	164
a	163
ɔ	165
o	170
ʊ	171
u	182

Hay, según la misma Lehiste, una razón fisiológica que explica estas diferencias frecuenciales unidas a la cualidad vocálica: como hemos mencionado antes, la frecuencia fundamental aumenta cuando aumenta la cantidad de la corriente de aire y/o aumenta la tensión de las cuerdas vocales. Los músculos que conforman la lengua están unidos a la parte superior del hueso hioides y algunos de los músculos laríngeos están unidos a la parte inferior. Cuando se eleva la lengua, la laringe tiende a subir y los músculos laríngeos se ponen en tensión. De este modo, aumenta la tensión de las cuerdas vocales y se origina un aumento en el número de sus vibraciones.

También puede verse afectada la frecuencia fundamental de una vocal por la influencia de las consonantes que la preceden o siguen: las frecuencias fundamentales más altas aparecen después de las consonantes sordas, y las más bajas, después de las consonantes sonoras; por ejemplo, la frecuencia de /i/ en /ti/ es de 191 Hz, y en /di/, 180 Hz; para /tæ/ y /dæ/ los valores medios son 175 Hz y 185 Hz, respectivamente. La influencia de una consonante inicial puede notarse también en la frecuencia del fundamental: el valor medio, según Lehiste, de las secuencias que comienzan por /kæ/ es de 171 Hz, mientras que el de las secuencias que comienzan por /gi/ asciende a 170 Hz. Compárense estos valores con los del cuadro anterior.

Por otra parte, después de las consonantes sordas, especialmente de las fricativas, la cumbre más alta aparece inmediatamente después de ellas, mientras que después de las consonantes sonoras la elevación de la frecuencia del fundamental se realiza suavemente.

Gili Gaya *(1924)* puso de manifiesto hace años la influencia que ejercían las consonantes en las curvas de entonación.

Las variaciones de la frecuencia del fundamental no son, sin embargo, el único parámetro que interviene en la percepción de la entonación. Buena prueba de ello es el lenguaje cuchicheado —al que nos referiremos más adelante— en el que podemos percibir variaciones melódicas, careciendo de frecuencia fundamental.

Los trabajos de P. Denes *(1959)* y de Denes y Milton-Williams *(1962)*, principalmente, han puesto de manifiesto que aun siendo la frecuencia del fundamental el principal índice para el reconocimiento de la entonación, la duración y la intensidad desempeñan también un importante papel.

Los análisis realizados en nuestro Departamento en estos últimos años han puesto de manifiesto también que, muchas veces, un descenso del fundamental, acompañado de una elevación de intensidad, se percibía como un tono levemente ascendente o en suspensión, y que la percepción de finalidad frente a la no finalidad, por ejemplo, en una enumeración, se producía no por el nivel más bajo alcanzado por el fundamental (más bajo al final, menos bajo en los grupos interiores), sino por la diferente duración del tonema en cada uno de los grupos (mayor duración en los interiores —no finalidad—, menor en el último —finalidad—).

Los trabajos llevados a cabo por K. Hadding-Koch y M. Studdert-Kennedy *(1964, 1965)*, con síntesis del lenguaje, muestran que no sólo las variaciones de descenso y ascenso del fundamental son importantes significativamente —distinción afirmación/pregunta—, sino que hay otros dos factores que intervienen en su reconocimiento: el nivel frecuencial del punto donde se realice la inflexión del fundamental y el nivel tonal que preceda a este punto. Estos tres factores están íntimamente relacionados. Un problema que nos interesa enormemente es saber dentro de qué límites actúa un cambio de frecuencia del fundamental para que sea percibido como tal. Algunos trabajos recogidos por I. Lehiste *(1970,* 62-67) indican que en la zona comprendida entre los 80 y 160 Hz se puede percibir una diferencia entre $\pm$ 1 Hz. Sin embargo, Isačenko y Schädlich *(1970)* en sus experiencias con la síntesis de lenguaje encontraron que una diferencia de 3 Hz no era percibida por ningún sujeto, que una diferencia de 6 Hz era percibida por el 38 % de los sujetos, y que la diferencia de 9 Hz era percibida por el 98 % de los sujetos, y con esta variación de 9 Hz realizaron satisfactoriamente sus experimentos. Para Lieberman sólo variaciones de 20 Hz son pertinentes para la percepción de los contornos entonativos, e incluso Grundstrom *(1972)* señala para el francés una diferencia de 40 Hz a partir de la media del fundamental.

Pero, como señala oportunamente P. Léon *(1971,* 120), deben contar tanto los factores físicos como los factores lingüísticos: de este modo, «una variación entonativa, incluso débil, en los puntos de información de la cadena hablada parecerá a menudo más importante que una gran variación de altura en un punto no pertinente de esta misma cadena».

13.6. FORMA DE LA ENTONACIÓN

Como hemos señalado anteriormente, el análisis de la entonación implica la segmentación en unidades que sean lingüísticamente pertinentes y que formen un sistema en el que se conjunten.

El problema se centra precisamente en el establecimiento de esas unidades, en demostrar que el fenómeno entonativo se estructura en unidades tan discretas como los mismos fonemas y, lo que aún está por realizarse, su reconocimiento universal.

¿Cuáles y cuántas son estas unidades? No hay acuerdo entre los investigadores: para Buyssens *(1957,* 426), la entonación es inarticulada, no se puede separar en partes: «la entonación de una oración es un todo». Por el contrario, Jurgens, Buning y Schooneveld *(1961,* 10-11 y 91) piensan que se puede fragmentar en unidades más pequeñas, que debe tener una estructura articulada. Para ellos, la unidad que representa la función real de la entonación es el comportamiento melódico del final de la oración: «Es en el final donde encontramos el signo mínimo que invariablemente está presente en una oración»; si desciende, la oración es declarativa; si sube, es interrogativa. Por ello, la entonación de una oración corta o larga contiene los mismos elementos, ya que hay que suponer que una oración larga no es más que una forma alargada de una oración corta.

Para Malmberg *(1967 a,* 377), «La estructura de la prosodia —ya sea realizada con la ayuda de hechos de intensidad, de melodía o de cualquier otro modo— no difiere en principio de la del sistema de los elementos segmentales. Puede utilizarse la misma técnica en los dos casos. Los hechos prosódicos son elementos discretos, como todos los otros elementos funcionales del lenguaje. Y he llegado, analizándolos de manera sistemática, a pensar que en realidad se prestan mejor que los fonemas segmentales a una descripción en términos binarios», opinión compartida también por Faure *(1970).*

Los lingüistas que implícita o explícitamente consideran en el prosodema entonativo ciertas unidades están de acuerdo en que por lo menos una es constante: el final del contorno melódico, con sus movimientos ascendente y descendente; final que es significativo. La naturaleza de la parte melódica que precede a ese final divide las opiniones: para unos, es irrelevante lingüísticamente, pero de significación sociolingüística; otros, contemplan en ese cuerpo melódico ciertas unidades —sílabas, niveles tonales—. Entre ambos grupos se dan también posiciones intermedias.

Pasemos revista a algunas de las opiniones más destacadas: F. Daneš *(1960,* § 2.0) considera que las unidades fonológicas de la entonación de una frase son contornos de entonación que constituyen un sistema de oposiciones. «La segmentación del enunciado en secciones es jerárquica. Las porciones de texto entre dos junturas con un patrón final de entonación y una pausa relativamente larga representan unidades de un orden muy alto; estas unidades son normalmente idénticas al propio enunciado (u oraciones), pero algunas veces representan sólo porciones separadas de enunciado. Estas mismas porciones pueden ser subdivididas por medio de junturas de dos o tres grados diferentes en ulteriores secciones hasta que se formen los grupos de secciones. Las junturas de diferentes grados se diferencian por la forma del contorno de la entonación y por la longitud de la pausa límite» *(1960,* § 3.13). Considera, por lo tanto, un contorno melódico más o menos largo, delimitado por medio de una juntura o contorno terminal. Así, hay contornos melódicos propios de las secciones de un enunciado, que terminan en un contorno de tipo no final (continuativo) y contornos melódicos de un enunciado completo, que terminan en contorno de tipo final. Los niveles tonales son para Daneš, como las sílabas acentuadas o inacentuadas, un componente integrado totalmente en el contorno melódico.

Las investigaciones inglesas sobre la entonación siguen dos direcciones: una, es la de Palmer, y la otra, la de Armstrong y Ward.

Para Palmer *(1922,* 7), la unidad más pequeña de entonación es el grupo tonal («tone-group») que lo define como «una palabra o serie de palabras en la secuencia hablada que contienen uno y sólo un máximo de prominencia». La sílaba acentuada del grupo tonal es el *núcleo* («nucleus»); las sílabas que preceden al núcleo, *cabeza* («head»), y las sílabas que siguen al núcleo, *cola* («tail»).

Armstrong y Ward *(1931)* y Ward *(1958,* 170-171) consideran el contorno melódico de la frase como un todo indivisible al que denominan *tune,* y puede abarcar tanto un considerable número de sílabas como un espacio pequeño. Este *tune* puede subdividirse en dos tipos, que actúan a partir de la última sílaba tónica: el *Tune I,* descendente, propio de la entonación afirmativa, y el *Tune II*, ascendente, utilizado en la entonación interrogativa.

Siguen el mismo criterio de Palmer, R. Kingdon *(1958)* y M. Schubiger *(1958)*, con pequeñas variaciones. Por ejemplo, para esta última, el grupo tonal tiene un sentido más amplio: corresponde a un «grupo de sentido» («sense group»). Cada grupo de sentido corresponde a un grupo tonal, pudiendo ser estas secciones oraciones cortas o partes de oraciones más largas. En lugar del Tune I y Tune II de Palmer usa los términos *Type F* («falling», descendente) y *Type R* («rising», ascendente), puesto que la terminología original de Palmer fue empleada en sentido inverso por Kingdon. Siguen los criterios de Armstrong y Ward, S. Allen *(1954)* y D. Jones *(1957)*.

Una posición próxima a la de los investigadores ingleses ocupa H. W. Wodarz *(1960)*, quien considera en el nivel entonativo de la oración dos partes: una, funcionalmente relevante, situada en el final de la oración, que él denomina «melodische Form», y que como unidad melódica puede ser terminal, progresiva e interrogativa. Otra, el resto, que es funcionalmente irrelevante.

Otro grupo de estudiosos considera la sílaba como la unidad melódica perceptible más pequeña: W. Kuhlmann *(1951)*, E. Zwirner *(1952)*, W. Jassem *(1952)*, etc.

La sílaba es para W. Jassem *(1952, 36)* «el segmento tónico, esto es, el elemento tonal más pequeño capaz de ser percibido y susceptible de unificación y clasificación». Este segmento tonético es una sílaba fonética que contiene por lo menos un segmento fónico sonoro. Sin embargo, para el autor, la sílaba es una unidad demasiado pequeña para que pueda realizar las funciones de la entonación. Por otro lado, la «unidad tonal» (lo comprendido entre dos acentos) es más grande, aunque no llega a ser una unidad funcional real y natural. La unidad melódica que tiene un significado y desempeña una función es el *tune*, que se origina de la conexión y relación de los grupos tonales. Este denota una unidad de sentido, que es la oración, la cual se mantiene unida por medio de la entonación.

Para Navarro Tomás *(1948,* 37-38, 41), «la frase gramatical...
es una unidad de comunicación que en la mayor parte de los
casos comprende varias unidades melódicas». «Los límites de
las unidades melódicas no van determinados en español por el
efecto del acento espiratorio, sino por las circunstancias del
sentido y por el orden y armonía del conjunto musical», coincidiendo con los del grupo fónico, que da «base a la forma melódica de la frase». En *1950,* § *29,* define el grupo fónico como «la
porción de discurso comprendido entre dos pausas o cesuras
sucesivas de la articulación». En *1948,* 41, indica más claramente que «Las divisiones entre estos grupos o unidades no van
siempre marcadas por verdaderas pausas. Con frecuencia el
paso de una unidad a otra se manifiesta solamente por la depre-
sión de la intensidad, por el retardamiento de la articulación
y por el cambio más o menos brusco de la altura musical, sin
que ocurra real y efectiva interrupción de las vibraciones vocálicas».

Más recientemente, Philip Lieberman *(1967)* ha considerado
el «breath-group» o *grupo espiratorio* como unidad entonativa,
que puede coincidir o no con una unidad gramatical.

La lingüística norteamericana ha seguido otro rumbo diferente, cuya directriz marcó en su origen Bloomfield, en su obra
clásica *Language.* Es importante señalar que Bloomfield distingue cuidadosamente entre acento —derivado de la amplitud vibratoria— y tono —dependiente de la frecuencia fundamental—.
Considera como fonemas secundarios (para distinguirlos de los
primarios, los segmentales: /b/, /p/, etc.), los ya mencionados
—acento y tono— más cuatro terminaciones y la pausa *(1933,*
103-105). Como la entonación comporta, según Bloomfield, un
significado determinado, los contornos entonativos deben ser
considerados como morfemas. Como a su vez los contornos entonativos están determinados por varios tonos, los tonos serán
los fonemas. Estos fonemas —secundarios, según Bloomfield,
prosódicos, tonales o suprasegmentales en otras terminologías—
serán las unidades mínimas de entonación.

R. S. Wells *(1945,* 34) asigna al inglés cuatro fonemas tonales
que «se organizan en secuencias plenamente significativas llama-

das morfemas tonales, que son totalmente análogos a los morfemas segmentales compuestos de fonemas segmentales».

Pike *(1953)* describe los contornos entonativos como formados por cuatro niveles tonales y dos «pausas», es decir, dos movimientos terminales. El contorno entonativo no coincide necesariamente con la oración: una oración puede tener varios contornos.

G. L. Trager y H. L. Smith *(1935)* proponen un análisis más minucioso de las unidades entonativas, al considerar cuatro niveles fonémicos de tono, tres junturas terminales (que corresponden a las dos «pausas» de Pike), una juntura interna, cuya misión es separar entre sí las palabras, y cuatro niveles acentuales, también fonémicos.

Z. Harris *(1944, 182)*, que marcó toda una época en la lingüística norteamericana, analiza la entonación en un importante artículo, como un morfema suprasegmental cuyos elementos integrantes son el tono y el acento; estos morfemas «constituyen morfemas por sí mismos independientemente del resto del habla, con los que son simultáneos». Por contraposición a las teorías de Pike, Wells y Trager-Smith, los morfemas entonativos son claramente suprasegmentales, son componentes únicos «cuya longitud es la de un enunciado completo o frase» *(1944, 190)*.

Por último, Hockett *(1955, 44)* considera como una unidad melódica el *macrosegmento:* el fragmento entre dos pausas de la oración. La entonación de este macrosegmento está compuesta por siete últimos constituyentes fonológicos: cuatro niveles tonales y tres contornos terminales del macrosegmento: descendente, ascendente y suspensivo.

Resumiendo lo expuesto hasta aquí, podemos decir que nos encontramos en el tratamiento del análisis de la entonación, a grandes rasgos, con dos posiciones muy distintas: por un lado, la que podríamos llamar, en sentido muy general, europeísta, para la que la entonación está integrada por un cuerpo melódico indivisible y un final; cuerpo y final que constituyen un conjunto orgánico. Es decir, consideran la curva melódica, con todas las variaciones frecuenciales del fundamental, como un

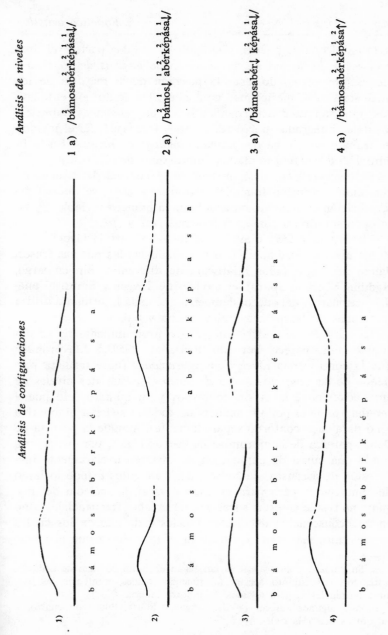

FIG. 13.5. Análisis de configuraciones y análisis de niveles, en la entonación

todo en el que se pueden distinguir, o no, dos partes: el final
y el resto. Es lo que se ha denominado *análisis de configuraciones*. Por otro lado, está la posición de la mayoría de los
lingüistas norteamericanos: para ellos, los contornos entonativos, que son unidades significativas, son morfemas suprasegmentales integrados por determinados fonemas [8]. Es el método
de trabajo que se ha denominado *análisis de niveles*. En la figura 13.5 están representados ambos tipos de análisis.

Bolinger *(1951)* atacó duramente el sistema de niveles, re-
chazando la función fonémica atribuida a ellos, ya que su determinación es relativa, no absoluta, su número variable [9], y no
se oponen entre sí como los fonemas /m/ y /n/.

Lieberman *(1965)* tampoco se muestra partidario del análisis de niveles: hizo analizar a dos lingüistas las mismas frases,
dando unos resultados relativamente diferentes. Sin embargo,
Hadding-Koch, al aplicar el modelo de Trager y Smith al análisis entonativo del sueco, demostró que cada informante utiliza
tres zonas de frecuencias: alta, media y baja.

La cuestión de aplicar uno u otro procedimiento no es tan
simple como parece. Por ello, F. Daneš *(1960,* § 2.1) propuso
que la controversia *niveles/configuraciones* fuese resuelta partiendo de las *configuraciones de niveles*, ya que «los niveles de
entonación no existen sin contornos y su número sólo puede
ser determinado por un análisis de todo el sistema entonativo
y no para cada contorno separadamente». Aunque la postura de
Daneš parezca de compromiso es la más lógica, porque: *a)* mi-
rando una curva de entonación, se distinguen claramente una
sucesión de ascensos, descensos, deslizamientos a todo lo largo
del enunciado; pero para un oído normal, la melodía del lenguaje no reside en estas sucesivas variaciones frecuenciales, sino
en una consecución de niveles tonales cada uno de los cuales
es más alto, más bajo, o está a la misma altura que el prece-

---

[8]   Su número y naturaleza varían según el punto de vista de cada investigador; en conjunto, serían: los fonemas tonales, acentuales, las junturas terminales y, para algunos, la juntura interna.

[9]   Para algunos autores (Wells, Trager y Smith, Pike) son cuatro, y
para otros, seis (Harris).

dente; *b*) el análisis configurativo incluye también los niveles al describir sus materiales: alto ascendente y descendente, bajo ascendente y descendente; y también incluye las junturas, puesto que los tonos finales ascendentes, descendentes y suspensivos no pueden manejarse si no se perfilan unas unidades más pequeñas. Ambos procedimientos son complementarios: el análisis de niveles tonales y junturas es necesario, como dice Hadding-Koch *(1961*, 44-46), para «describir los puntos pertinentes entre los que se mueve la melodía del lenguaje. Una notación de configuraciones, por otra parte, es probablemente necesaria para describir las características tonales y determinadas actitudes». En gran parte, el problema reside, como hemos apuntado otras veces, en el punto de vista de cada investigador, según se sitúe en el plano de la sustancia o en el de la forma.

Existe aún un problema difícil de resolver, y común a todas estas concepciones entonativas: la división del enunciado en grupos de entonación. Los lingüistas británicos los han considerado en función de la oración: a cada oración le corresponde un grupo entonativo; las oraciones que poseen más de uno constituyen excepciones y se tratan aparte. Los lingüistas americanos que han seguido sobre todo a Trager y Smith consideran la cláusula como la unidad básica de la entonación. Sólo algunos, como Wode *(1966)*, reconocen que los grupos de entonación pueden corresponder a otras unidades gramaticales.

Por otro lado, se han fijado estas unidades relacionándolas con grupos de sentido («sense-groups»), con grupos espiratorios, o con el grupo rítmico-semántico, mezcla de ambos [10]. Su referencia al grupo espiratorio implica una supeditación fisiológica reflejada en la longitud del grupo. Su relación con el grupo de sentido parece indicar, por un lado, la cohesión interna del grupo y, por otro, los límites del grupo entonativo. Ambos grupos se relacionan, por lo general, con frases, con

---

[10] El grupo rítmico-semántico fue utilizado, como unidad de entonación, por Grammont, Klinghardt y Weiblinger. Navarro Tomás *(1948*, 38) lo define como: «la parte de discurso que tiene por base prosódica un solo acento espiratorio y por contenido ideológico un núcleo de significación no susceptible de divisiones más pequeñas».

oraciones, con cláusulas, bien referido a su forma o a su función. En realidad, aún no hay un corpus de análisis lo suficientemente amplio y exhaustivo como para dilucidar esta cuestión. El problema de la existencia de las unidades de entonación tiene una consecuencia inmediata: ¿puede compararse la estructura de la entonación con el sistema de fonemas segmentales? ¿puede usarse en un análisis fonémico? (Quilis, *1975*). W. Jassem *(1952*, 33-34) opina que la sustitución de un patrón de entonación por otro no es idéntico a la sustitución de un fonema por otro: la sustitución de la entonación de /kóme ↓/ con final descendente por /kóme ↑/ con final ascendente comporta el mismo significado que en /biéne ↓/ con final descendente, frente a /biéne ↑/ con final ascendente; es decir, la conmutación entre estos dos patrones origina en cualquier enunciado el mismo cambio de significado. Por el contrario, la conmutación de un fonema por otro origina en cada caso un nuevo cambio de significado. En el caso de la entonación, el cambio de significado es predecible; en el caso del fonema, no: «Observada la función de un cierto patrón tonal, este patrón puede usarse en extensiones fonéticas similares ad libitum... no hay limitaciones, como en la sustitución de los patrones tonales... La sustitución es predecible», mientras que la de los fonemas no lo es, llegando a la conclusión de que de hecho la entonación difiere de la estructura fonológica de la lengua [11].

El argumento de Jassem no es totalmente válido: un sistema prosódico contiene un número de elementos mucho menor que un sistema de fonemas segmentales. Además, en el caso propuesto es evidente que si sólo contamos con un sistema entonativo de dos unidades, el número de elecciones posibles es bien pequeño y muy poca la cantidad de información que aporta cada una de ellas, por lo que la predicción significativa es, lógicamente, muy alta.

Dwight L. Bolinger *(1949*, 248-249), al comparar la entonación y los fonemas, encontró siempre discrepancias entre ambos: en primer lugar, los fonemas segmentales son «semánti-

---

[11] Véase también Klara Magdics *(1963)*.

camente discontinuos»: un incremento en la duración de un fonema no afecta al significado. Por contraste, el movimiento entonativo es continuo y un aumento o disminución en el intervalo del movimiento tonal lleva consigo un aumento o disminución de la intensidad del sentimiento expresado. En segundo lugar, el fonema es arbitrario, mientras que la curva de entonación está ligada a la «tensión nerviosa del hablante». «La entonación contiene unos pocos usos arbitrarios, pero está incrustada en una matriz de reacciones instintivas; incluso a los usos arbitrarios se les puede asignar generalmente valores consecuentes con la interpretación nerviosa... Los usos arbitrarios de la entonación son apenas más numerosos que los usos expresivos de las articulaciones de la fonémica.» En tercer lugar, mientras que las variantes de un fonema dependen de una función diferente y especial de los órganos articulatorios, las diferentes formas de entonación sólo se relacionan con un factor fisiológico: la vibración de las cuerdas vocales.

Los argumentos de Bolinger están basados en su teoría de que la entonación no desempeña ninguna función lingüística, que es sólo emotiva o expresiva, punto de vista generalmente no compartido en la actualidad.

Así mismo, H. Seiler *(1962)* opina que los rasgos prosódicos no se pueden describir del mismo modo que los fonemas y morfemas, porque son fenómenos graduales que muestran infinita variación.

También para Pierre Delattre *(1969, 6)*, «lingüísticamente hablando, la curva prosódica no se comporta exactamente como el fonema segmental», ya que las oscilaciones acústicas entre dos fonemas segmentales es categorial, y entre dos curvas netamente distintas en todo existe una infinidad de variaciones acústicas con una infinidad de matices. Creemos que dentro de esa graduación teóricamente infinita de realizaciones acústicas existen unos límites, si no iguales, sí semejantes a los que determinan el campo de dispersión de las realizaciones de un fonema (pensemos, por ejemplo, en el «campo» de las realizaciones de un fonema vocálico en una carta de formantes). Es cierto que por la naturaleza categorial de la percepción de los fonemas segmentales, hay un límite —tampoco tan universalmente matemático como quisiéramos— pasado el cual percibimos otro fonema. En la entonación, los infinitos matices son matices, pero dentro también de una categoría, con unos límites, traspasados los cuales —como han puesto de relieve entre otros Odette Mettas *(1963)*, para el francés, y Kerstin Hadding-Koch *(1961)*, para el sueco— se penetra en otra categoría: de la interrogación a la sorpresa, de la afirmación al mandato. Y es que la entonación es el vehículo idóneo de las situaciones expresivas y emocionales, y en ella se mezcla lo extralingüístico con el nivel propiamente lingüístico del lenguaje organizado; entre los dos, bien es cierto, es difícil señalar un límite absoluto en esa gradación que el lingüista debe sistematizar. Por otra parte, hay que tener en cuenta que, según Eli Fisher Jørgensen *(1949*, 215-216), «la forma es independiente de la sustancia, en el sentido que puede manifestarse en sustancias diferentes permaneciendo la misma forma. Y los elementos de la forma se definen por sus relaciones mutuas».

El mismo P. Delattre *(1969*, 6), operando sobre las curvas melódicas, demostró cómo en un contorno entonativo se pueden separar las curvas significativas cuando se establecen oposiciones de significado basados en la sustitución de una sola curva, del mismo modo que se cambia el significado de una palabra al sustituir un segmento por otro: «El sentido dado al mensaje por las diversas curvas de entonación... no es necesariamente único; puede variar dentro de ciertos límites, puede llevar consigo matices, puede depender de lo que precede y sigue. Lo que importa es que es netamente diferente en cada uno de los cuatro ejemplos. La curva tiene, pues, por sustitución, una función distintiva del mismo género que el fonema segmental que, por sustitución, cambia *ami* en *habit*.»

Pero la curva de entonación (o *entonema*) —es decir, lo que en un análisis de niveles sería el morfema de entonación— y el fonema difieren en cuanto a las variantes de ambos: «los alotonos de un entonema no tienen necesariamente con su entonema la misma relación que los alófonos con su fonema» (Delattre, *1969*, 7); sin embargo, en el mismo trabajo encuentra dos curvas, que, siendo acústicamente diferentes, están en distribución complementaria, como podrían estarlo dos alófonos o dos alomorfos, y otras curvas cuya distribución es libre. Los entonemas difieren también de los fonemas en cuanto al significado. Un fonema no tiene significado en sí mismo; un entonema, sí; la curva ascendente de una pregunta evoca la idea de pregunta sin que esté unida a una secuencia de fonemas segmentales que tengan un significado. La unidad segmental más pequeña con significado propio es el morfema. Por eso, el entonema tiene más analogía con el morfema que con el fonema.

Mas también encuentra Delattre *(1969,* 7) analogía entre entonema y fonema: del mismo modo que los fonemas se distinguen entre ellos por sus rasgos pertinentes (labialización, nasalidad, sonoridad, etc.), también en las curvas de entonación es posible encontrar rasgos pertinentes como: ascenso/descenso, ascenso mayor/ascenso menor, pendiente creciente/pendiente decreciente. «Pero los rasgos pertinentes de la entonación no aparecen de un modo tan claro como los de los fonemas segmentales.»

Los trabajos de Faure *(1971,* por ejemplo) están poniendo de relieve la existencia de unidades discretas en la entonación, oponibles y conmutables, como los fonemas: «la realización de estas unidades discretas puede definirse en función de umbrales que delimitan un campo de dispersión, no sólo comparable al de las realizaciones fonemáticas, sino, a menudo, más estrecho», y «las conmutaciones de estas unidades intervienen sobre una porción de la cadena hablada perfectamente localizable» fuera de la cual, o están desprovistas de significación lingüística o son redundantes.

Bertil Malmberg *(1966,* 227) establece para la mayoría de las lenguas dos unidades de entonación: una terminal (no marcada) y otra no terminal (marcada). Es posible que sea necesario añadir, para ser exhaustivo, una o dos unidades más (un final extrabajo que sirve para indicar los límites entre unidades más largas, como parágrafos, que en la lengua escrita se marca por el punto o por el punto y aparte; una entonación especial para la enumeración en algunas lenguas). Pero es posible en cualquier lengua «describir la entonación de la frase con la ayuda de un número muy restringido de unidades fonológicas, y... los numerosos tipos que oímos o que registra el aparato hay que interpretarlos como variantes de uno de estos dos, tres o cuatro prosodemas, y por la superposición de unidades que pertenecen a niveles lingüísticos diferentes o a un nivel extralingüístico».

Por último, Göran Hammarström *(1963, 1974)* considera en el nivel de los suprasegmentos dos unidades básicas: el *prosodema* y el *contornema*. El primero lo define como «una clase de *prosodos*, en la que un prosodo (un elemento hablado de la clase) posee una o (en la mayoría de los casos) varias propiedades fonéticas que se han de considerar como decursos. Estos decursos se refieren (determinados auditivamente) a la altura, timbre, cualidad y cantidad de las partes simultáneas del prosodo. El prosodo mismo es así un decurso fonético complejo»... «Las clases de prosodos, es decir, los prosodemas, son determinados conforme a los mismos criterios que las clases de fonos, es decir, los fonemas» *(1974, 62)*. Estos prosodemas son discretos y comparables en todo al fonema. El otro elemento es el *contornema*, que pertenece al *plano* β, es decir, al plano que posee las propiedades fonéticas que indican cómo se dice algo (por oposición al *plano* α que posee las propiedades distintivas): admiración, amabilidad, ironía, etc. «El contornema es una clase de contornos en la que un *contorno* (un elemento hablado de la clase) posee una o (la mayoría de las veces) varias propiedades fonéticas que (en la mayoría de los casos) se han de considerar como decursos. A estos decursos los llamamos *componentes de contorno*. Fonéticamente son los mismos que los componentes de prosodo» (altura, timbre, etc.). Estos contornemas no son discretos, son graduales. Por otra parte, son parecidos al morfema: «Así como a cada morfema corresponde un semema, así también a cada contornema corresponde un *expresema*», definiendo el expresema como una clase de *expresos*, es decir, «una unidad del contenido lingüístico (en el sentido amplio de la palabra) que se refiere a sentimientos, modos de comportamiento y cosas de este estilo. Como ejemplos de expresemas podemos aducir la «aversión», la «admiración» o la «ironía». Expresos de un expresema como «aversión» son los grados o matizaciones de la aversión» *(1974,* 22-26).

En un análisis de configuraciones, como el que representa la figura 13.5, en el que se da la curva melódica con todas sus variaciones frecuenciales, es imposible discernir más de dos partes —partes y no unidades—: el final —el *tune* o el *tonema*— con su movimiento ascendente, descendente o suspensivo se puede considerar como una unidad, pero no así el cuerpo melódico que precede a ese final, que enunciado en sucesivos ciclos por segundo sigue permaneciendo en el nivel de la sustancia no delimitada.

Por el contrario, el análisis de niveles describe los puntos pertinentes de la melodía del lenguaje, es decir, conforma esa sustancia, o formaliza las curvas de entonación. En él podemos distinguir los siguientes elementos:

unos niveles tonales, que para el español pueden señalarse tres: /1/ o bajo, /2/ o medio y /3/ o alto;

unas junturas terminales, cuya función es delimitadora, y que pueden producirse con o sin pausa: /↓/ descendente, /↑/ ascendente y /|/ suspensiva;

y, por último, los acentos, que para la descripción fonológica del español es suficiente considerar dos: el fuerte /'/, que es el que se marca, y el débil /˘/, que normalmente no se señala.

¿Pueden ser estos elementos que hemos desgajado las unidades con las que podemos operar en el estudio de la entonación?

Si las unidades del lenguaje deben poseer una función *combinatoria,* o sea, «la capacidad de combinarse mutuamente para formar grupos o complejos capaces de identificar y distinguir palabras y oraciones» (Lyons, *1973,* 67), los niveles tonales, acentuales y las junturas terminales poseen esa función. En efecto, los niveles tonales que hemos señalado más arriba tienen en español sólo cuatro posiciones distribucionales: 1) después de pausa (posición inicial absoluta) o de juntura terminal; 2) en la sílaba con acento débil después de la última sílaba con acento fuerte en una frase; 3) en todas las sílabas con acento fuerte de la frase; 4) en cualquier sílaba con acento débil que esté inmediatamente antes de la última sílaba con acento fuerte antes de una juntura terminal [12]. La distribución de los elementos acentuales viene dada por las reglas de acentuación de la lengua. Las junturas terminales aparecen al final de una secuencia, seguidas o no de pausa.

Si una unidad debe delimitar y organizar una sustancia, y como tal debe ser localizable, sustituible y el resultado de la más pequeña segmentación en su nivel de análisis, los elementos enunciados cumplen esa función. El trabajo de Alexander Isačenko y Hans-Joachim Schädlich *(1970)*, por ejemplo, lo ha demostrado plenamente, para la lengua alemana, por medio de la síntesis del lenguaje: el continuum de un enunciado fue fragmentado en determinadas unidades discretas, valiéndose sólo de dos tonos: ascendente y descendente, situados en diferentes puntos del enunciado. Los resultados de estas frases sintéticas, controlados por un grupo de oyentes, fueron plenamente satisfactorios.

Si las unidades lingüísticas contraen relaciones sintagmáticas y paradigmáticas con otras unidades del mismo nivel, los niveles tonales, los acentos y las junturas terminales entran en ese sistema de relaciones: los niveles tonales y las junturas terminales, entre ellos mismos; el acento, con otro tipo de acento o con un acento de grado cero.

Si las unidades del lenguaje, en virtud de las mencionadas relaciones, deben poseer una función *contrastiva* y *distintiva*, los elementos que hemos señalado la desempeñan. Compárese entre:

$$2 \quad 1 \quad 2 \; 1 \qquad\qquad 1 \quad 1 \quad 2 \; 1$$
$$/\text{kuáNdo biéne} \downarrow / - /\text{kuaNdo biéne} \downarrow /$$

o *La secretaria está en el primer piso - La secretaría está en el primer piso.*

Evidentemente, el menor número de elementos que intervienen en el nivel prosódico y sus restricciones combinatorias reducen las posibilidades de las relaciones paradigmáticas.

---

[12] Véase I. Silva-Fuenzalida *(1956-1957)* y Stockwell, Bowen y Silva-Fuenzalida *(1956).*

Estos elementos que hemos podido aislar reúnen, por lo tanto, las características de unidades, unidades prosódicas mínimas, a las que se les da el nombre de *fonemas prosódicos* o *fonemas suprasegmentales*. Y si, por último, una unidad lingüística no se concibe como tal si no se la puede identificar en una unidad más alta (Benveniste, *1966*, 123), los fonemas suprasegmentales se insertan en una unidad superior a ellos, que es el *morfema de entonación*. Para el español se han calculado 1.054 morfemas de este tipo (Silva-Fuenzalida, *1956-1957*, 187).

El paralelismo entre los fonemas segmentales y los suprasegmentales se puede establecer fácilmente.

1. Ambos son elementos segmentables mínimos, identificables y sustituibles.

2. El análisis puede aislar en el interior de ambos tipos de fonemas los *rasgos distintivos*, que no son segmentables, en virtud del principio saussureano de la linealidad del significante, pero sí identificables y sustituibles. Pero existe una diferencia: los fonemas se pueden caracterizar como un haz de rasgos distintivos, mientras que los prosodemas sólo poseen un rasgo distintivo. Ahora bien, todos estos rasgos, tanto de los fonemas como de los prosodemas, poseen uno o varios índices acústicos y articulatorios. Los fonemos tonales alto, medio o bajo tienen como índice acústico la distinta frecuencia del fundamental, cuyo correlato articulatorio tiene su sede en la vibración de las cuerdas vocales, y el perceptivo, en la tonía alta, media o baja. Como índices acústicos de los fonemas acentuales se establecen los parámetros de frecuencia del fundamental, de duración y de intensidad, cuyo correlato articulatorio depende de la interacción de la vibración de las cuerdas vocales, de su amplitud vibratoria y de la duración, y el perceptivo, de la sonía fuerte o débil. Los fonemas de juntura terminal tienen como índice acústico el movimiento del fundamental, con o sin presencia del parámetro de intensidad y seguido o no de silencio; su correlato articulatorio se establece en la laringe, en estrecha relación entre la vibración de las cuerdas vocales, la acción de los músculos vocal y cricotiroideo y la presión del aire infra-

glótico, seguido o no de detención de toda actividad fisiológica, y el perceptivo, en el ascenso o descenso del tono.

3. Los fonemas prosódicos tienen, como los no prosódicos, sus correspondientes alófonos, cuya distribución seguirá en cada lengua determinadas reglas.

4. El significado, que debe estar presente en toda unidad lingüística (Benveniste, *1966*, 122), no lo está en ninguno de los dos tipos de fonemas: ambos son sólo discriminadores de signos lingüísticos, así como los rasgos distintivos, a su vez, son los discriminadores tanto de los fonemas segmentales como de los suprasegmentales.

Según Faure *(1973*, 17), los rasgos entonativos son «localizables en la cadena sonora, definibles en términos de márgenes de dispersiones y de umbrales y cuya conmutación con otro rasgo entonativo lleva consigo, en igualdad de condiciones, un cambio de identidad del mensaje en cualquier nivel».

Como podemos deducir de este rápido panorama, la bibliografía sobre la entonación es más bien vaga y diversa en la concepción de sus unidades. Se está realizando, eso sí, un gran esfuerzo por definirlas desde diversos ángulos —sobre todo en estos últimos años— y se tiene el convencimiento, incluso experimental, de su existencia, pero la complejidad del componente entonativo, por un lado, y la falta aún de estudios exhaustivos en diferentes lenguas no permite aún su aceptación universal, aunque creemos que no está lejano el día —si los estudios sobre la entonación prosiguen al ritmo de estos dos o tres últimos años— en que todo el mundo reconozca esas unidades entonativas tan evanescentes, como se reconoció el fonema, aunque sus naturalezas sigan siendo discutidas.

13.7. FUNCIONES DE LA ENTONACIÓN

La mayoría de los trabajos publicados, principalmente en estos últimos años, atribuyen a la entonación determinadas funciones de acuerdo con la posición teórica de sus autores. Los estudios de carácter general, como los de Daneš *(1960)*, Rigault

(1964), etc., integran, en distintos niveles de interpretación, pero bien delimitadas, todas las funciones que puede realizar este prosodema. Hay otros trabajos, por el contrario, que no distinguen entre las distintas funciones de la entonación, y si en cualquier aspecto del análisis lingüístico es importante señalar los diferentes niveles en los que actuamos, en la entonación esta distinción es imprescindible. Uno de los mayores problemas que ha estado siempre presente en el prosodema entonativo es precisamente éste: la no delimitación de las diferentes funciones que puede realizar, pues la entonación es, como veremos más adelante, el vehículo lingüístico ideal para transmitir las más diversas informaciones, que en el proceso de comunicación van tremendamente mezcladas, pero que el oyente descodifica automáticamente, y sabe si su interlocutor pregunta o afirma, es de Chile o de España, está enfadado o contento, etc. [13].

Nosotros distinguiremos, siguiendo los presupuestos científicos generalmente admitidos en lingüística [14], tres niveles en el estudio de la entonación: 1. El *nivel lingüístico* (denotativo, nocional u objetivo). 2. El *nivel sociolingüístico* (connotativo, subjetivo). 3. El *nivel expresivo*.

13.7.1. FUNCIONES DE LA ENTONACIÓN EN EL NIVEL LINGÜÍSTICO.

La entonación transmite en este nivel una información estrictamente lingüística, y es en él donde se centran una gran cantidad de controversias, porque aquí convergen las distintas teorías sobre la entonación. Las funciones que la entonación realiza en este nivel son las siguientes: la función distintiva, la función integradora y la función delimitadora. Pero en este mismo nivel, y como abarcando todas las funciones indicadas, se encuentra el problema de las relaciones entre entonación y gramática, que es lo primero que vamos a examinar.

---

[13] Incluso a los rasgos del sonido, que son el vehículo portador de la información del hablante, les atribuye Hammarström *(1974)* tres niveles: el nivel α, que distingue los 'significados' intelectuales; el nivel β, que indica cómo se dicen las cosas (irónicamente, etc.); el nivel γ, que da información sobre las características individuales del hablante.

[14] Véase, por ejemplo, Rigault *(1964)*.

13.7.1.1. _Relaciones entre entonación y gramática._

Casi todas las definiciones de la _oración_ incluyen el factor entonativo en su constitución, hasta tal punto que Weinreich _(1956,_ 633) llegó a afirmar que un enunciado sin entonación no es enunciado, sino mera construcción de elementos. Pero su pertenencia o no pertenencia al sistema gramatical de la lengua es otro de los problemas que aún hoy tiene planteada la función entonativa. La pregunta central, en este caso, es si su función puede ser considerada análoga a la que desempeña, por ejemplo, un morfema. Las respuestas cubren toda una amplia gama de posibilidades: desde la afirmación más rotunda sostenida por Halliday _(1967),_ para quien la gramática inglesa no puede ser descrita sin recurrir a las oposiciones de entonación [15], hasta la negación también más extrema de Martinet _(1960)_ o de Bolinger _(1964 a, 1970),_ para quienes la entonación es un mero recurso expresivo [16], pasando por posturas intermedias, como la de Kurath _(1964),_ que sostiene que la entonación y la sintaxis son independientes aunque complementarias, o las de Wells _(1945)_ y Pike _(1953),_ quienes piensan que algunos contornos entonativos son más fundamentales que otros, y postulan los patrones básicos cláusula/contorno en un dialecto. Todos estos puntos de vista, a veces tan contradictorios, derivan de la misma naturaleza tan compleja de los sistemas entonativos.

Abunda la opinión de que la entonación es importante en el estudio gramatical y viceversa. Sabemos, según Crystal _(1969,_ 254), que «una estructura gramatical dada tiene una correlación regular con un modelo determinado de entonación; un cambio en la entonación produce una nueva interpretación de la estructura sintáctica de un enunciado, sin que sea necesario ningún

---

[15] Halliday _(1964,_ 169) dice: «No podemos describir la gramática de un hablante cualquiera sin referencia a los contornos originados por la entonación.»

[16] Bolinger _(1957-58,_ 37) afirma que «Los encuentros entre entonación y gramática son casuales, no causales. La gramática usa la entonación en estos frecuentes encuentros, pero la entonación no es gramatical».

cambio morfológico». Ahora bien, sobre este principio hay que señalar que las relaciones entre entonación y gramática se pueden establecer a distintos grados: algunas estructuras gramaticales pueden usarse menos que otras, y determinados patrones de entonación pueden usarse más frecuentemente que otros para establecer contrastes gramaticales. Por eso, en la relación entre gramática y entonación es conveniente seguir dos caminos que parten de dos niveles de análisis distintos —como señalan Crystal *(1969)* y Halliday *(1967)*—, pero que son convergentes: uno, deriva del nivel fonológico y trata de descubrir los recursos fonológicos de la entonación que originan un significado gramatical; el otro, deriva del nivel gramatical, e indaga qué sistemas gramaticales se originan por medio de la entonación.

En estos últimos años, a medida que progresan los estudios entonativos, y los análisis se enfocan bajo un nuevo prisma, va generalizándose la idea de que la entonación desempeña un importante papel en la descripción gramatical de una lengua.

Así, por ejemplo, para V. A. Vasilyev *(1965)*, la primera y principal función sintáctica de la entonación es componer o formar frases. Además, la entonación en sí misma, o cada componente de la entonación (tono, fuerza, duración y timbre de la voz), puede ser un elemento distintivo, al ser el único medio de diferenciar entre sí unidades lingüísticas que coincidan en el vocabulario y en la estructura gramatical. Para O. A. Nork *(1965,* 178), «ni la palabra, ni la combinación de palabras pertenecen a la esfera de influencia de la entonación. Por el contrario, en la oración, todos los componentes de la misma son relevantes fonológicos». Cualquier tipo de oración puede oponerse a otro por medio de algún componente entonativo, pero también esta oposición puede realizarse por algún medio sintáctico y, en este caso, la función entonativa se neutraliza.

Para Hirst *(1976,* 401), «los rasgos entonativos sirven para la representación, sobre el plano fonológico, de la estructura sintáctica aparente o subyacente de la frase, del mismo modo que los rasgos fonemáticos sirven para la representación, en el mismo plano, de los morfemas de la frase», concluyendo que negar la importancia de la entonación es tanto como negar la importancia de la sintaxis.

Según Artemov *(1962,* 404), «la entonación adquiere un significado lingüístico sólo en un sistema de significados lexicales, gramaticales y estilísticos, y además en contraste con otros significados entonativos del sistema entonativo de una lengua».

Como hemos señalado más arriba, es seguramente Halliday el que más lejos ha llevado la cuestión de la estrecha relación e interdependencia entre gramática y entonación. Su razonamiento es el siguiente: en el análisis de cualquier lengua hay un nivel fonológico que supone una abstracción sobre la sustancia fónica; ello da lugar a la organización de sus recursos fónicos que se manifiestan, en otro nivel de análisis, en los patrones gramaticales y lexicales. En estos patrones, la forma de la expresión se manifiesta tanto en las unidades segmentales conformadas taxonómicamente en unidades de orden superior, como en los prosodemas, que abarcan todos los patrones mencionados. También hay que tener en cuenta, que, cuando se describe una lengua, nos preocupa siempre el significado, y que el contraste en el significado viene dado por la gramática o por el léxico. Si pensamos que la entonación inglesa es significativa, porque, por ejemplo, la elección entre dos posibles enunciados, que difieren en que uno tiene un tono 4 y el otro un tono 1, es una verdadera elección entre diferentes enunciados, debemos buscar dónde reside esa diferencia con relación al conjunto total de los patrones formales que existen en la lengua, es decir, en el gramatical y en el lexical. No es suficiente, por lo tanto, tratar los sistemas de entonación, como si fuesen un conjunto de matices emotivos superpuestos a las categorías gramaticales o lexicales.

Ahora bien, según Halliday, los contrastes realizados por la entonación en inglés son claramente no-lexicales [17], son gramaticales, se explotan en su gramática: los sistemas de entonación

---

[17] Los contrastes lexicales se dan en una lengua tonal, en la que la entonación conlleva un significado lexical, como el tailandés o el vietnamita.

son tan gramaticales como los de aspecto, número y modo, que se formalizan por otros medios. En la elaboración gramatical no hay diferencia entre sistemas con exponente directamente fonológico, tales como los realizados por la entonación, y los manifestados indirectamente por medio de una larga cadena de abstracciones gramaticales. Por lo tanto, en una descripción gramatical, los sistemas de entonación y los de no-entonación deben figurar juntos, no deben ser tratados como sistemas de diferentes tipos. Además, puesto que los sistemas de entonación operan en muy diferentes sitios en la gramática de una lengua, no deben aislarse en un capítulo, sino incorporarlos, a lo largo de la descripción, allí donde sean pertinentes, y la decisión de su pertinencia o no es de índole gramatical, no fonológica. Es en este punto donde reside el mayor problema, y donde los límites entre lo puramente lingüístico, con un alto nivel de abstracción, y lo no lingüístico, son difíciles de situar.

13.7.1.2. *Función distintiva de la entonación.*

Muchos autores opinan que la función distintiva de la entonación reside en los movimientos descendente o ascendente de la frecuencia del fundamental al final de un enunciado. De este modo, un enunciado afirmativo terminaría con una frecuencia fundamental descendente, mientras que un enunciado interrogativo lo haría con una frecuencia fundamental ascendente: *¿Viene?* se opondrá así a *Viene*. Ahora bien, una pregunta espera una respuesta, mientras que un enunciado declarativo no la espera. Es decir, la pregunta representa un enunciado con sentido incompleto, no finito, mientras que la afirmación posee un sentido completo, finito. De ahí que el mismo movimiento tonal ascendente puede servir, en cuanto indicador de sentido no finito, para expresar relaciones entre distintas partes de un enunciado.

Pero esta función —nos referimos ahora al caso pregunta/afirmación— no es siempre constante. Existe, como cualquier otro fenómeno lingüístico, mientras se mantiene la oposición, pero puede neutralizarse bajo determinadas condiciones grama-

ticales, tales como inversión del orden de palabras o presencia
de una palabra interrogativa. En español, por ejemplo, *Viene* -
¿Viene? se distinguen por entonación descendente/entonación
ascendente, pero en el enunciado

$$\begin{array}{ccc} 2 & 1 & 1 \end{array}$$
/dónde bás ↓/

el *dónde* interrogativo suple la función de la entonación, que
pasa a ser redundante.

Lo mismo pasa, por ejemplo, en francés, donde la distinción
Il vient/Il vient? viene dada por la entonación, que se neutraliza
en enunciados como *Est-ce qu'il vient?* o *Vient-il?* o *Où allez-
vous?*, donde la entonación ascendente es redundante.

En otras palabras, podemos decir que si el significado de un
enunciado está indicado de un modo suficientemente claro por
el texto (palabras, estructura gramatical), la entonación no desempeña prácticamente ningún papel, pero si el sentido no está
suficientemente indicado en el texto, la entonación funciona a
pleno rendimiento.

Son muchas las opiniones en favor de esta función distintiva.
Bástenos mencionar, como resumen, la de B. Malmberg *(1967 b,*
XI): «Estoy persuadidó de que, en el llamado nivel de la entonación de la frase, es perfectamente posible, en la mayoría de las
lenguas, describirlo únicamente con la ayuda de dos prosodemas fundamentales: terminal/no terminal... Es el caso en sueco, y estoy seguro que es también el caso en francés, en inglés,
en español, etc.»

Pero también ha habido discrepancias a la hora de considerar adscrita esta función al nivel gramatical o lingüístico. Cruttenden *(1970),* por ejemplo, piensa, en contra principalmente
de Halliday, que todos los casos en los que se ha hablado de
una entonación gramatical pueden ser reducidos a *funciones
modales,* susceptibles de ser agrupadas en dos grandes clases:
«Fall = definiteness = no dependance» y «Rise = tentativeness;
incompleteness = dependance», pudiéndose explicar de esta manera, por ejemplo, la oposición pregunta/declaración y el papel
coordinador de la entonación.

F. Daneš *(1960,* § 3.3) la considera como una función secundaria de la entonación, como una función modal que caracteriza al enunciado de acuerdo con su intención (el aspecto expresivo sería, a su vez, una función secundaria de esta función modal: la función modal subsidiaria): «La parte de la entonación que expresa la intención del enunciado difiere según las lenguas. A menudo se sustituye por otros medios gramaticales o lexicales. Puesto que la afirmación es generalmente una categoría no marcada, se emplea normalmente el contorno final entonativo en tales expresiones, incluso si tienen una intención distinta de la afirmación, puesto que su intención marcada está suficientemente señalada por otros medios. Pero cuando los otros medios están ausentes o no se sienten como suficientemente claros, aparece un contorno final especial. Así, por ejemplo, la oposición «afirmación/pregunta» se indica fonológicamente por la oposición 'contorno final no especial/contorno final especial (interrogativo)'. Consecuentemente, una categoría entonativa marcada expresada por medio de una forma no marcada lexical o gramaticalmente requiere una forma marcada de entonación.»

Según Siertsema *(1962),* la entonación depende tanto del léxico y su ordenación en el enunciado (que él denomina «material fático»), como de su contexto lingüístico y no lingüístico. En el primer caso, la entonación puede determinar la interpretación del material fático, pero también el material fático puede determinar la interpretación de la entonación. En el segundo caso, la entonación ayuda a interpretar el contexto y a menudo la situación, y también a la inversa: el contexto y la situación pueden determinar la interpretación de la entonación. De este modo, en lo que se refiere a la formación de afirmaciones y preguntas en holandés, deduce Siertsema las siguientes conclusiones: *a)* la construcción fática ocupa en la lengua una situación más fuerte que la de la entonación. Una elevación de la entonación puede convertir una afirmación en pregunta, pero no siempre, y lo contrario no ocurre: las preguntas fáticas son siempre preguntas; *b)* la forma de pregunta de un enunciado ocupa en la. lengua una situación más fuerte que la forma de afirmación. Una afirmación fática puede funcionar como una pregunta, tanto con entonación ascendente como descendente, pero una pregunta fática es siempre una pregunta; *c*) no hay un patrón de entonación que caracterice exclusivamente las afirmaciones o las preguntas, en el sentido tradicional.

L. S. Hultzén *(1964)* piensa que la entonación no aporta ningún nuevo significado en las dos correlaciones básicas que señala para la lengua inglesa (final no descendente/final descendente): no hay ningún significado en la entonación que no esté en el texto; la entonación por sí sola es incapaz de reflejar el sentido completo o incompleto de una frase: existe una correlación entre ambos extremos, pero no es función del elemento entonativo la indicación de terminación o no terminación (continuación) de una frase (Hultzén, *1962, 1957)*. Su verdadera función aparece cuando en un caso de ambigüedad, marca la situación de una «elección» (Hultzén, *1959)* (en el sentido de la teoría de la información), más que define el carácter de esa elección, ya que la interpretación específica de un mensaje depende, principalmente, según el autor, de su contexto situacional y lingüístico.

13.7.1.3. *Función integradora de la entonación.*

Para algunos entonólogos, la entonación tiene como función primordial y única la de integrar las palabras para formar una oración; para otros, ésta es una de sus funciones. Todos, en definitiva, están de acuerdo en atribuir esta función al prosodema entonativo.

V. A. Vasilyev *(1965,* 137) opina que «como ninguna frase puede existir sin entonación y precisamente esta última da a aquélla una forma determinada, la primera y principal función sintáctica de la entonación es componer o formar frases».

Nork *(1965,* 180) atribuye a la entonación «la integración de lo enunciado» como un valor constante.

Para F. Daneš *(1960),* la función fundamental de la entonación es transformar las palabras, como unidades apelativas, en unidades comunicativas, esto es, en enunciados. Cada palabra, o sucesión de palabras, se convierte automáticamente en un enunciado cuando se pronuncian con una cierta forma de entonación. El enunciado, como un conjunto, y con validez comunicativa, está conformado y señalado doblemente: por un lado, tiene una forma gramatical, el patrón de la frase, y por otro, la entonación. La entonación es, por lo tanto, el recurso más común y el más elemental del enunciado. Según el mismo Daneš, pueden aparecer enunciados sin forma gramatical, pero sin entonación, no.

Klichnikova *(1965)* opina que la entonación desempeña dos funciones: *a)* la consolidadora (da forma acabada a la ligazón de las partes en la oración compuesta) y la semántico-distintiva (da sentido de dependencia a las partes de la oración compuesta); *b)* la caracterizadora de oraciones con diferente régimen sintáctico (coordinación, yuxtaposición, subordinación).

Para otros, como Daneš o Frei, el papel de la entonación es integrar las dos partes temáticas del enunciado. Así, según Daneš *(1960,* § 3.2), la segunda función entonativa es señalar la integración de las dos partes temáticas fundamentales del enunciado: el *tema,* T (la cosa conocida y, sobre la que se habla, el sujeto psicológico), y el *propósito,* P (lo que se dice sobre el tema, el predicado psicológico). La nueva información sobre el tema se sitúa normalmente al final de la frase. Por ejemplo:

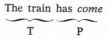

The train has *come*

T   P

La operación de la entonación en este dominio se rige por medio de dos reglas básicas: *a)* P se sitúa normalmente al final de la expresión; *b)* el centro de la entonación, con el contorno final, está siempre localizado sobre P (sobre la última palabra acentuada del P, esto es, sobre la última unidad acentual del enunciado). El orden T-P anterior es el normal. En caso de énfasis especial, la información nueva, P, pasa al principio:

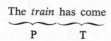

The *train* has come

P   T

También para Henri Frei *(1968)* la entonación es la que desempeña el papel distintivo fundamental en las frases *C'est ... qui,* en las que se pueden distinguir dos partes, paralelamente al T-P de Daneš: «C'est plutôt sa fille/qui sera contente». La entonación puede, en estos casos, desempeñar tres funciones: *a)* puesta en relieve global; *b)* puesta en relieve parcial; y *c)* simple presentación.

13.7.1.4. *Entonación y orden de palabras.*

Las experiencias realizadas por Seiler *(1962)* demostraron que un cambio en el orden de palabras origina una modificación en el comportamiento de los rasgos prosódicos: si el orden de palabras y los rasgos prosódicos se consideran como pertenecientes al mismo significante, al realizar variaciones en el orden de palabras (porque el orden de palabras es limitado en número y no de naturaleza gradual, como son los rasgos prosódicos), los cambios de significado resultantes se pueden definir en términos de determinadas correlaciones sintácticas, como coordinación, etc., las que, a su vez, en el plano morfosintáctico pueden indicarse por medio de partículas o palabras funcionales (tales como *nun, wirklich, und,* etc., en alemán). Como conclusión, se puede señalar que las mencionadas palabras funcionales están íntimamente relacionadas con el orden de palabras y con los rasgos prosódicos.

Este paralelismo entre nexos de relación y entonación ha sido señalado también por María Schubiger *(1965),* al comparar el inglés y el alemán: la función realizada por las partículas modales alemanas es idéntica a la función entonativa en inglés.

En otro trabajo, Schubiger *(1964)* llega a la conclusión de que en una lengua como el inglés, en la que puede producirse una inversión en el orden de palabras (como la situación de los elementos adverbiales o la relación sujeto-verbo), la entonación cambia, varía su perfil en el orden invertido de palabras con relación a su orden normal y coopera en la producción de los más variados efectos expresivos o estilísticos.

F. Daneš *(1967)* piensa que en lenguas como el inglés, la rigidez en el orden de palabras puede ser compensada por medio de una gran variedad de posiciones posibles del contorno terminal de la entonación: «en inglés, es más bien la estructura fonológica suprasegmental la que señala la 'perspectiva funcional del enunciado', esto es, los puntos de dinamismo comunicativo más elevado». En otro trabajo *(1960, 52)*, el mismo autor estudia la posibilidad de que la entonación pueda distinguir determinados significados lexicales: la diferencia entre frases como «I have certain *proofs*» («certain» puede significar 'algunas', o bien 'positivas', 'infalibles') y «I have *certain* proofs» (donde «certain» significa 'infalibles') viene dada por el hecho de que en la segunda frase, *certain*, está marcada por un énfasis contrastivo; de ahí que la entonación no determine el significado directamente, sino que señale sólo el énfasis contrastivo.

La función entonativa que suple la rigidez del orden de palabras en otras lenguas queda anulada en español. En casos análogos al del inglés anteriormente citado, el orden de las palabras, sin necesidad de ningún prosodema, cumple una misión plenamente significativa: *Tengo ciertas pruebas/Tengo pruebas ciertas;* el orden sustantivo-adjetivo o adjetivo-sustantivo, que es normalmente libre en español, posee ciertas restricciones cuando a nivel de lengua ha adquirido una determinada significación.

Para poner algo de relieve es suficiente en español, en la mayoría de los casos, el cambio en el orden normal de las palabras, sin que la entonación intervenga, aunque también puede ser ésta la responsable de la puesta en relieve, sin necesidad de cambiar el orden de palabras, como ocurre en otras lenguas [18], o una combinación de los dos procedimientos: orden de palabras y entonación.

13.7.1.5. *Función delimitadora de la entonación.*

Junto a la función integradora que acabamos de ver, y en estrecha conexión con ella, se encuentra la función delimitadora

---

[18] Véase Firbas *(1972)*. Para el mismo problema en rumano, véase Avram *(1972)*.

de la entonación que actúa a varios niveles, por sí sola o combinada con otros elementos prosódicos. En esta función, la entonación delimita los enunciados y segmenta el continuum de discurso en un determinado número de unidades por razones fisiológicas (necesidad de inspirar el aire necesario para la fonación), por razones de comprensión del mensaje (con el objeto de distribuir la información para que resulte lo más comprensible posible, por ejemplo: «Encontré a Pablo/hace algunos días/a la salida del cine») o por otros motivos lingüísticos. Según Ph. Lieberman *(1964*, 315), «la función lingüística primaria de la entonación es la de proporcionar índices acústicos que permitan al oyente segmentar el habla en bloques, para el proceso sintáctico».

Lo ideal es que los motivos fisiológicos coincidan con los lingüísticos, péro no hay una coordinación perfecta y constante entre ambos, aunque éste es un punto que está todavía por investigar. En español, lo único que sabemos es entre qué partes del discurso no se ejerce la función delimitadora (Quilis, *1964 a)*.

La función demarcativa de la entonación es susceptible, en algunos casos, de llegar a ser distintiva a nivel lexical: como dice Faure *(1962)*, puede «implicar una segmentación lexical determinada, susceptible, al desplazarse, de hacer aparecer palabras enteramente nuevas», como ocurre, por ejemplo, en francés en enunciados como *Mais oui mon cher, réellment!*, opuesto a *Mais oui mon cher Rey, elle ment!;* o *Elle est rue de la Colline,* opuesto a *Elle est rude la colline!* O en español, *Es la villa, Anita,* frente a *Es la villanita.*

Esta función prosódica puede asumir también una función distintiva a nivel de oración, sin que se altere la segmentación lexical, en casos como *Pepe come,* opuesto a *¡Pepe, come!,* o *Juan pregunta quién va a entrar,* opuesto a *Juan pregunta: quién va a entrar* —creándose, en este caso, la distinción entre la interrogación indirecta y la directa— y opuesto a *Juan: pregunta quién va a entrar.* Actúa también, en español, por ejemplo, como único medio de oponer la oración adjetiva especificativa a la explicativa: *Los alumnos que viven lejos llegan* *tarde/Los alumnos, que viven lejos, llegan tarde,* y, en general, en cualquier tipo de oración parentética.

También la entonación, sola o con otros parámetros fónicos —timbre, por ejemplo—, señala el límite de un parágrafo al producirse un cambio de registro (Bolinger, *1970*) entre el que acaba y el que comienza. La entonación, en sus funciones delimitadoras y segmentadoras, no opera independientemente, sino en conjunción con la pausa, en el recurso lingüístico llamado juntura (Daneš, *1960*). Estas delimitaciones pueden ser de un orden jerárquico muy variado: desde el grado más elevado, que es el que se da cuando se produce una porción de texto entre dos junturas, con un patrón de entonación final y una pausa relativamente larga, hasta el más pequeño que se produce en las expresiones no conclusas, sin pausa, sin presencia de juntura, y sólo con la presencia de un cambio de entonación y/o una variación en el tempo del enunciado.

13.7.2. FUNCIONES DE LA ENTONACIÓN EN EL NIVEL SOCIOLINGÜÍSTICO.

En esta función, la entonación comunica dos tipos de información: *a*) la información relacionada intrínsecamente con el individuo, es decir, la que comunica sus características personales, como la edad, el sexo, el temperamento, el carácter, etc.; *b*) la información propiamente sociolingüística, es decir, la que comunica las características del grupo al que pertenece el individuo, como el origen geográfico, el medio social, el grado de cultura, etc. (Rigault, *1964*).

Junto a las constantes universales que pueden estar presentes en las diversas lenguas, es evidente que cada una de ellas presenta unas determinadas características que sirven de diferenciación. Como dice Pike *(1953)*, «en cada lengua... el uso de la inflexión tonal tiende a ser semi-estandardizado, o formalizado, de tal modo que todos los hablantes de la lengua usen secuencias tonales básicas con peculiaridades semejantes bajo similares circunstancias». Estas peculiaridades no son tampoco generales en cada lengua, sino que varían dentro de los diferentes dialectos y/o dentro de los diferentes niveles sociales. Lamentablemente, son pocos aún los estudios realizados sobre manifestaciones entonativas sociolingüísticas, pero ya se han podido determinar algunas, como la de Savoya, señalada por Martinet *(1956)*, las del francés canadiense con relación al francés europeo, llevadas a cabo por Holder *(1968)*, Szmidt *(1968)* y Boudreault *(1967)*, o las realizadas sobre el español por María Josefa Canellada *(1941)*, en el que se compara la entonación de 12 informantes extremeños con la de un madrileño culto; los de M. B. Fontanella *(1966, 1971)*, sobre entonación regional argentina; el de R. M. Gutiérrez Eskildsen *(1938)*, en el que se expone la entonación de los vendedores callejeros de algunos puntos de Méjico; el de Ethel Wallis *(1951)* y H. V. King *(1952)*, sobre la Ciudad de Méjico; el de B. Py *(1971)*, sobre el español madrileño, etc.

En la identificación del hablante desempeña la entonación un papel importante, aunque no el principal, ya que son otros muchos los factores que intervienen, como el timbre, el ritmo, etc.: el comportamiento entonativo es indudablemente diferente en los hablantes nerviosos, en los flemáticos, en los irascibles, etc.

La investigación llevada a cabo por Abberton y Fourcin *(1978)*, sobre la identificación del hablante a través de la entonación sirviéndose de estímulos de voz natural y sintetizada, puso de relieve que cinco adultos de la misma edad y del mismo sexo, que hablaban con el mismo acento, fueron identificados con toda seguridad por los oyentes no sólo en las cortas muestras de voz natural y cuchicheada dada por los informantes, sino también y únicamente a través de las características de las vibraciones de sus cuerdas vocales y de la frecuencia del fundamental. El porcentaje de identificación es así mismo muy alto, cuando el reconocimiento se realiza sólo sobre las características de la frecuencia del fundamental y bajo condiciones de un promedio uniforme de la frecuencia del fundamental y/o las duraciones.

Dentro de esta misma función hay que considerar también

lo que se llama el *acento extranjero* que se ha caracterizado como las secuencias emitidas por el hablante que el oyente relaciona con sus propios modelos de lengua (Chreist, *1964*, 43-55). En la caracterización del acento extranjero, la entonación desempeña un importantísimo papel, junto con los demás elementos prosódicos. La persistencia de los esquemas prosódicos de la lengua materna es una de las mayores dificultades en el aprendizaje de la segunda lengua y afecta al proceso de comunicación, ya que un empleo incorrecto de los elementos prosódicos hace perder inteligibilidad a un enunciado bien construido gramaticalmente y con exacta articulación de los segmentos: Según Cowan *(1962,* 570), «Es de conocimiento general que... los patrones nativos de entonación están tan profundamente arraigados... que un estudiante de una lengua extranjera puede imitar perfectamente los fonos individuales de esa lengua y hablar casi ininteligiblemente o con un acento muy marcado, simplemente por el peso de su propio patrón entonativo». Es, por otra parte, tan importante desterrar el acento extranjero en el aprendizaje de una segunda lengua que algunas investigaciones han demostrado que, bajo condiciones controladas de distorsión, el habla de los informantes con acento extranjero es aproximadamente un 40 % menos inteligible que el habla de los hablantes nativos (Lane, *1963).*

13.7.3. FUNCIONES DE LA ENTONACIÓN EN EL NIVEL EXPRESIVO.

«La entonación es uno de los más importantes vehículos de la expresión afectiva del discurso» (Zwirner, *1932,* 38), sola o combinada con otros elementos, como tiempo, modo de pronunciación, etc. Como dice A. Rigault *(1964,* 855), es en este punto donde surge la controversia: ¿pertenece o no esta función al dominio puramente lingüístico? «Esta entonación expresiva ¿forma un sistema de signos arbitrarios..., o bien es sólo un conjunto de fenómenos condicionados por lo psico-fisiológico?» Tocamos con esto el problema central que se plantea el lingüista: «la naturaleza de las relaciones entre las entidades fonológicas y las manifestaciones vocales. Problema idéntico al

que se plantea en antropología cultural: el de las relaciones
entre la cultura y la naturaleza. En efecto, si, como lo admiten
numerosos lingüistas, reconocemos inmediatamente y sin esfuerzo cada una de las actitudes asociadas a los tonos ¿es porque
pertenecemos a una comunidad lingüística de la que hemos asi-
milado las estructuras entonativas, o bien simplemente porque
somos miembros de la gran familia de los hombres?»

La entonación expresiva no interfiere normalmente con la
entonación comunicativa básica; se superpone a ésta de varias
formas: en primer lugar, se aprovecha del principio de tole-
rancia para modificar en ciertos puntos la estructura variable
de los contornos, especialmente en lo que se refiere a la forma
de los intervalos, el grado de intensidad, etc., modificaciones
que no afectan la función lingüística propiamente dicha de la
entonación. En segundo lugar, puede realizar una cierta modificación del patrón fonológico básico de la entonación y dar
lugar a una modificación expresiva del enunciado. En tercer
lugar, existen patrones entonativos especiales distintos de los
patrones fonológicos básicos de un contorno puramente comunicativo. En cuarto lugar, una forma especial de expresividad
aparece en la transposición funcional de los contornos de entonación: si un contorno que tiene una función primaria A, se
usa secundariamente en otra función B, este uso secundario
tiene un carácter distinto de expresividad y es marcado estilís-
ticamente. Por ejemplo, en español, y en otras lenguas, como
el checo, el contorno interrogativo se usa también en mandatos
muy expresivos con verbos en indicativo (Daneš, *1960*, § 3.5).

Tampoco hay acuerdo unánime en asignar a la entonación
esta función expresiva, porque algunas lenguas, como el japo-
nés, poseen, según Abe *(1955)*, un gran repertorio de partículas
expresivas que pueden desempeñar el papel fonoestilístico de
la entonación, permitiendo a ésta desarrollar plenamente su papel gramatical.

¿Qué es lo que interviene en el reconocimiento del factor expresivo: la entonación, el contexto, la estructura léxico-grama-
tical?

Algunas experiencias, como las de Lieberman y Michaels

(1962), muestran que en textos de elección binaria el 50 % de los oyentes reconocen siempre el tipo de emoción dada sólo a través de la entonación. Por el contrario, las investigaciones de Denes *(1959)* indican que las respuestas de los oyentes son incorrectas cuando se les hace oír únicamente las curvas de entonación. También se ha señalado que la emoción atribuida por los oyentes a las curvas de entonación depende en gran parte del tipo de léxico que aparece en la frase (Uldall, *1960*, y Hadding-Koch, *1961*).

Klara Magdics *(1965)* estableció una correlación entre la expresión de las emociones en la palabra y las curvas de entonación para el húngaro; así, señala las siguientes variaciones del fundamental: para una voz impaciente o indignada, 100-180 Hz; en la sorpresa y consternación, 120-80 Hz; en las preguntas sospechosas o sarcásticas, entonación circunfleja entre 80-150 Hz; en la entonación sarcástica, fundamental descendente de 90 a 80 Hz; la consolación, la incomprensión, la extrañeza, la exclamación gozosa, entonación descendente: 180-80 Hz; en la exclamación, la extrañeza, entonación descendente-ascendente: 180-120 Hz; jugando también un papel importante la duración y la intensidad en la expresión de estos sentimientos.

P. Delattre *(1967 a, 1969)* opinaba que cuando la entonación se desvía del sentido esperado por el contexto es cuando expresa más netamente los sentimientos y las emociones, coincidiendo con la teoría de L. S. Hultzén, que iba mucho más lejos al pretender que es sólo cuando se desvía del sentido atribuido a las palabras y a la sintaxis cuando la entonación desempeña una verdadera función.

Lieberman y Michaels *(1962)*, por medio de la síntesis del lenguaje, estudiaron la contribución del fundamental y de la amplitud en la transmisión del contenido emocional del habla: los cambios y las perturbaciones en el fundamental y en la amplitud contribuyen a la transmisión de los modos emocionales. Estos no dependen en el mismo grado de todos los parámetros acústicos: cada hablante favorece diferentes parámetros para la transmisión del mismo modo emocional.

Harris y Weiss *(1964)* estudiaron los cambios que se operan en el fundamental y en el F_1 al cambiar el nivel de intensidad del habla: de habla normal a fuerte, la media en el aumento del fundamental es de aproximadamente un 40 % y el aumento del F_1 del 11 %; el cambio hacia suave, dulce, débil se refleja en un descenso de un 12 %, aproximadamente. Los cambios en un modo de hablar monótono oscilan alrededor del 3,4 %.

En la realización de esta función expresiva intervienen varios parámetros, tales como modificaciones en el timbre y la tensión de la voz, la intensidad utilizada, la duración, etc. Posiblemente sea P. R. Léon *(1970, 1972)* el que mejor haya intentado sistematizarlas. En un primer acercamiento al problema, distingue los siguientes rasgos:

1. El *registro* del patrón melódico tiene un valor simbólico directo: un registro alto evoca alegría, intimidad, ligereza; un registro bajo evoca tristeza, seguridad, gravedad.

2. La *desviación* entre los puntos extremos del patrón melódico sugiere la acuidad del sentimiento expresado: cuanto mayor es la separación, más acusada es la expresión de alegría, cólera, etc.; por el contrario, cuanto menos acusada sea esta desviación, más tendencia hay hacia la expresión de la tristeza.

3. El *contorno* del patrón melódico es importante para el reconocimiento del sentimiento expresado, pero es insuficiente, porque un mismo contorno puede servir para muchas funciones.

4. La *intensidad* del patrón melódico tiene también un valor simbólico directo con la intensidad del sentimiento expresado.

5. La *duración* del patrón melódico sirve tanto para la evocación del sentimiento como para toda una serie de connotaciones poéticas.

Todos estos rasgos integran las realizaciones prosódicas de determinadas emociones. Así, la expresión de la *tristeza* estaría integrada por: registro grave + contorno plano + duración considerable + tempo lento. La de la *cólera*, por: registro alto + + contorno ascendente-descendente inestable + intensidad fuerte + tempo rápido. La *sorpresa*, por: registro alto + contorno descendente-ascendente + intensidad media + tempo lento, etc.

Aún queda un largo camino que recorrer hasta que la función expresiva esté bien sistematizada.

13.8. UNIVERSALES DE LA ENTONACIÓN

El problema de los universales de la entonación se encuentra muy estrechamente unido al de la génesis del lenguaje y al de su grado de arbitrariedad. Por un lado, como señala F. Daneš *(1960,* 44), «desde el punto de vista genético, los esquemas de entonación pueden en efecto nacer de reacciones instintivas, de ahí la semejanza de determinados tipos de entonación en numerosas lenguas». Esta afirmación no es nueva: en 1930, R. Paget pensaba ya que la entonación era el desarrollo de señales instintivas [19], y para Trubetzkoy *(1949,* 25), las entonaciones «extralingüísticas» —las que transmiten emociones fuertes— «tienen la misma significación en las lenguas más alejadas del mundo».

Pueden señalarse algunas características que se encuentran, al parecer, en un número elevado de lenguas y que podrían constituir rasgos universales de la entonación:

a) Los patrones finales descendente y ascendente que aparecen tanto en las lenguas no tonales como en las tonales, a pesar del pie forzado del tono de estas últimas (Bolinger, *1964).*

b) Idéntico comportamiento entonativo en ambos tipos de lenguas según que el enunciado lleve o no una partícula interrogativa: terminación descendente cuando la tiene, y ascendente en caso contrario (Lieberman, *1967,* 130-133).

c) Todas las lenguas utilizan las variaciones de frecuencia del fundamental como principal parámetro de la entonación.

d) Existe una relación fonológica constante y universal entre el grupo espiratorio y la entonación [20].

Bolinger *(1964)* piensa que los universales de la entonación

---

[19] *Human Speech,* London, 1930. Citado por Léon y Martin *(1970,* 80).
[20] Hadding-Koch *(1965).* Véase también lo que decimos sobre este punto en *Producción de los rasgos tonales.*

se fundamentan en rasgos fisiológicos y psicológicos más que en una herencia común de las lenguas: el comportamiento del tono fundamental está asociado con la tensión muscular de todo el organismo. El grado de tensión de las cuerdas vocales refleja la tensión emocional: cuando ésta aumenta, la tensión de las cuerdas vocales es mayor y el fundamental alcanza una frecuencia más elevada. Al comenzar a hablar, se realiza un esfuerzo que hace aumentar la presión del aire infraglótico, el que a su vez influye en que el comienzo del fundamental sea elevado en la primera parte del enunciado y vaya descendiendo hacia el final, a medida que la tensión y la presión infraglótica van disminuyendo. Del mismo modo, al poner de relieve una palabra en un enunciado, la tensión psicológica influye en la tensión de las cuerdas vocales que originan una frecuencia fundamental más alta. Esta elevación se produce también por los mismos motivos para indicar la continuación de lo que se está diciendo, o al final de la frase, si se trata de una pregunta, para estimular al interlocutor a que continúe. Si en un principio la entonación es motivada por razones psicofisiológicas, inmediatamente, y por esas mismas razones, pasaría a utilizarse metafóricamente como medio de poner algo de relieve. Esto es lo que daría lugar a un juego de acentos y de entonaciones que sería cada vez más arbitrario, pero donde, según Bolinger, sería imposible separar lo arbitrario lingüístico de lo expresivo psicológico.

Evidentemente estas razones psicofisiológicas hacen que en la mayoría de las lenguas se realice un descenso del fundamental en los enunciados declarativos, en las órdenes, etc., que son enunciados finitos y que el fundamental sea ascendente en la frase implicativa, interrogativa, etc., que son enunciados no finitos. Ahí lo universal y lo motivado de la entonación.

Pero este sistema de entonación descendente-ascendente no se realiza fonéticamente siempre del mismo modo en todas las lenguas: por ejemplo, según Malmberg *(1966*, 229) el tono 2 del inglés es descendente-ascendente, mientras que el correspondiente del francés es únicamente ascendente; Pierre Delattre *(1965*, 25) demostró cómo las terminaciones de los enunciados en inglés, alemán, español y francés, si bien todos son descendentes, cada uno se realiza de una manera diferente. Además, si no hay coincidencia absoluta en el patrón final de la frase, menos la hay en su estructuración interna: el mismo trabajo de Delattre citado más arriba pone de manifiesto las discrepancias existentes en la continuación menor y en la continuación mayor entre las cuatro lenguas mencionadas, y G. Faure *(1970,* 95) ilustra el mismo problema con dos enunciados: uno francés y otro inglés, comentando que «la permutación de los esquemas entonativos de estas dos frases llegaría a resultados aberrantes en cada una de estas dos lenguas». De aquí que si, por un lado, la entonación parece condicionada y universal, por otro, no es menos cierto que se particulariza en diferentes lenguas; es decir, de acuerdo con Malmberg *(1966,* 229), «hay una buena parte de convención arbitraria en la realización de estas oposiciones». Como indican Léon y Martin *(1970,* 81-82), «el proceso: 1.º) entonación fisiológica, 2.º) entonación estilística, 3.º) entonación lingüística, está probablemente muy extendido y si hubiese que establecer el rendimiento de los universales de la entonación se podría suponer que 1.º) es más universal que 2.º) y que 2.º) es más que 3.º)».

13.9. La entonación en el proceso
de la adquisición del lenguaje

Como estamos viendo a lo largo de todo este capítulo, los trabajos referentes a la entonación, en cualquier faceta, han sido bien escasos hasta hace poco tiempo, y el del papel de la entonación en el proceso de la adquisición del lenguaje por el niño no ha sido una excepción. Aunque en la mayoría de los trabajos sobre el habla infantil hay referencias al suprasegmento entonativo, éste aún está por estudiar sistemáticamente.

H. Delacroix *(1924,* 288) piensa que «es el aspecto general, el ritmo, la música de la frase adulta, lo que han captado [los niños] y lo que reproducen». A. Grégoire *(1933)* indicó que aproximadamente a los nueve meses el niño adquiere el aspecto rítmico de la lengua que lo rodea: «una sola y única vocal... diversificada en altura, intensidad, duración, puede ella sola proporcionar el texto de un discurso con todas sus partes, exordio, proposición, confirmación, etc., asociado con todos los matices de sentimiento que uno puede ingeniarse».

Para M. Durand _(1954 a_, 94-95), la adquisición de la morfología está en gran parte favorecida por el conocimiento precoz de la entonación. «Puede ser que a esta entonación que precede a la frase debamos la frase misma. Tengamos, en efecto, un niño francés que conoce la entonación ascendente-descendente de su lengua. Después de haber tropezado, llega a decir _bobo tête_. Este esfuerzo ha sido coronado por el éxito, puesto que ha permitido al niño comunicar una comprobación y ser comprendido, pero también ha introducido un resultado musical y rítmico decepcionante: todo está acentuado, todo está con nota alta; el niño no reconoce estas alternancias de sílabas fuertes y débiles, este dibujo melódico que oye en los adultos y con los que se divierte. Ha tenido la entonación sin frase y ahora tiene la frase sin entonación. Para encontrar de nuevo todas sus riquezas rítmicas y musicales, el niño debe introducir sílabas inacentuadas y, para ello, suprimir sus aféresis, introducir pequeñas palabras gramaticales, artículos, preposiciones, sin interés para la imagen evocada, pero de un gran interés musical.» Es, como dice la misma autora, una hipótesis, sugestiva, pero que necesitaría comprobación amplia en lenguas de estructuras léxicas diferentes.

E. Alarcos Llorach, al hablar de la adquisición de la primera articulación _(1968_, 348), opina que «el niño imita a veces la entonación antes de adquirir el signo; la superpone a secuencias fónicas del periodo del balbuceo. Permite ahora discernir dos modos en el signo-frase: uno, enunciativo, de inflexión horizontal o descendente, y otro, indicador de deseos, apelaciones o preguntas, de inflexión ascendente. Dado el carácter tan motivado de la entonación, no es necesario considerar su utilización diferencial como el principio de la articulación propiamente dicha de los signos».

G. Francescato _(1971_, 58-59) se ha ocupado más ampliamente del factor entonación en el lenguaje infantil. Según el citado autor, parece indudable que los fenómenos suprasegmentales intervienen en el lenguaje infantil en un momento cronológicamente anterior al de la adquisición de los rasgos fónicos segmentales. Es decir, es previa la fase que Kaczmarek llamó «el periodo de la melodía». Estas inflexiones melódicas las aprende el niño intentando imitar a los adultos; desde las pocas semanas hasta los cinco o siete meses, parece depender de la entonación para comprender los datos verbales, e incluso para sus expresiones emotivas. Según las experiencias de Von Raffler-Engel [21], su hijo desarrolló «al final del cuarto mes un sonido comodín (una *m* ensordecida) acompañado de pura tonalidad: hacia los seis meses, este sonido «base» se presentaba con tonalidades ascendentes o descendentes, con distinta connotación semántica, que la autora identifica con la componente semántica de la entonación italiana, afirmativa o interrogativo-desiderativa». De ello, deduce la autora que una articulación segmental sólo es un apoyo para «modular los tonos». Es decir, que tanto la comprensión como la emisión melódicas precederían a las segmentales. El niño, según Francescato, iría desarrollando, al amparo del suprasegmento de entonación, los distintos segmentos que va captando y aprendiendo de los adultos, hasta convertirlos, en la fase lingüística, en fonemas.

D. Crystal *(1970)* enfocó más recientemente el problema desde otro punto de vista: la bibliografía anterior había tenido en cuenta la entonación como un fenómeno más en la adquisición de la primera lengua, reconociendo la existencia de determinados patrones suprasegmentales que están ligados a actitudes afectivas o expresivas del niño, y lo que él plantea en este trabajo es la relación entre «entonación» y «gramática» en el periodo de desarrollo lingüístico anterior a los doce meses. ¿Tienen los rasgos prosódicos en este periodo una función afectiva, o gramatical? ¿Qué aparece ontogenéticamente antes, la entonación o la gramática?

El autor señala cuatro etapas en el desarrollo del lenguaje infantil: .

a) Una etapa prelingüística, cuyas características físicas y

---

[21] Citado por Francescato *(1971,* 74-75).

funciones afectivas son comunes en todas las lenguas estudiadas. Esta etapa es anterior a los siete meses y comprende dos
periodos: uno de vocalización indiferenciada, seguido de un
amplio periodo de vocalizaciones diferenciadas a las que podemos atribuir una interpretación afectiva.

b) La segunda etapa, entre los siete y diez meses. En esta
época, el niño desarrolla «vocalizaciones discretas más cortas
y más estables». Generalmente, son monosílabas o bisílabas,
realizadas a base de una sola vocal, o de una oclusiva, muchas
veces dental, más vocal. En estas «formas lexicales primitivas»
se manifiesta el aspecto segmental y el no segmental, siendo
éste el más estable y el más notorio. Según Lenneberg [22], «el
primer rasgo de lenguaje natural discernible en el balbuceo del
niño es el contorno de la entonación. Se producen secuencias
cortas de sonido que no tienen ni un significado determinable,
ni una estructura fónica definible, pero que pueden emitirse con
una entonación reconocible, tal como ocurre en las preguntas,
exclamaciones o afirmaciones».

De la misma opinión es Mette Kunøe *(1972,* 55): los niños
cuya edad oscila alrededor de un año mezclan sus unidades fónicas segmentales, balbuceantes e ininteligibles, con el suprasegmento de entonación; éste ejerce una función claramente
delimitadora de las unidades segmentales y lo utiliza como único recurso para expresar afirmaciones, interrogaciones, exclamaciones, órdenes, etc.

Según la mencionada autora, este balbuceo, entonación inci-
piente, es en el principio prácticamente independiente de la
lengua de los mayores que rodean al niño, pero poco a poco se
hace más dependiente de la lengua de éstos. .

Es, por lo tanto, durante el primer año de su vida cuando
el niño adquiere las dos terminaciones fundamentales y universales de la entonación: la descendente, con el significado de
terminación del enunciado, y la ascendente, con un significado
de pregunta o de algo que no está completo. Esta última terminación entonativa, que según E. Pike *(1949)* utiliza el niño al

---

[22] Citado por Crystal *(1970,* 80).

principio por imitación de las preguntas que le dirigen los mayores («¿Quieres...?») y que él empleará constantemente para preguntar o para indicar que continúa su narración, es más básica en su proceso de comunicación que la entonación descendente, cuyo único mensaje es el de señalar que ha terminado.

c) En la tercera etapa aparecen, según D. Crystal, las «frases primitivas».

Entre la segunda y la tercera etapas se produce un desarrollo gradual, que parte de las «formas léxicas primitivas» y llega hasta las «frases primitivas». Las formas léxicas son secuencias fónicas, con fusión de lo segmental y lo no segmental, con un comienzo y un final. Estas formas surgen por imitación del lenguaje de los adultos. El niño comienza entonces a percibir la repetición de unas determinadas formas no segmentales acompañando a distintas formas segmentales, concibiendo así la conciencia de la unidad prosódica primitiva, que se define como «un contorno prosódico rodeado de silencio».

Simultáneamente, comienza a desarrollar la serie de contrastes no segmentales que afectan a los segmentos y a los suprasegmentos. En el primer caso, se van perfilando los fonemas y las oposiciones fonémicas en el mundo léxico que le es más familiar. En el segundo caso, se va ampliando la gama de contrastes suprasegmentales al ir desarrollando índices como la tensión, el tempo, la intensidad, etc. Durante todo este tiempo, el niño no está seguro muchas veces de si la base de identificación de las palabras es segmental o suprasegmental.

d) La cuarta etapa se sitúa sobre la edad de los dieciocho meses. En este periodo se comienzan a agrupar las frases primitivas, aumentando la complejidad sintagmática. Al aumentar el número de frases tipo, desarrolla la tonicidad como contraste de énfasis y aumenta la gama de contrastes rítmicos, pausales y de tempo. También se crean necesidades selectivas en el uso de la entonación: si antes sólo utilizaba una elevación del fundamental para la pregunta, ahora debe utilizarla también como indicadora de subordinación gramatical. Entre los dos y los dos años y medio, según Crystal, «el sistema no segmental parece estar muy próximo al de los adultos».

La exposición sumaria de estas etapas en la adquisición del lenguaje infantil son necesarias para llegar a la cuestión que se plantea Crystal: la relación entre los rasgos no segmentales y la sintaxis. Como siempre, hay diversos puntos de vista: *a*) unos opinan que la entonación es anterior a cualquier periodo de adquisición gramatical y que es el vehículo por el que los niños llegan a los rudimentos de la sintaxis; *b*) otros piensan que no son los elementos suprasegmentales (acento, pausa, entonación) los que sirven al niño para el análisis de la estructura gramatical, sino que es el análisis previo de la estructura el que determina cuándo el niño aprende los elementos suprasegmentales. Evidentemente, se plantea aquí una cuestión a nivel de análisis, y como tal, de metodología: como lingüistas, desglosamos para nuestros propios fines el componente segmental del suprasegmental, pero no podemos afirmar que el niño no perciba los dos niveles como un acontecimiento único e indiferenciado. El niño no puede saber de antemano si un patrón sintáctico, o una situación significativa determinada, se traduce fónicamente por un patrón segmental o suprasegmental. Por consiguiente, es tan equívoco decir que la sintaxis es la que indica al niño el uso de la entonación, como lo contrario.

Sólo se puede decir, después de observar el nacimiento y desarrollo del lenguaje infantil, que: *a*) el componente que domina en la percepción del lenguaje es no segmental; *b*) que algunos patrones no segmentales se producen y se comprenden antes que cualquier indicio sintáctico; *c*) que, en el primer periodo, la capacidad del niño para discriminar contrastes no segmentales a expensas de los segmentales le lleva a organizar su expresión en parafrases. A partir de aquí, no podemos afirmar cuál sea ontológicamente anterior, si la entonación o la sintaxis. A veces, como en el caso *c*), citado más arriba, será la entonación la que ayuda a fijar la estructura, pero cuando el lenguaje es más complejo sintácticamente será precisamente la sintaxis la que obligue a una entonación determinada. Es, en definitiva, lo mismo que ocurre en el lenguaje de los adultos (Quilis, *1980*).

13.10. Entonación y gesto

Hemos visto anteriormente que una de las funciones de la entonación es la expresiva, que está presente en el acto de habla, y cuyo papel es tanto más importante cuanto más carga emocional contenga el mensaje que comunicamos. El gesto corporal (de las manos, cabeza o tronco) acompaña a la entonación de un modo más o menos acusado, según las diferentes culturas, y dentro de ellas, conforme a los diversos niveles sociales.

Las relaciones entre la entonación y el gesto han despertado en estos últimos años la atención de algunos investigadores, pero aún es mucho lo que queda por indagar sistemáticamente en las diversas lenguas.

En general, se ha señalado una concomitancia entre el movimiento de la mano y la entonación: la mano del hablante traza en el aire la línea melódica del enunciado [23]; en la expresión de la forma interrogativa, la mano se eleva, mientras que en la afirmativa desciende. El énfasis se señala por medio de un gesto amplio; la afirmación categórica, por un gesto seco; la cólera, por numerosos gestos cortos desordenados, etc. [24].

La investigación llevada a cabo en nuestro Departamento por Esther Torrego *(1974)* ha puesto de manifiesto la relación existente entre gesto y entonación en español. Resumiremos algunas de sus conclusiones:

a) En primer lugar, el movimiento gestual coincide con los cambios de la frecuencia del fundamental: esta coincidencia se refleja, bien en las sílabas tónicas, bien en los puntos de la secuencia en los que se produce una inflexión del fundamental.

b) En segundo lugar, se observa concomitancia entre el con-

[23] W. Heinitz: *Dynamisch-melodische Ablaüfe in sprachlicher Ausdrucksbewegung. Sprachmelodie als Ausdrucksgestaltung.* Hamburg, 1952. Citado por Léon y Martin *(1970)*.

[24] G. Heese: «Akzente und Begleitgebärden». *Sprachform,* 2, 1957, páginas 274-285. Cit. por Léon y Martin *(1970)*.

torno tonal y el gesto [25]: a lo largo de un enunciado, el hablante va realizando diversos gestos sucesivos que forman una «secuencia gestual»; esta secuencia gestual se caracteriza por una
progresión en cada uno de los gestos integrantes, de tal forma
que «ni se produce movimiento de retorno detrás de cada gesto,
ni aparecen alteraciones en la postura mantenida por el hablante en el curso de su ejecución». Pues bien, el final de un enunciado viene marcado simultáneamente por el suprasegmento de
entonación y por el final de la secuencia gestual. Éste se manifiesta «en la vuelta de los órganos articulatorios que realizaron
los gestos a lo largo de su encadenamiento a cualquiera de las
posiciones corporales que significan, o un nuevo gesto, o ausencia de gesto». Este final puede realizarse «antes de la pausa que
delimita al contorno, o al acabar la emisión del periodo verbal».

c) Como es sabido, el enunciado de sentido inconcluso se
manifiesta bien en la entonación (de diversos modos: terminación ascendente o suspensiva, que indican una continuación),
bien en la presencia de un nexo más o menos largo *(m..., e...)*
que enlaza lo expresado anteriormente con lo que se pretende
decir a continuación; este fenómeno también tiene su repercu-
sión en el comportamiento gestual, ya que en tales casos no se
produce el final del gesto.

d) Muchas veces el gesto parece tener una función de nexo:
cuando existen dos textos separados por una pausa, el gesto
finaliza cuando lo hace la secuencia fónica, manteniéndose en
esa posición, sin volver a su punto de partida, y a partir de este
momento, se inicia el movimiento gestual cuando comienza la
emisión hablada del texto siguiente. Del mismo modo, entre los
diferentes grupos fónicos, el gesto actúa como un nexo supra-
pausal: cuando termina el grupo fónico, comienza la pausa, ini-
ciándose al mismo tiempo el movimiento gestual del grupo fónico siguiente.

---

[25] Por contorno tonal entiende la autora una secuencia delimitada «por
juntura terminal descendente, pausa y una configuración semántica y sintáctica que podemos considerar determinada por el carácter concluso de
los segmentos del habla desde el punto de vista sintáctico-semántico»
(pág. 207).

e) Los titubeos en el habla van acompañados por gestos de la misma índole.

Otras dos series de experimentos llevados a cabo por la misma investigadora pusieron de relieve la interpenetración entre gesto y habla: en la primera serie, se le pedía al informante que gesticulase libremente, pero que mantuviese un tono uniforme, sin alteraciones. En este caso, el sujeto aducía muchas dificultades para hablar. En la otra serie, se pedía lo contrario: que hablase normalmente, pero que no gesticulase. Los resultados fueron: un nivel en la frecuencia del fundamental mucho más bajo que el normal, un tempo más lento, grupos fónicos más cortos, acusada monotonía, pérdida de configuración armónica de las sílabas que preceden a la pausa, etc.

Los resultados de todas estas experiencias son lo suficientemente interesantes, como para proseguir las investigaciones sobre este tema, tanto en español como en otras lenguas.

13.11. REALIZACIÓN Y PERCEPCIÓN DE LOS RASGOS PROSÓDICOS EN EL HABLA CUCHICHEADA

En determinadas circunstancias, el hablante utiliza en su comunicación el habla cuchicheada, es decir, la que está desprovista de vibraciones laríngeas, y, por lo tanto, carece de fundamental. A pesar de ello, este tipo no normal de habla es capaz de transmitir información, susceptible de ser captada por el oyente, que puede percibir incluso sus elementos prosódicos.

El problema se planteó por primera vez cuando en 1924 Olof Gjerdman *(1924,* 502) se preguntó si en una lengua tonal como el chino dos personas se pueden entender por medio del lenguaje cuchicheado, concluyendo afirmativamente, ya que «un lenguaje cuchicheado tiene otros tantos acentos musicales como el mismo lenguaje cuando conlleva sonoridad».

Más tarde, Panconcelli-Calzia *(1955)* y Giet *(1956)* volvieron a tratar este mismo problema, referido también a las lenguas tonales: mientras que Panconcelli-Calzia pensaba que sería muy difícil que dos chinos se entendiesen por medio del lenguaje cuchicheado, Giet, que había sido misionero en China muchos años, afirmaba que el habla cuchicheada es un medio de comunicación verbal usado con mucha frecuencia en aquel país. Según Giet, deben existir algunos sustitutos del tono en el habla cuchicheada dentro de la escala de parámetros acústicos. En opinión de Pike (1961, 34), por ejemplo, es posible que la intensidad sustituya a la frecuencia del fundamental en la percepción de los tonos.

Desde que Meyer-Eppler (1955) realizó el primer análisis para investigar cuáles eran los sustitutos del fundamental en el habla cuchicheada, se han sucedido las experiencias, no demasiadas, en unas cuantas lenguas. Resumiremos los resultados, comenzando por los trabajos realizados sobre lenguas tonales.

M. Kloster Jensen (1958) realizó un análisis de percepción, de reconocimiento de palabras cuchicheadas en las que el tono era el elemento lexical distintivo. El estudio comprendía las siguientes lenguas: noruego, sueco, eslovaco y chino mandarín. Los resultados pusieron de relieve: a) que las palabras tonales cuchicheadas se reflejaban mejor en el sueco y en el chino que en las otras dos lenguas, y b) que existen diferencias entre los informantes: algunos son más inteligibles que otros, en la misma lengua.

J. D. Miller (1961), en su estudio sobre el reconocimiento del habla cuchicheada en vietnamita, concluye que muy pocas palabras tonales se transmiten correctamente en la mencionada realización, y que, por lo tanto, todo «significado que conlleve el habla cuchicheada es debido casi enteramente al contexto», en lugar de proceder del reconocimiento de la palabra tonal.

El trabajo de G. M. Wise y L. P.-H. Chong (1957) sobre el chino pone de manifiesto una interpretación correcta del 62 % de los casos, neutralizándose la función tonal en el resto. Tanto Miller como Wise y Chong ponen de relieve la dificultad que tiene el oyente para repetir el tono que percibe, lo que se traduce en una dificultad de interpretación.

Börje Segerbäck *(1965)* realizó un estudio auditivo y experimental sobre los dos acentos musicales en el sueco cuchicheado (dialecto escanio, del sur de Suecia). La identificación auditiva fue satisfactoria: el 70 % de las respuestas fueron correctas. El rasgo distintivo de esta oposición acentual en el caso de las palabras no cuchicheadas es la diferencia melódica. Hay otras diferencias fonéticas concomitantes, como las diferencias de intensidad, de duración y de timbre de las vocales, que en el habla normal son redundantes, pero pueden llegar a ser distintivas en el habla cuchicheada. Las experiencias realizadas por Segerbäck indican que en las palabras cuchicheadas se utiliza la intensidad para distinguir los dos acentos, siendo redundantes los otros factores. Si la intensidad no proporciona la suficiente información sobre el acento, cualquiera de los otros factores puede llegar a ser distintivo, siendo sobre todo en este caso los movimientos de los formantes los que asumen tal función.

En los análisis realizados con lenguas no tonales hay que mencionar los trabajos de Meyer-Eppler, de Lehiste y de Fónagy. W. Meyer-Eppler *(1957)* demostró a través del análisis sonográfico de vocales y palabras cuchicheadas en alemán que existen dos sustitutos para el comportamiento de la frecuencia del fundamental: las vocales [e], [i] y [o] sustituyen las variaciones de frecuencia del fundamental por la presencia en el espectro de un ruido por encima de los 2 KHz, semejante al de las fricativas, mientras que [a], [u] poseen algunos formantes cuya posición se eleva cuando la función suprasegmental recae sobre ellas.

En el estudio realizado por I. Lehiste *(1964 a)* sobre el inglés, se pone de manifiesto que en el lenguaje cuchicheado el primer formante es de 200 Hz a 250 Hz más alto y el segundo y tercer formantes de 100 Hz a 150 Hz más altos que sus correspondientes en el lenguaje no cuchicheado. Según la citada investigadora, en la realización cuchicheada se sustituye la fuente laríngea sonora por una especie de ruido. Las vocales cuchicheadas tienen sus formantes situados en frecuencias superiores a las del lenguaje normal. Este hecho es debido al diferente comportamiento de la glotis durante la fonación y el cuchicheo: durante la emisión del habla cuchicheada, la glotis no está completamente cerrada y la cavidad bucal se ve excitada por un ruido turbulento generado en la glotis; su actuación es semejante a la de un tubo abierto por los dos extremos; en este caso, como es sabido, sus frecuencias resonadoras son más altas que cuando se trata de un tubo cerrado por uno de los extremos, cual es el comportamiento del resonador bucal en el caso de la fonación.

También sobre el inglés, D. J. Charf *(1964)* demostró que las vocales en el lenguaje cuchicheado eran bastante más largas que en el lenguaje normal.

J. Fónagy *(1969)* estudió las relaciones entre acento y entonación en el habla cuchicheada húngara. Sus conclusiones son las siguientes: *a)* la entonación interrogativa está imperfectamente marcada en el habla cuchicheada; *b)* por el contrario, el acento está bastante bien marcado por los parámetros de intensidad, duración y espectro vocálico y consonántico; *c)* el acento y la cumbre tonal no se confunden totalmente en el habla cuchicheada: el hablante tiende a salvar las formas de entonación sirviéndose de rasgos secundarios como: elevación de los formantes tercero y cuarto, mayor intensidad de la parte superior del espectro (formantes 3 al 7), mayor intensidad global dada a la sílaba que debe llevar la cumbre tonal, y alargamiento de la misma. Los tres primeros rasgos parecen más eficaces para la función entonativa que los dos últimos, actuando principalmente éstos para marcar la sílaba acentuada; *d)* parece que no existe un procedimiento convencional para la transcodificación de la entonación, sino que, en cada caso, el hablante improvisa determinado parámetro.

El trabajo de Quilis *(1977)* sobre el español consta de dos partes bien diferenciadas que se complementan: una, es el análisis acústico de la realización cuchicheada del habla y su comparación con la realización normal; otra, una serie de pruebas de percepción para el reconocimiento de las realizaciones cuchicheadas.

Los materiales utilizados fueron los siguientes: una lista de 36 palabras que contrastaban por la posición del acento y por la función entonativa *(estímulo, estimulo, estimuló, ¿estímulo?, ¿estimulo?, ¿estimuló?,* etc.) y nueve frases. Todo este material, desordenado, fue leído por tres informantes, en realización cuchicheada y en normal, y, después, fue oído por catorce personas a las que se pidió que reconociesen y repitiesen las palabras oídas.

El análisis acústico proporciona los siguientes resultados:

1. La duración de los segmentos vocálicos en la realización cuchicheada es mayor que en la normal. Del mismo modo, la duración de las palabras también es mayor en la primera modalidad que en la segunda. Normalmente, la palabra en forma afirmativa es más breve que en forma interrogativa, tanto en la realización cuchicheada como en la normal.

2. Los dos primeros formantes vocálicos ocupan una posición más alta en el espectro de la realización cuchicheada que en el de la normal. En la primera modalidad se aprecia un refuerzo de intensidad en los tercero y cuarto formantes y, en general, en toda la parte alta del espectro. El refuerzo de los mencionados F_3 y F_4 se hace más patente en la sílaba tónica y/o en la sílaba que es responsable de la entonación interrogativa.

3. El prosodema acentual, que en la realización normal viene dado principalmente por el parámetro de la frecuencia del fundamental, y en sucesivo orden de importancia por la duración y la intensidad (Quilis, *1971),* se manifiesta en la realización cuchicheada en la constante mayor duración del segmento tónico, acompañada muchas veces de un incremento de su intensidad.

4. El prosodema de entonación interrogativa se refleja en la realización cuchicheada por medio de un incremento considerable en la duración del último segmento vocálico, que debería llevar normalmente la inflexión ascendente. En el caso de coincidir sobre el mismo segmento vocálico acento y entonación ascendente, su duración es aún mayor. La intensidad acompaña

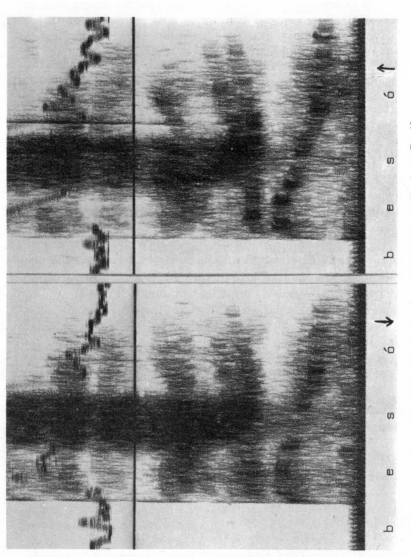

Fig. 13.6. *Realizaciones cuchicheadas de Besó y ¿Besó?*

también, pero a nuestro modo de ver, en segundo lugar, a la
realización de la entonación ascendente.

Las pruebas de interpretación auditiva mostraron las siguientes conclusiones:

1. Las formas con entonación interrogativa se interpretaron
correctamente en un 62,6 %. El 37,4 % de respuestas no correctas se reconoció en un porcentaje muy elevado (entre el 80 y el
91 %, según los informantes) como afirmativas sin cambio de
patrón acentual; el resto, como interrogativas con cambio acentual. El porcentaje señalado más arriba no da un margen de
seguridad muy amplio para el reconocimiento de la forma interrogativa en la realización cuchicheada. Esto nos indica que la
entonación no está perfectamente marcada en este tipo de habla.

2. Las formas oxítonas con entonación afirmativa se interpretaron correctamente en un 55 %, pero existe una diferencia
entre los bisílabos, cuyo porciento de reconocimiento alcanza el
50 %, y los trisílabos, que llegan hasta el 69 %. El porcentaje
restante, que se interpretó incorrectamente, fue reconocido en
la mayoría de los casos como interrogativo (entre el 95 y el
73 %, según los informantes), y, en un porcentaje muy pequeño,
como afirmativo con cambio acentual. El reconocimiento en favor de la forma interrogativa se debe a que esta forma de entonación utiliza en el habla cuchicheada los mismos patrones
que el acento —duración e intensidad—, aunque en el caso de
la entonación interrogativa, la duración sea mayor.

3. Las formas paroxítonas afirmativas fueron reconocidas
correctamente en los siguientes porcentajes: las bisílabas, en
un 89,8 %, y las trisílabas, en un 83,3 %. El porciento restante
se entendió en casi su totalidad como correspondiente a formas
interrogativas.

Posiblemente, haya influido en la percepción de los dos casos
anteriores la estructuración del patrón acentual español. Como
es sabido, el mayor porcentaje viene dado por las formas paroxítonas: en los bisílabos, los oxítonos representan el 5,17 %
y los paroxítonos el 21,46 %; en los trisílabos, los oxítonos to-

talizan el 21 %, los paroxítonos el 10,23 % y los proparoxítonos el 10,6 % (Quilis, *1978)*.

4. Las formas proparoxítonas afirmativas fueron interpretadas correctamente en un 100 %, debido, posiblemente, a la mayor facilidad para marcar la intensidad en la primera sílaba.

5. De estos últimos puntos se desprende que el prosodema acentual está mejor marcado y se reconoce más fácilmente que el prosodema de entonación en su forma interrogativa.

6. Los parámetros de duración e intensidad son, según se desprende de nuestros análisis, los responsables del reconocimiento de los prosodemas de acento y entonación, y la interacción de ambos, dentro de ciertos límites, pone de relieve uno u otro de los mencionados prosodemas.

7. Además de los factores estrictamente acústicos involucrados en la percepción de las realizaciones cuchicheadas, creemos que en su reconocimiento e interpretación intervienen otros de índole subjetivo, que derivan de las estructuras acentuales y entonativas de la lengua; el hablante posee, consciente o inconscientemente, estas estructuras.

En la estructura entonativa del español, la entonación afirmativa es el término no marcado, mientras que la interrogación es el marcado:

$$\text{entonación} \begin{cases} \text{afirmativa} - \\ \text{interrogativa} + \end{cases}$$

De ahí que el oyente tienda a interpretar el patrón entonativo como afirmativo.

En la estructura acentual, las palabras paroxítonas, como hemos visto, alcanzan alrededor del 80 % de los patrones acentuales. El patrón paroxítono es el no marcado y el no paroxítono (oxítono y proparoxítono) el marcado:

$$\text{acento} \begin{cases} \text{paroxítono} - \\ \text{no paroxítono} + \end{cases}$$

Por eso, el oyente casi no tiene dificultad en interpretar correctamente los esquemas acentuales paroxítonos.

8. Las respuestas correctas en la interpretación de las frases se sitúan entre un 78,5 % y un 100 %. Las frases en realización cuchicheada presentan una duración algo mayor que las de realización normal. La duración y/o la intensidad son los parámetros que intervienen en la realización de la frase interrogativa [26].

---

[26] Además de la bibliografía ya citada, puede verse la siguiente (no incluimos la bibliografía concerniente a lenguas particulares, a no ser que aporten información de carácter general): Abe *(1962, 1972, 1972 a)*, Abberton *(1972)*, Abramson *(1961)*, Bally *(1942)*, Bendor-Samuel *(1967)*, Black *(1967)*, Bolinger *(1955, 1961 a, 1961 b)*, Cohen y 't Hart *(1965, 1967)*, Copceag y Roceric-Alexandrescu *(1968)*, Crystal *(1967)*, Crystal y Quirk *(1964)*, Dabrowska *(1969)*, Delattre *(1970 a, 1972)*, Du Feu *(1970)*, Faure *(1962 a, 1964, 1972)*, Firbas *(1967)*, Fónagy *(1965 a, 1966, 1969 a, 1971)*, Fónagy y Magdics *(1960, 1963)*, Fry *(1968)*, Gibbon *(1976)*, Hadding-Koch *(1956)*, Haugen *(1949)*, Hill *(1961)*, Hirst *(1974)*, Isačenko *(1966)*, Ivić *(1972)*, Jassem *(1972)*, Karcevskij *(1931)*, Kim *(1968)*, Kloster-Jensen *(1972)*, Köster *(1972)*, Ladefoged *(1967)*, Ladefoged y McKinney *(1963)*, Lehiste *(1967 a)*, Lieberman, Sawashima, Harris y Gay *(1970)*, Lieberman *(1964)*, Majewski y Blasdell *(1968)*, Malmberg *(1972)*, Martin *(1970, 1972)*, Martinet *(1973)*, Mattingly *(1966)*, Maurand *(1974)*, Meinhold *(1972)*, Mettas *(1971)*, Mol *(1972)*, Ohala y Ladefoged *(1970)*, Pike *(1965)*, Pilch *(1966, 1972)*, Raffler-Engel *(1972)*, Rivara *(1973)*, Rodon *(1967)*, Romportl *(1972, 1955, 1962)*, Rossi *(1971, 1972)*, Stockwell *(1960, 1972)*, 't Hart y Cohen *(1967)*, Uldall *(1964)*, van Waesberghe *(1957)*, Wimmer *(1975)*, Witting *(1962)*, Wodarz *(1962)*, Zimnyaya *(1965)*, y los trabajos de conjunto de Torsoueva-Leontieva *(1976)* sobre las investigaciones rusas, y la bibliografía de Di Cristo *(1975)*.

XIV

LA ENTONACIÓN ESPAÑOLA

14.1. ESTUDIOS SOBRE LA ENTONACIÓN ESPAÑOLA

El minucioso trabajo de Kvavik y Olsen *(1974)* proporciona una buena fuente de información tanto sobre la no muy abundante bibliografía referente a la entonación española, como sobre la metodología o los fines que persigue cada trabajo. Fue Navarro Tomás *(1978)* el que primero suministró un corpus de entonación del español, no superadó aún. Su metodología carecía lógicamente de los principios funcionales de la lingüística de hoy, por lo que en la organización de sus materiales no aparece una jerarquía de niveles, o de valores si se quiere. Por otro lado, su corpus está muy apegado a la lengua literaria, hasta tal punto que podría decirse que se trata de una entonación literaria. Los trabajos que aparecieron después del ya mencionado de Navarro han perseguido fines muy concretos, como atender a las manifestaciones de la lengua hablada, sistematizar estructuralmente la entonación, dar los patrones básicos de la entonación con fines didácticos, o una combinación de los postulados anteriores [1]. Pero aún faltan muchos estudios

---

[1] Entre los trabajos más importantes podemos señalar los de Alarcos Llorach *(1960)*, Anthony *(1948)*, Badia Margarit *(1965)*, Bowen *(1956)*, Bowen y Stockwell *(1960)*, Delattre, Olsen y Poenack *(1962)*, Graham *(1978)*, Gutiérrez Araus *(1978)*, Matluck *(1965)*, Obregón Muñoz *(1975)*, Reid *(1958)*, Sapon *(1958-59)*, Silva-Fuenzalida *(1956-57)*, Stockwell, Bowen y Silva-Fuenzalida *(1956)*, Zierer *(1963)*.

sistemáticos para poder hacer una descripción integral de la entonación española.

14.2. MODELOS DE ENTONACIÓN ESPAÑOLA

Como hemos puesto de manifiesto reiteradamente en el capítulo anterior, la entonación es un complejo en el que: *a*) intervienen distintas funciones (lingüística, sociolingüística, expresiva); *b*) se integran tres clases diferentes de niveles lingüísticos: las unidades fónicas que conforman la entonación, las unidades léxicas y sintácticas que constituyen la frase y el significado que resulta de la interacción de los tres niveles antes mencionados; *c*) su manifestación se realiza a través de distintos índices acústicos.

Antes de seguir adelante, hemos de advertir que:

1) Nuestro propósito no es el de describir el sistema entonativo del español —que no podemos—, sino el de proporcionar los modelos que creemos fundamentales, después de observar los análisis que hasta ahora llevamos realizados sobre la lengua hablada.

2) Pretendemos deslindar las distintas funciones de la entonación.

3) Dejamos a un lado lo que puede ser más propio de una función acentual —ya estudiada— para centrarnos sólo en el morfema entonativo. Nos referimos a casos como *¿Cuándo viene?* - *Cuando viene; Dile qué has leído* - *Dile que has leído; El té gusta* - *El te gusta,* o incluso *Mientras mi vecina sea boba...* - *Mientras mi vecina se aboba...* ([séa] - [sea]), etc., que no tratamos aquí.

4) Partimos del análisis de configuraciones para establecer después los niveles pertinentes de la frase que se estudia.

5) Las curvas que reproducimos aquí proceden de un solo informante, pero responden en su configuración a un amplio número de enunciados de otros informantes analizados.

6) Para formalizar el morfema de entonación utilizaremos,

como ya hemos indicado en el capítulo anterior, los siguientes fonemas:

a) Los fonemas o niveles tonales, que en español son tres: /1/ o bajo, /2/ o medio y /3/ o alto, cuyas posiciones distributivas son las siguientes:

— Después de pausa (posición inicial absoluta) o de juntura terminal.
— En la sílaba con acento débil después de la última sílaba con acento fuerte en una frase.
— En todas las sílabas con acento fuerte de la frase.
— En cualquier sílaba con acento débil que esté inmediatamente antes de la última sílaba con acento fuerte antes de una juntura terminal.

b) Los fonemas acentuales, que en español son dos: el fuerte /'/, que es el que se marca, y el débil /ˇ/, que normalmente no se señala. La distribución de estos elementos acentuales viene dada por las reglas de acentuación de la lengua.

c) Las junturas terminales, que pueden producirse con o sin pausa. Se suelen señalar tres para el español: /↓/ descendente, /↑/ ascendente y /‖/ suspensiva, aunque creemos que pueden reducirse a dos: /↓/ descendente y /↑/ ascendente, como demostraremos con más detalle en otro lugar.

14.3. FUNCIONES DE LA ENTONA-
CIÓN EN EL NIVEL LINGÜÍSTICO

La entonación puede desempeñar en este nivel distintas funciones, a saber:

14.3.1. FUNCIÓN DISTINTIVA.

La función distintiva se realiza al oponer en un primer término el *enunciado declarativo* al *enunciado interrogativo*.

14.3.1.1. El *enunciado declarativo* se caracteriza por el siguiente patrón:

/ 1 2 1 1↓ /

Su terminación presenta una juntura terminal descendente, precedida de dos niveles tonales bajos. Las gráficas [1] - [4] representan las configuraciones de los siguientes enunciados, cuyos análisis de niveles reproducimos a continuación. Hemos de advertir que en las curvas de entonación, las líneas de puntos representan la interrupción del fundamental, por tratarse de una o unas consonantes sordas. También diremos que en los análisis de configuraciones utilizamos una transcripción fonética ancha.

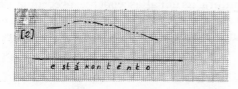

[1]   /akí² biéne² káRmeN↓ /*Aquí viene Carmen.*

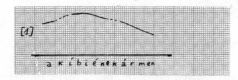

[2]   /está² kontéNto↓ /*Está contento.*

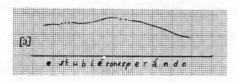

[3]   /estubiéroN esperáNdo↓ / *Estuvieron esperando.*

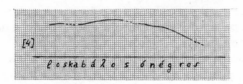

[4] /lós kabáλos sóN négros↓/ *Los caballos son negros.*

14.3.1.2. El *enunciado interrogativo* tiene dos modalidades en español:

a) El *enunciado interrogativo absoluto*, que espera una respuesta *sí* o *no*. Su patrón es:

$$/ 1\ 2\ 1\ 2\uparrow /$$

Se caracteriza por la juntura terminal ascendente precedida de un nivel tonal medio. Las gráficas [5]-[8] representan las configuraciones de los siguientes enunciados:

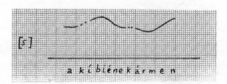

[5] /akí biéne káRmeN↑/ *¿Aquí viene Carmen?*

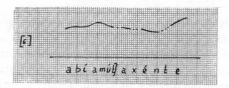

[6] /abía múʧa xéNte↑/ *¿Había mucha gente?*

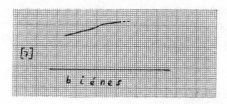

[7] /biénes↑/ *¿Vienes?*

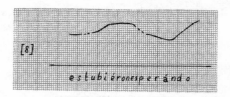

[8] /estubiéroN esperáNdo↑/ *¿Estuvieron esperando?*

b) El *enunciado interrogativo pronominal*, caracterizado por
la presencia de elementos gramaticales (no sólo pronombres,

sino otras partículas interrogativas), que son por sí solos indicadores de la interrogación. Su patrón es:

/ (1) 2 1 1↓ /

La juntura terminal es descendente, y los niveles tonales que le preceden, bajos; es decir, un patrón semejante al enunciado declarativo; la diferencia entre éste y el interrogativo pronominal absoluto viene dada por la presencia del elemento gramatical interrogativo, según ya hemos indicado. Como la economía de la lengua tiende a evitar redundancias, basta un solo signo para indicar la interrogación. Si un enunciado con elemento gramatical interrogativo presenta un patrón como el dado antes para el enunciado interrogativo absoluto, nos encontramos con la pregunta pronominal con matiz de cortesía que estudiaremos en el plano expresivo.

Las gráficas [9]-[14] representan las configuraciones de los enunciados cuyos niveles reproducimos a continuación:

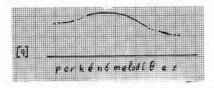

[9]   /poR ké nó me lo díθes↓/ *¿Por qué no me lo dices?*

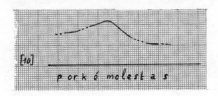

[10]   /poR ké moléstas↓/. *¿Por qué molestas?*

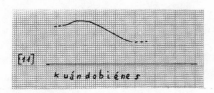

[11] /kuá²Ndo bie¹ne¹s¹↓ / *¿Cuándo vienes?*

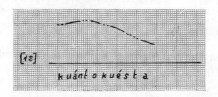

[12] ./kuá²Nto kue¹sta¹↓ / *¿Cuánto cuesta?*

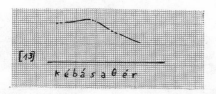

[13] /ke² bá²s a a¹θé¹R↓ / *¿Qué vas a hacer?*

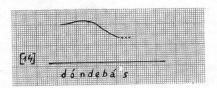

[14] /dóNde bás | / *¿Dónde vas?*

En español, es frecuente la inversión en el orden de palabras en el enunciado interrogativo: normalmente, el verbo se sitúa en primer término. Compárese: *Este libro es tuyo - ¿Es tuyo este libro?, Los libros son caros - ¿Son caros los libros?*, etc.

14.3.2. FUNCIÓN DEMARCATIVA.

En español, la función demarcativa o delimitadora puede poseer o no una función distintiva.

14.3.2.1. *Función demarcativa distintiva.*

La función demarcativa distintiva se establece normalmente acompañada de pausa, aunque, en muchas ocasiones, una inflexión tonal puede indicar la delimitación del enunciado.

Es la función que se establece entre las oraciones de relativo explicativas frente a las especificativas:

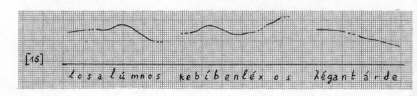

[15] *Los alumnos, que viven lejos, llegan tarde.*

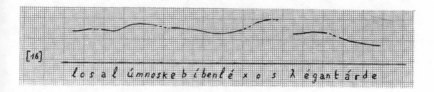

los al úmnoskeb íbenlé x o s λ égant árde

[16]   Los alumnos que viven lejos llegan tarde.

O en la adjetivación explicativa frente a la especificativa:

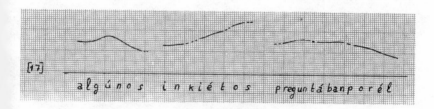

algúnos inkiétos preguntábanporél

[17]   Algunos, inquietos, preguntaban por él.

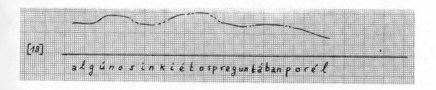

algúnos inkiétospreguntábanporél

[18]   Algunos inquietos preguntaban por él.

También marca una oposición entre el estilo directo y el indirecto:

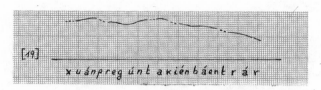

[19] *Juan pregunta quién va a entrar.*

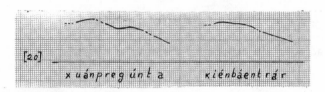

[20] *Juan pregunta: ¿quién va a entrar?*

O entre éstas y el vocativo:

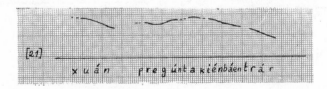

[21] *Juan, pregunta quién va a entrar.*

O en frases del tipo:

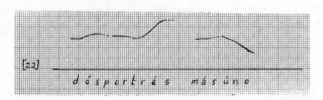

[22] *Dos, por tres más uno.* «2 × (3 + 1)»

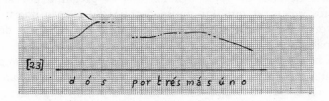

[23] *Dos por tres, más uno.* «(2 × 3) + 1»

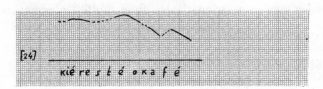

[24] *¿Quieres té o café?*

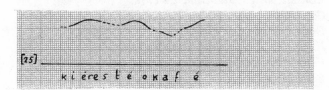

[25] *¿Quieres té o café?*

Donde en [24] se pregunta si quieres una cosa u otra, mientras que en [25] se pregunta si quiere tomar té o café o alguna otra cosa.

Lo mismo puede ocurrir en enunciados como: *¿Has visto a Juan y a Pedro?*, donde la falta de pausa y de inflexión tonal ascendente después de *Juan* significa que se pregunta por los dos juntos, mientras que una pausa después de *Juan* o una inflexión tonal ascendente significa que pregunto por cada uno de ellos separadamente.

O en frases como *¿Y tú estás enamorado de ella?*, en la que se formula una mera pregunta, frente a *Y tú ¿estás enamorado de ella?*, en la que se contrapone el *tú* a *ella* o a otro *tú* masculino.

Esta función delimitadora se da en secuencias donde una palabra o un sintagma tengan distinta incidencia o desempeñen su función en diferentes oraciones.

Por ejemplo, un adjetivo o un adverbio puede ser incidente de diferentes elementos gramaticales en el límite sintagmático:

[a]   *No quiero comer.*
      No, quiero comer.
[b]   *Si te quiere, bien te ayudará.*
      Si te quiere bien, te ayudará.
[c]   *Felizmente resueltos los problemas siguieron el camino.*
      Felizmente, resueltos los problemas, siguieron el camino.

O una palabra tiene diferente función, como:

[d]   *Con su amigo, Juan iba de caza.*
      Con su amigo Juan, iba de caza.
[e]   *Encontré la casa hundida.*
      Encontré la casa, hundida.
[f]   *Esta es mi sobrina Lucía.*
      Esta es mi sobrina, Lucía.

Y lo mismo puede suceder con un sintagma, como:

[g]   *Mi padre, me dice este amigo, es muy listo.*
      Mi padre me dice: este amigo es muy listo.

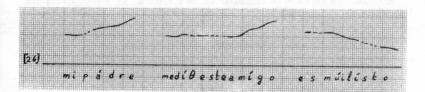

mi p á d r e   medí θ e steamí g o   e s   m ú i l í s t o

[26] Mi padre, me dice este amigo, es muy listo.

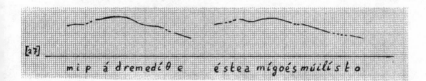

mi p   á dre medí θ e   é stea mígoé s múilí s t o

[27] Mi padre me dice: este amigo es muy listo.

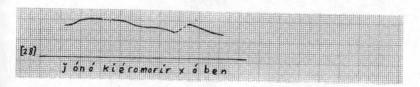

J ó n ó   k i é r o m o r í r   x ó ben

[28] Yo no quiero morir, joven.

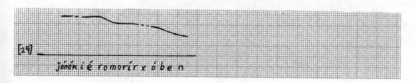

jónók i é romorír x ó be n

[29] Yo no quiero morir joven.

En el ejemplo [28] no existe pausa entre *morir* y *joven*,
pero un cambio en el registro de nivel tonal es suficiente para
establecer la distinción.

14.3.2.2. Función demarcativa no distintiva.
Otras muchas veces, la función demarcativa no es distintiva,
aunque resulta imprescindible para la interpretación del mensaje. En este apartado podemos distinguir:

a) La *pregunta alternativa* o *disyuntiva*, cuyo patrón es:

$$/ 1\ 2\ 2\ 2{\uparrow}2\ 2\ 1\ 1{\downarrow} /$$

Por ejemplo:

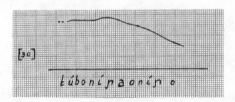

[30] *¿Tuvo niña o niño?*

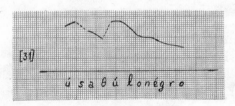

[31] *¿Usa azul o negro?*

En ambos casos, el nivel tonal más alto se obtiene en la última sílaba de *niña* y *azul*, y el más bajo al final del enunciado. Estos modelos de pregunta alternativa contrastan con los enunciados interrogativos:

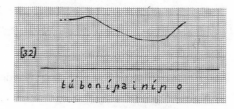

[32] *¿Tuvo niña y niño?*

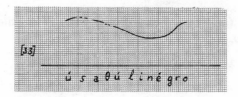

[33] *¿Usa azul y negro?*

El enunciado [24]: *¿Quieres té o café?* responde al mismo patrón de pregunta alternativa; pero el enunciado [25] *¿Quieres té o café?*, cuyo patrón es / 2 1 2↑1 1 2↑/, implica una pregunta no terminada, como ya indicamos, algo así como «¿Quieres té o café (o alguna otra cosa)?»

b) La *enumeración completa final de frase* después del verbo: el último término va precedido de la conjunción *y*:

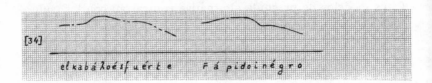

[34]   /el kabáλo és fuéRte↓ |Rápido↑ inégro↓ / El caballo es
fuerte, rápido y negro.

c) La enumeración incompleta final de frases; después del
verbo: el último término no va precedido de la conjunción y:

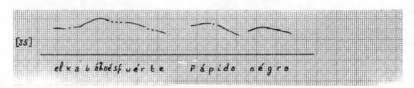

[35]   /el kabáλo és fuéRte↓ | Rápido↓ | négro↓/ El caballo
es fuerte, rápido, negro.

d) La enumeración no final de frase, precediendo al verbo,
presenta el mismo modelo que la enumeración completa final
de frase, esté o no presente la conjunción copulativa:

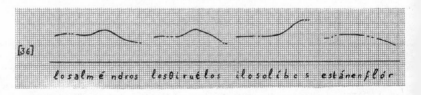

[36]   Los almendros, los ciruelos y los olivos están en flor.

El mismo modelo aparece en un enunciado como: *Lo viviente, lo presente, lo actual es lo que llamamos moderno.*

e) *El complemento* inicial o interior:

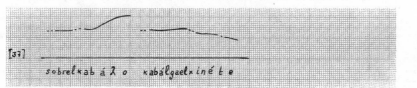

[37] *Sobre el caballo cabalga el jinete.*

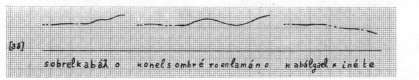

[38] *Sobre el caballo, con el sombrero en la mano, cabalga el jinete.*

En ambos casos, los complementos presentan una entonación ascendente: están hiperbatizados e indican la no conclusión del significado de la frase.

El enunciado parentético presenta un comportamiento tonal semejante, con o sin un nivel frecuencial de tono más bajo. Es el caso de «me contaba Aurelio» en el ejemplo: *Cuando venía, me contaba Aurelio, encontré un lobo.*

Hemos visto hasta ahora cómo el enunciado afirmativo presenta una juntura terminal descendente, mientras que el interrogativo la posee ascendente (salvo en el caso de la presencia de *qué, cuál,* etc.). De un modo general, la juntura terminal ascendente, /↑/ implica un enunciado que espera continuación o complementación: es el caso, evidentemente, de la interrogación. Pero también en casos como el [37] y el [38] los grupos *Sobre el caballo* y *Con el sombrero en la mano* son enunciados incompletos.

En los casos de la *enumeración* hay que señalar que en la completa final de frase, la conjunción *y* que precede al último término indica que se va a completar; por ello, el penúltimo presenta una juntura terminal ascendente, y el último, como es lógico, descendente. Por el contrario, en la incompleta, al no existir una terminación señalada por *y*, todos los términos presentan /↓/; se podrían seguir añadiendo. Este tipo de enumeración es más literario que coloquial.

f) En la *coordinación* hay que distinguir:

1. La coordinación de primer grado que viene dada por las formas copulativa o disyuntiva. El primer término presenta /↑/ y el segundo /↓/; ejemplos:

Jugaban a las cartas o contaban chistes.
No podía hacer nada ni decir nada.
Unos hablan y otros callan.
Etc.

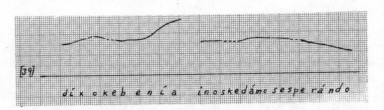

[39]   *Dijo que venía y nos quedamos esperando.*

2. La coordinación de segundo grado, que viene dada por la forma adversativa: el primer término suele acabar en /↓/. Aunque también lo hace en /↑/. El último siempre en /↓/; ejemplos:

Dijo que vendría, pero me dio plantón.
No es el azul, sino el rojo.
Hablaba siempre, aunque sin ganas.
Mañana no vengo, porque me voy fuera.
Etc.

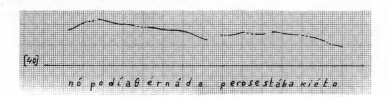

[40] *No podía hacer nada, pero se estaba quieto.*

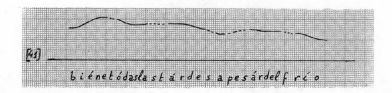

[41] *Viene todas las tardes, a pesar del frío.*

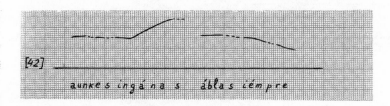

[42] *Aunque sin ganas, hablaba siempre.*

En este caso, el primer miembro, por estar hiperbatizado, siempre termina en / ↑ /.

g) En la *subordinación* suele aparecer una delimitación entre la principal y la subordinada. Esta delimitación es casi obligada cuando la subordinada se antepone a la subordinante.

14.4. FUNCIONES DE LA ENTONA-
CIÓN EN EL NIVEL EXPRESIVO

En el nivel expresivo, la entonación presenta las siguientes formas.

14.4.1. AFIRMACIÓN ENFÁTICA.

En la afirmación enfática el patrón tonal es:

/ 1 2 3 1↓ /

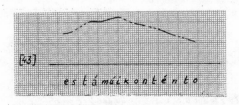

[43] /está múi koNtéNto↓/ *Está muy contento.*

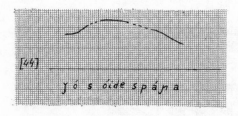

[44] /jó sói de espáɲa↓/ *Yo soy de España.*

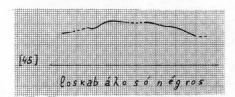

[45] /los kabáλos sóN négros↓ / *Los caballos son negros.*

Si se comparan estos enunciados con los del [1] al [4] dados más arriba se percibe claramente un nivel frecuencial más alto: es el nivel /3/ que hasta ahora no había aparecido y que caracteriza estas afirmaciones enfáticas.

14.4.2. PREGUNTA PRONOMINAL ENFÁTICA.

La pregunta pronominal enfática presenta este patrón entonativo:

/ (1) 2 3 1↓ / :

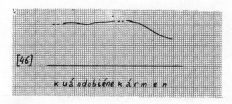

[46] /kuáNdo biéne kármeN↓ / *¿Cuándo viene Carmen?*

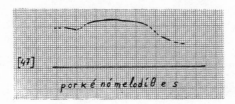

[47]   /poR ké nó me lo díθes ↓ / ¿Por qué no me lo dices?

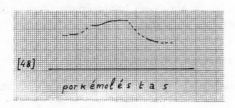

[48]   /poR ké moléstas ↓ / ¿Por qué molestas?

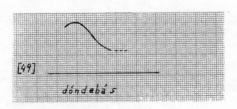

[49]   /dóNde bás ↓ / ¿Dónde vas?

Al comparar estos enunciados interrogativos pronominales enfáticos con los [9], [10], [14], se advierte, como en el caso anterior, un nivel tonal más elevado: el nivel /3/. Como en la afirmación enfática, hay que tener en cuenta además el suplemento de intensidad (de sonía) en estos casos.

El patrón entonativo de la pregunta pronominal enfática coincide con el de la afirmación enfática. La distinción entre ambas entonaciones viene dada únicamente por la estructura gramatical: presencia de palabras gramaticales frente a ausencia de las mismas.

14.4.3. PREGUNTA PRONOMINAL CON MATIZ DE CORTESÍA.

La pregunta pronominal con matiz de cortesía tiene el siguiente patrón entonativo:

$$/ (1) \ 2 \ 1 \ 2\uparrow /$$

La juntura terminal es ascendente y el nivel tonal anterior /2/, en lugar de la juntura terminal descendente y el nivel tonal /1/ de la pregunta pronominal que vimos antes. La palabra gramatical interrogativa y, sobre todo, la terminación /2↑/ son las responsables de este tipo de pregunta:

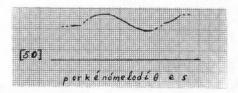

[50] /poR ké nó me lo díθes↑/ ¿Por qué no me lo dices?

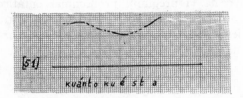

[51] /kuáNto kuésta↑/ *¿Cuánto cuesta?*

14.4.4. LA PREGUNTA REITERATIVA.

La pregunta reiterativa, también llamada de «tipo eco», tiene el siguiente patrón entonativo:

/ 1 2 3 2 1↓ / :

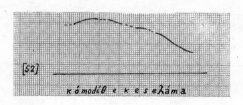

[52] /kómo díθe ke se λáma|/ *¿Cómo dice que se llama?*

La entonación española

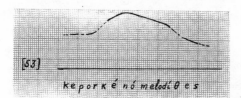

[53]   /ke poR ké nó me lo díθes ↓ / *¿Que por qué no me lo dices?*

Está caracterizada también por el nivel tonal /3/, y gramaticalmente, por algún introductor interrogativo o no: *¿Que si está contento? ¿Que si vienes?*, etc.

14.4.5. LA PREGUNTA RELATIVA.

La pregunta relativa se utiliza para cerciorarse de algo de lo que sólo se tiene una idea. Su patrón tonal es:

$$/ 1\ 2\ 3\ 1 \downarrow /:$$

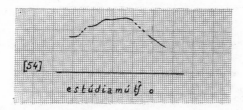

[54]   /estúdia mútʃo ↓ / *¿Estudia mucho?*

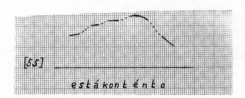

[55] /está koNténto↓/ ¿*Está contento?*

Como puede verse, se caracteriza por un descenso muy brusco de la frecuencia del fundamental, lo que conlleva un fuerte cambio del nivel tonal: desde /3/ hasta /1/.

14.4.6. LA PREGUNTA CONFIRMATIVA.

La pregunta confirmativa, tanto afirmativa como negativa, se caracteriza por el siguiente patrón:

/ (1) 2 1 1↓1 2↑/ :

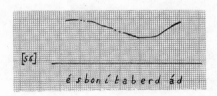

[56] /és boníta↓ beRdáD↑/ *Es bonita, ¿verdad?*

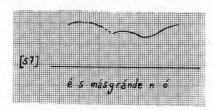

[57]   /és más gráNde↓nó↑/ Es más grande, ¿no?

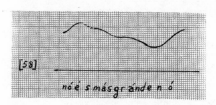

[58]   /nó és más gráNde↓nó↑/ No es más grande, ¿no?

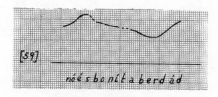

[59]   /nó és boníta↓beRdáD↑/ No es bonita, ¿verdad?

Observando las curvas de configuraciones puede verse cómo en ninguno de los cuatro casos hay pausa: la terminación /-1↓/ desempeña aquí la función delimitadora a la que antes nos referíamos.

14.4.7. LA PREGUNTA IMPERATIVA. La pregunta imperativa se caracteriza por mantener un nivel tonal muy alto y por presencia de /3/:

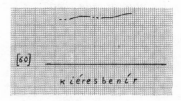

[60]   /kiéres benír↑/ ¿*Quieres venir?*

14.4.8. LA EXCLAMACIÓN. La exclamación que damos a continuación se caracteriza por un descenso muy acusado del nivel tonal desde la primera sílaba acentuada, y un nivel tonal algo más alto:

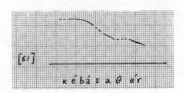

[61]   /ké bás a aθér↓/ ¡*Qué vas a hacer!*

Compárese con la configuración número [13]. La exclamación es la que más formas presenta en español para la expresión de los diferentes sentimientos. Se puede caracterizar tanto por un nivel tonal muy alto y un tempo rápido, como por lo contrario, o por la mezcla de ambos.

BIBLIOGRAFÍA *

Abas, A. *(1929):* «Recherches expérimentales sur le timbre des voyelles». *ANPhE,* II, 1928, 93-171, y IV, 1929, 81-89.

Abberton, Evelyn *(1972):* «Visual feedback and intonation learning». *P 7th ICPhS,* 813-819.

— y Fourcin, A. J. *(1978):* «Intonation and speaker identification». *L and S,* 21, 305-318.

Abe, Isamu *(1955):* «Intonational patterns of English and Japanese». *Word,* 11, 386-398.

— *(1962):* «Call-contours». *P 4th ICPhS,* 519-523.

— *(1972):* «Some remarks about the formulation of question tunes». *SoI,* 17-19.

— *(1972 a):* «Tone-intonation relationships». *P 7th ICPhS,* 820-822.

Abramson, A. S. *(1961):* «Identification and discrimination of phonemic tones». *JASA,* 33, 842.

Adams, C., y Munro, R. R. *(1978):* «In search of the acoustic correlates of stress: Fundamental frequency, amplitude, and duration in the connected utterance of some native and non-native speakers of English». *Phonetica,* 35, 125-156.

Ainsworth, W. A. *(1968):* «First formant transitions and the perception of synthetic semivowels». *JASA,* 44, 689-694.

— y Millar, J. B. *(1971):* «Methodology of experiments on the perception of synthesized vowels». *L and S,* 14, 201-212.

Alarcos Llorach, E. *(1960):* «Esquemas fonológicos de la frase». *Lengua y enseñanza.* Madrid, 47-52.

---

* No incluimos aquí algunas referencias bibliográficas que, por referirse a temas muy concretos, damos, completas, en su lugar correspondiente, como, por ejemplo, la nota del capítulo IX.

446   *Fonética acústica*

— *(1968):* «L'acquisition du langage par l'enfant». En *Le Langage,* ed. A. Martinet, 325-365.

— *(1968 a): Fonología española.* Madrid, Gredos, 4.ª ed., reimpresión.

Alvar, M., y Quilis, A. *(1966):* «Datos acústicos y geográficos sobre la «ch» adherente de Canarias». *Anuario de Estudios Atlánticos,* 12, 337-343.

Allen, S. *(1954): Living English speech.* London, New York, Toronto.

Andresen, B. S. *(1960):* «On the perception of unreleased voiceless plosives in English». *L and S,* 3, 109-119.

Anthony, A. *(1948):* «A structural approach to the analysis of Spanish intonation». *Language Learning,* I, 24-31.

Anthony, J., y Lawrence, A. W. *(1962):* «A resonance analogue speech synthetizer». *Proc. of the 4th Int. Congr. on Acoustics.* Copenhague.

Arisaka, H. *(1940): The theory of phonology.* Tokyo.

Armstrong, Lilias E., y Ward, Ida C. *(1931): A handbook of English intonation.* Cambridge.

Arnold, G. F. *(1957):* «Stress in English words». *Lingua,* VI, 221-267 y 397-441.

—; Denes, P.; Gimson, A. C.; O'Connor, J. D., y Trim, J. L. M. *(1958):* «Synthesis of English vowels». *L and S,* 1, 114-125.

Artemov, Vladimir *(1962):* «Tone and intonation». *P 4th ICPhS,* 403-406.

— *(1965):* «Ob intoneme» [Sobre el entonema]. *Phonetica,* 12, 129-133.

Avram, A. *(1967):* «Sur le rôle de la fréquence dans la perception de l'accent en roumain». *P 6th ICPhS,* 137-140.

— *(1972):* «Mot accentuel, mot intonationnel et sens lexical en roumain». *SoI,* 31-33.

Badia Margarit, A. M. *(1965): Pronunciación española, curvas de entonación, trozos escogidos.* Great Neck, New York: Goldsmith's Music Shop (Language Department).

Bally, Charles *(1942):* «Intonation et syntaxe». *CFS,* I, 33-42.

— *(1952): Le langage et la vie.* Genève.

Barbón Rodríguez, J. A. *(1975):* «El rehilamiento». *Phonetica,* 31, 81-120.

— *(1978):* «El rehilamiento: descripción». *Phonetica,* 35, 185-215.

Barrs, James T. *(1966):* «Identification of voiceless initial fricatives versus modification of their duration». *Linguistics,* 21, 5-23.

Bastian, J., y Abramson, A. S. *(1962):* «Identification and discrimination of phonemic vowel duration». *JASA,* 34, 743-744.

Bell, C. G.; Fujisaki, H.; Heinz, J. M.; Stevens, K. N.; House, A. S. *(1961):* «Reduction of speech spectra by analysis by synthesis techniques». *JASA,* 33, 1725-1736. Recogido en Lehiste, ed., *1967,* 63-74.

Bello, Andrés *(1949): Gramática de la Lengua castellana.* Buenos Aires.

Bibliografía																										447

Bendor-Samuel, J. T. (1967): «Syntagmatic features or grammatical prosodies». P 10th ICL, II, 901-910.

Benveniste, E. (1966): Problèmes de Linguistique générale. Paris.

Beranek, L. L. (1949): Acoustic measurements. New York, Wiley and Sons.

Berger, M. O. (1955): «Vowel distribution and accentual prominence in modern English». Word, 11, 361-376.

Bernales, M. (1976): «Análisis espectrográfico comparado de las vocales de Valdivia y Chiloé». Estudios Filológicos, 11, 59-70.

— (1977): «Comportamiento acústico del grupo velar + e». Estudios Filológicos, 12, 163-177.

— (1978): «Sobre la palatal africada en el español de la ciudad de Valdivia». RLA, 16, 41-51.

Bernard, J. R. L.-B. (1970): «On nucleus component durations». L and S, 13, 89-101.

Bès, G. (1964): «Examen del concepto de rehilamiento». BICC, XIX, 1-27.

Bevier, Louis (1900): «The acoustic analysis of the vowel a». N Spr., VIII, 65-86.

Black, J. W. (1967): «The magnitude of pitch inflections». P 6th ICPhS, 177-182.

Bloch, B., y Trager, G. L. (1942): Outline of linguistics analysis. Baltimore.

Blom, J. G. (1972): «Pitch extraction by means of digital computers». SoI, 55-57.

Bloomfield, L. (1933): Language. New York.

Boë, Louis-Jean (1976): «Étude des vibrations des cordes vocales dans la parole: méthodes, résultats et applications». Revue d'Acoustique, 37, 105-112.

Bogert, B. P. (1953): «On the bandwidth of vowel formants». JASA, 25, 791-792.

Bolinger, Dwight L. (1949): «Intonation and analysis». Word, 5, 248-254.

— (1951): «Intonation: Levels versus configurations». Word, 7, 199-210.

— (1955): «Intersections of stress and intonation». Word, 11, 195-203.

— (1955 a): «The melody of languages». The Modern Language Forum, XL, 19-30.

— (1957): «English stress: the interpretation of strata». Study of Sounds, 295-315.

— (1957-58): «Intonation and grammar» Language Learning, VIII, 31-38.

— (1958): «A theory of pitch accent in English». Word, 14, 109-149.

— (1958 a): «On intensity as a qualitative improvement of pitch accent». Lingua, 7, 175-182.

— (1961): «Ambiguities in pitch accent». Word, 17, 309-317.

— *(1961 a):* «Contrastive accent and contrastive stress». *Language,* XXXVII, 83-96.

— *(1961 b):* «Three analogies». *Hispania,* 44, 134-137.

— *(1962):* «Binomials and pitch accent». *Lingua,* 11, 34-44.

— *(1964):* «Intonation as a universal». *P 9th ICL,* 833-848.

— *(1964 a):* «Around the edge of language: intonation». *Harvard Educational Review,* 34, 282-296. Recogido en Bolinger, ed., *1972,* 19-29.

— *(1970):* «Relative height». *SPh,* 3, 109-127. Recogido en Bolinger, ed., *1972,* 137-153.

— *(1972): Intonation.* Pinguin Books, Middlesex.

— y Hodapp, M. *(1961):* «Acento melódico. Acento de intensidad». *BFUCH,* XIII, 33-48.

Bolt, Richard H.; Cooper, Franklin S.; David, Edward E.; Denes, Peter B.; Pickett, James M., y Stevens, Kenneth N. *(1970):* «Speaker identification by speech spectrograms: a scientists' view of its reliability for legal purposes». *JASA,* 47, 597-612.

Bond, Z. S. *(1978):* «The effects of varying glide durations on diphthong identification». *L and S,* 21, 253-263.

Borst, John M. *(1956):* «The use of spectrograms for speech analysis and synthesis». *Journal of the Audio Engineering Society,* 4, 14-23.

— y Cooper, F. S. *(1957):* «Speech research devices based on a channel vocoder». *JASA,* 29, 777.

Borzone de Manrique, Ana M. *1976):* «Acoustic study of /i, u/ in the Spanish diphthongs». *L and S,* 19, 121-128.

— *(1979):* «On the recognition of isolated Spanish vowels». *Proc. of the IPS-77 Congress (Florida, 1977).* Amsterdam.

— *(1979 a):* «Acoustic analysis of the Spanish diphthongs». *Phonetica,* 36, 194-206.

Boudreault, Marcel *(1967): Rythme et mélodie: étude instrumentale comparative entre sujets québécois et français.* Paris-Québec.

Bouman, H. D. *(1928):* «Sur une méthode d'analyse des sons à l'aide de la résonance électrique appliquée aux voyelles néerlandaises». *ANPhE,* II, 50-92.

— y Kucharski *(1930):* «Synthèse de voyelles au moyen de deux tons simples». *ANPhE,* IV, 90-111.

Bowen, J. Donald *(1956):* «A comparison of the intonation patterns of English and Spanish». *Hispania,* XXXIX, 30-35.

— y Stockwell, Robert P. *(1960): Patterns of Spanish pronunciation.* Chicago.

Broad, D. J. *(1976):* «Toward defining acoustic phonetic equivalence for vowels». *Phonetica,* 33, 401-424.

— y Fertig, R. H. *(1970):* «Formant-frequency trajectories in selected CVC syllable nuclei». *JASA,* 47, 1572-1582.

Broadbent, D. E.; Ladefoged, P. *(1960):* «Vowel judgements and adaptation level». *Proc. of the Royal Society,* 151, 384-399.

Brubaker, Robert S., y Altshuler, Morton W. *(1959):* «Vowel overlap as a function of fundamental frequency and dialect». *JASA,* 31, 1362-1365.

Burgstahler, P., y Straka, G. *(1964):* «Étude du rythme à l'aide de l'oscilloscope cathodique combiné avec le sonomètre». *TrLiLi,* I, 125-141.

Bush, Clara N. *(1964): Phonetic variation and acoustic distinctive features. A study of four general american fricatives.* The Hague, Mouton.

Buyssens, E. *(1957):* «Development of speech in Mankind». En *Manual of Phonetics,* ed. L. Kaiser. Amsterdam, 426-439.

Canellada, M.ª Josefa *(1941):* «Notas de entonación extremeña». *RFE,* XXV, 79-91.

Cárdenas, Daniel N. *(1960):* «Acoustic vowel loops of two Spanish idiolects». *Phonetica,* 5, 19-34.

Carney, E. *(1965):* «The perceptual value of sibilant transitions». *P 5th ICPhS,* 227-230.

Carpenter, Alan *(1962):* «Discrimination of vowel sounds synthesized by harmonic addition». *L and S,* 5, 151-158.

— y Morton, John *(1962):* «The perception of vowel colour in formantless complex sounds». *L and S,* 5, 205-214.

Castle, William E. *(1965):* «A comment on the possible invariance of formant structure for specific vowel phonemes». *Linguistics,* 13, 16-24.

Cerdà Massó, Ramón *(1972): El timbre vocálico en catalán.* Madrid, C.S.I.C., *Collectanea Phonetica,* IV.

Cohen, A. *(1971):* «Diphthongs, mainly Dutch». *Form and substance.* Phonetic and Linguistic papers presented to Eli Fischer-Jørgensen, 277-289.

— y 't Hart, J. *(1965):* «Perceptual analysis of intonation patterns». *P 5th ICA,* A-16.

— y — *(1967):* «Experiments with artificial intonation contours». *P 6th ICPhS,* 429-431.

Contreras, Heles *(1963):* «Sobre el acento en español». *BFUCh,* XV. 223-237.

— *(1964):* «¿Tiene el español un acento de intensidad?» *BFUCh,* XVI, 237-239. [Réplica al artículo de Navarro Tomás *(1964).*]

— *(1965):* «The neutralization of stress in Chilean Spanish». *Phonetica,* 13, 27-30.

Cooper, F. S. *(1950):* «Spectrum analysis». *JASA,* 22, 761-762.

— (1953): «Some instrumental aids to research on speech». MSLL, 4, 46-53.

— (1962): «Speech synthesizers». P 4th ICPhS, 3-13.

— (1965): «Instrumental Methods for research in phonetics». P 5th ICPhS, 142-171.

—; Delattre, P. C.; Liberman, A. M.; Borst, J. M., y Gerstman, L. J. (1952): «Some experiments on the perception of synthetic speech sounds». JASA, 24, 597-606. Recogido en Lehiste, ed., 1967, 273-282, y en Fry, ed., 1976, 258-272.

—; Liberman, A. M., y Borst, J. M. (1951): «The interconversion of audible and visible patterns as a basis for research in the perception of speech». Proc. of the National Academy of Science, 37, 318-325. Recogido en Fry, ed., 1976, 204-207.

Copceag, D., y Roceric-Alexandrescu, A. (1968): «Intonation et structure logique». Revue Roumaine de Linguistique, 13, 499-502.

Courveaulle, C., y Laffon, J.-Cl. (1967): «Remarques sur les phonèmes nasals et la nasalité». Journal Français d'Oto-Rhino-Laryngologie, XVI, 73-74.

Cowan, J. M. (1962): «Graphical representation of perceived pitch in speech». P 4th ICPhS, 567-570.

Cruttenden, A. (1970): «On the so-called grammatical function of intonation». Phonetica, 21, 182-192.

Crystal, D. (1967): «Intonation and semantic structure». P 10th ICL, II, 416-422.

— (1969): Prosodic systems and intonation in English. Cambridge, Cambridge University Press.

— (1970): «Prosodic systems and language adquisition». SPh, 3, 77-90.

— y Quirk, R. (1964): Systems of prosodic and paralinguistic features in English. The Hague, Mouton.

Cuervo, R. J. (1954): «Notas a la Gramática de Bello», en Obras, I. Bogotá.

Charf, D. J. (1964): «Vowel duration in whispered and in normal speech». L and S, 7, 89-97.

Cherry, Colin (1961): On human communication. A review, a survey, and a criticism. New York, Science Ed. Inc.

Chiba, Tsutomu, y Kajiyama, Masato (1941): The vowel, its nature and structure. Tokyo, 2.ª ed., 1958. Citamos por la ed. de 1958.

Chomsky, N., y Halle, M. (1968): The sound pattern of English. New York, Harper and Row, Publ.

Chreist, F. (1964): Foreing accent. New York.

Chrétien, Lucien (1964): Eléments d'acoustique. Paris.

Dabrowska, J. (1969): «Message linguistique et intonation». Kwartalnik Neofilologiczny, 16, 165-169.

Daneš, František *(1960):* «Sentence intonation from a functional point of view». *Word,* 16, 34-54.

— *(1967):* «Order of elements and sentence intonation». *To honour Roman Jakobson,* I, 499-512. Recogido en Bolinger, ed., *1972,* 216-232.

Daniloff, Raymond G.; Shiriner, Thomas H., y Zemlin, Willard R. *(1968):* «Intelligibility of vowels altered in duration and frequency». *JASA,* 44, 700-707.

David, E. E., Jr.; McDonald, H. S. *(1956):* «Note on pitch synchronous processing of speech». *JASA,* 28, 1261-1266.

Debrock, Marc *(1974):* «La structure spectrale des voyelles nasales». *Rev. de Phonétique Appliquée,* 29, 15-31.

Delacroix, H. *(1924):* *Le langage et la pensée.* Paris.

Delattre, P. *(1938):* «L'accent final en français: accent d'intensité, accent de hauteur, accent de durée». *FR,* 12, 3-7. Recogido en Delattre, *1966,* 65-68.

— *(1948):* «Un triangle acoustique des voyelles orales du français». *FR,* 21, 477-484. Recogido en Delattre, *1966,* 236-242.

— *(1951):* «The physiological interpretation of sounds spectrograms». *PMLA,* 66, 864-876. Recogido en Delattre, *1966,* 225-235.

— *(1951 a):* *Principes de Phonétique française à l'usage des étudiants angloaméricains.* Middlebury.

— *(1954):* «Les attributs acoustiques de la nasalité vocalique et consonantique». *SL,* VIII, 103-109.

— *(1957):* «A propos des corrélatifs acoustiques de la distinction entre voyelle et consonne». *SL,* XI, 78-83.

— *(1958):* «Les indices acoustiques de la parole». *Phonetica,* 2, 108-118 y 226-251. Recogido en Delattre, *1966,* 248, 275.

— *(1958 a):* «Unreleased velar plosives after back-rounded vowels». *JASA,* 30, 581-582.

— *(1961):* «La leçon d'intonation de Simone de Beauvoir, étude d'intonation déclarative comparée». *FR,* XXXV, 59-67. Recogido en Delattre, *1966,* 75-82.

— *(1962):* «Le jeu des transitions de formants et la perception des consonnes». *P 4th ICPhS.* The Hague, Mouton, 407-417. Recogido en Delattre, *1966,* 276-286.

— *(1962 a):* «Some factors of vowel duration and their cross-linguistic validity». *JASA,* 34, 1141-1143.

— *(1964):* «Change as a correlate of the vowel-consonant distinction». *SL,* XVIII, 12-25.

— *(1965):* *Comparing the Phonetic features of English, German, Spanish and French.* Heidelberg. Julius Groos Verlag.

— *(1965 a):* «La nasalité vocalique en français et en anglais». *FR*, 39, 92-109.

— *(1966): Studies in French and comparative phonetics: selected papers in French and English.* The Hague, Mouton.

— *(1967):* «Acoustic or articulatory invariance». En *The General Phonetic Characteristics of Languages*, Univ. of California, Santa Bárbara, 176-219.

— *(1967 a):* «La nuance de sens par l'intonation». *FR*, 41, 326-339.

— *(1968):* «From acoustic cues to distinctive features». *Phonetica*, 18, 198-230.

— *(1969):* «L'intonation par les oppositions». *Le Français dans le Monde*, 64, 6-13.

— *(1969 a):* «Coarticulation and the locus theory». *SL*, XXIII, 1-26.

— *(1970):* «Rapports entre la physiologie et la chronologie de la nasalité distinctive». *P 10th ICL*, IV, 221-227.

— *(1970 a):* «Syntaxe and intonation: a study in disagreement». *MLJ*, 54, 3-9.

— *(1972):* «The distinctive function of intonation», en Bolinger, ed., *1972*, 159-174.

—; Cooper, Franklin S., y Liberman, Alvin M. *(1952):* «Some suggestions for language teaching methods arising from research on the acoustic analysis and synthesis of speech». *MSLL*, 2, 31-47.

—; Cooper, F. S.; Liberman, A. M., y Gerstman, L. J. *(1956):* «Speech synthesis as a research technique». *P 7th ICL*. London, 545-561.

—; Liberman, A. M., y Cooper, F. S. *(1955):* «Acoustic loci and transitional cues for consonants». *JASA*, 27, 769-773. Recogido en Lehiste, ed., *1967*, 283-287.

—; Liberman, A. M., y Cooper, F. S. *(1962):* «Formant transitions and loci as acoustic correlates of place of articulation in American fricatives». *SL*, XVI, 104-121.

—; Liberman, Alvin M.; Cooper, Franklin S., y Gerstman, Louis J. *(1952):* «An experimental study of the acoustic determinants of vowel color; observations on one-and two-formant vowels synthesized from spectrographic patterns». *Word*, 8, 195-210. Recogido en Fry, ed., *1976*, 221-238.

— y Monot, M. *(1968):* «The role of duration in the identification of French nasal vowels». *IRAL*, VI, 267-288.

—; Olsen, Carroll, y Poenack, Elmer *(1962):* «A comparative study of declarative intonation in American English and Spanish». *Hispania*, XLV, 233-241.

Denes, P. *(1959):* «A preliminary investigation of certain aspects of intonation». *L and S*, 2, 106-122.

— *(1962):* «The use of computers for research in Phonetics». *P 4th ICPhS*, 149-154.

— y Milton-Williams, J. *(1962):* «Further studies in intonation». *L and S,* 5, 1-14.

— y Pinson, Elliot N. *(1963): The speech chain. The physics and biology of spoken language.* Baltimore, Waverly Press.

Di Cristo, Albert *(1975): Soixante et dix ans de recherches en prosodie.* Université de Provence.

Dudley, H. W. *(1939):* «Remaking speech». *JASA,* 11, 169-177.

— *(1955):* «Fundamentals of speech synthesis». *J. Audio Eng. Soc.,* 3, 170-185.

— *(1958):* «Phonetic pattern recognition vocoder for narrow band speech transmission». *JASA,* 30, 733-739.

Du Feu, Veronica M. *(1970):* «Word prosody and sentence prosody». *Phonetica,* 21, 31-39.

Dunn, H. K. *(1950):* «The calculation of vowel resonances, and an electrical vocal tract». *JASA,* 22, 740-753.

— *(1961):* «Methods of measuring vowel formant bandwidths». *JASA,* 33, 1737-1746.

Duque T., Carlos, y Tassara Ch., Gilda *(1976):* «Análisis acústico de las realizaciones de /ĉ/ en Valparaíso». *Signos,* IX, 5-31.

Durand, Marguerite *(1953):* «De la formation des voyelles nasales». *SL,* VII, 33-53.

— *(1954):* «La perception des consonnes occlusives: problèmes de palatalisation et de changements consonantiques». *SL,* VIII, 110-123.

— *(1954 a):* «Le langage enfantin». *Conférences de l'Institut de Linguistique de Paris,* XI, 94-95.

— *(1956):* «De la perception des consonnes occlusives questions de sonorité». *Word,* 12, 15-34.

Emerit, Étienne *(1974):* «Nouvelle contribution à la théorie des «locus». Première partie». *Phonetica,* 30, 1-30.

— *(1975):* «Nouvelle contribution à la théorie des «locus». 2.ᵉ partie». *Phonetica,* 31, 6-37.

— *(1976):* «Nouvelle contribution à la théorie des «locus». 3.ª partie. L'individualité des formes sonores». *Phonetica,* 33, 425-466.

Essen, Otto von *(1961): Mathematische Analyse periodischer Vorgänge.* Marburg, N. G. Elwert.

Essner, Ch. *(1947):* «Recherches sur la structure des voyelles orales». *ANPhE,* XX, 40-77.

Fairbanks, G., y Grubb, P. *(1961):* «A psychophysical investigation of vowel formants». *Journal of Speech and Hearing Research,* 4, 203-219.

— House, A. S.; Stevens, E. L. *(1950):* «An experimental study of vowel intensities». *JASA,* 22, 457-459.

Fant, C. G. M. *(1956):* «On the predictability of formant levels and spectrum envelopes from formant frequencies». *For Roman Jakobson,* 109-121. Recogido en Lehiste, ed., *1967,* 44-56.

— *(1958):* «Modern instruments and methods for acoustic studies of speech». *P 8th ICL.* Oslo, 282-358.

— *(1958 a): Modern instruments and methods for acoustic studies of speech.* Oslo, Univ. Press.

— *(1960): Acoustic theory of speech production,* 2.ª ed., The Hague, Mouton, 1970. Citamos por esta edición.

— *(1961):* «The acoustic of speech». *P 3th ICA,* 188-201.

— *(1962):* «Sound spectrography». *P 4th ICPhS,* 14-33.

— *(1962 a): Speech analysis and synthesis.* Royal Institute of Technology, Stokholm, Report n.º 26.

— *(1965):* «Formants and cavities». *P 5th ICPhS,* 120-140.

— *(1967):* «The nature of distinctive features». *To Honour Roman Jakobson,* II, 634-642.

— *(1968):* «Analysis and synthesis of speech processes». En Malmberg, ed., *1968,* 173-277.

—; Fintoft, K.; Liljencrants, S.; Lindblom, B., y Mártony, J. *(1963):* «Formant-amplitude measurements». *JASA,* 35, 1753-1761.

— y Mártony, J. *(1962):* «Speech synthesis». *STL-QPSR,* 2, 18.

Faure, G. *(1962):* «L'intonation et l'identification des mots dans la chaîne parlée (exemples empruntés à la langue française». *P 4th ICPhS,* 598-609.

— *(1962 a): Recherches sur les caractères et le rôle des éléments musicaux dans la prononciation anglaise.* Paris, Didier.

— *(1964):* «Aspects et fonctions linguistiques des variations mélodiques dans la chaîne parlée». *P 9th ICL,* 72-77.

— *(1967):* «La description phonologique des systèmes prosodiques». *P 6th ICPhS,* 317-318.

— *(1970):* «Contribution à l'étude du statut phonologique des structures prosodématiques». *SPh,* 3, 93-108.

— *(1971):* «La description phonologique des systèmes prosodiques». *ZfPh,* XXIV, 347-359.

— *(1972):* «Contribution à l'étude de la fonction prédicative de l'intonation». *SoI,* 77-80.

— *(1973):* «Tendences et perspectives de la recherche intonologique». *Bulletin d'Audiophonologie,* 3, 5-29.

Fernández Ramírez, S. *(1951): Gramática española.* Madrid.

Filip, M. *(1972):* «A survey of pitch-frequency recording methods». *SoI,* 81-90.

Fintoft, K. *(1965):* «Some remarks on word accents». *Phonetica,* 13, 201-226.

Firbas, J. *(1967):* «On the interplay of means of functional sentence perspective». *P 10th ICL,* 741-745.

— *(1972):* «A note on the intonation of questions from the point of view of the theory of functional sentence perspective». *SoI,* 91-93.

Fischer-Jørgensen, E. *(1949):* «Remarques sur les principes de l'analyse phonémique». *TCLC,* V, 214-234.

— *(1954):* «Acoustic analysis of stop consonants». *Miscellanea Phonetica,* 2, 42-59. Recogido en Lehiste, ed., *1967,* 137-154.

— *(1956):* «The commutation test and its application to phonemic analysis». *For Roman Jakobson,* 140-151.

— *(1957):* «What can the new techniques of acoustic phonetics contribute to linguistics?» *P 8th ICL,* 433-478.

— *(1967):* «Perceptual dimensions of vowels». *To Honour Roman Jakobson,* I, 667-671, y *ZfPh,* 21, *1968,* 94-98.

Flanagan, James, L. *(1955):* «A difference limen for vowel formant frequency». *JASA,* 27, 613-617. Recogido en Lehiste, ed., *1967,* 288-292.

— *(1956):* «Automatic extraction of formant frequencies from continuous speech». *JASA,* 28, 110-118.

— *(1956 a):* «Evaluation of two formant extraction devices». *JASA,* 28, 118-125.

— *(1972): Speech analysis, synthesis and perception,* 2.ª ed., Berlin, Heidelberg, New York, Springer Verlag.

— y Saslow, M. G. *(1958):* «Pitch discrimination for synthetic vowels». *JASA,* 30, 435-440.

Fletcher, Harvey *(1958): Speech and hearing in communication.* Princeton, New Jersey.

Fónagy, I. *(1965):* «Zur Gliederung der Satzmelodie». *P 5th ICPhS,* 281-286.

— *(1965 a):* «Continu vs. discret: deux aspects de l'intonation». *Altalanos nyelveszeti tamulmanyok,* 3, 63-70.

— *(1966):* «Electrophysical and acoustic correlates of stress and stress perception». *Journal of Speech and Hearing Research,* 9, 231-244.

— *(1969):* «Accent et intonation dans la parole chuchotée». *Phonetica,* 20, 177-192.

— *(1969 a):* «Métaphores d'intonation et changements d'intonation». *BSLP,* 64, 22-42.

— *(1971):* «Synthèse de l'ironie». *Phonetica,* 23, 42-51.

— y Magdics, K. *(1960):* «Le débit en fonction de la longeur des groupes rythmiques». *L and S,* 3, 179-192.

— y Magdics, K. *(1963):* «Emotional patterns in intonation and music». *ZfPh,* 16, 293-326.

Fontanella, M. B. *(1966):* «Comparación de dos entonaciones regionales argentinas». *BICC*, XXI, 17-29.

— *(1971):* «La entonación del español de Córdoba (Argentina)». *BICC*, XXVI, 11-21.

Forgie, James W., y Forgie, Carma D. *(1959):* «Results obtained from a vowel recognition computer program». *JASA*, 31, 1480-1489.

Foulkes, J. D. *(1961):* «Computer identification of vowel types». *JASA*, 33, 7-11.

Francescato, G. *(1971:)* El lenguaje infantil. Barcelona.

Frei, Henri *(1968):* «Signes intonationnels de mise en relief». *Festschrift Walther von Wartburg zum 80. Geburtstag*. Tübingen, Max Niemeyer Verlag, 611-618.

Fry, D. B. *(1955):* «Duration and intensity as physical correlates of linguistic stress». *JASA*, 27, 765-768. Recogido en Lehiste, *1967*, 155-158.

— *(1956):* «Perception and recognition in speech». *For Roman Jakobson*, 169-173.

— *(1958):* «Experiments in the perception of stress». *L and S*, 1, 126-152. Recogido en Fry, ed., *1976*, 401-424.

— *(1964):* «The dependence of stress judgements on vowel formant structure». *P 5th ICPhS*, Münster, 306-311. Recogido en Fry, ed., *1976*, 425-430.

— *(1966):* «Mode de perception des sons du langage». *Phonétique et Phonation*. Paris.

— *(1968):* «Prosodic phenomena». En Malmberg, ed., *1968*, 365-410.

— ed. *(1976):* Acoustic phonetics. A course of basic readings. Cambridge University Press.

— *(1979):* The physics of speech. Cambridge Textbooks in Linguistics.

—; Abramson, Arthur S.; Eimas, Peter D., y Liberman, Alvin M. *(1962):* «The identification and discrimination of synthetic vowels». *L and S*, 5, 171-189. Recogido en Fry, ed., *1976*, 238-257.

Fujimura, O. *(1958):* «Sound synthesizer with optical control». *JASA*, 30, 56-57.

— *(1962):* «Analysis of nasal consonants». *JASA*, 34, 1865-1875. Recogido en Lehiste, ed., *1967*, 238-248.

— *(1967):* «On the second spectral peak of front vowels: a perceptual study of the role of the second and third formants». *L and S*, 10, 181-193.

Fujisaki, H., y Kawashima, T. *(1967):* «Roles of pitch and higher formants in perception of vowels». *P 6th ICPhS*, Prague, 347-350.

Fukumura, Teruo, y Hara, Kenzo *(1954):* «Phoneme figures of sustained oral vowels by two-dimensional representation. (I) Some basic observations». *MFE*, 6, 217-223.

— y — *(1954):* «Phoneme figures of sustained oral vowels by two-dimensional representation. (II) Phoneme position of vowel-pentagon». *MFE,* 6, 224-230.

— y Ochiai, Yoshiyuki *(1955):* «Loudness comparison between vowels within voice». *MFE,* 7.

Gallinares, J. *(1944):* «Nuevos conceptos de la acentuación española». *Boletín de Filología,* Montevideo, IV, 116-141.

Garde, P. *(1965):* «Accentuation et morphologie». *La Linguistique,* 2, 25-39.

— *(1968): L'accent.* Paris, P. U. F.

Garding, E., y Gerstman, L. J. *(1960):* «The effect of changes in the location of an intonation peak on sentence stress». *SL,* XIV, 57-59.

Gay, T. *(1968):* «Effect of speaking rate on diphthong formant movements». *JASA,* 44, 1570-1573.

— *(1970):* «A perceptual study of american English diphthongs». *L and S,* 13, 65-88.

— *(1978):* «Physiological and acoustic correlates of perceived stress». *L and S,* 21, 347-353.

Gerstman, L. *(1957):* «Cues for distinguishing among fricatives, affricate and stop consonants». Diss. (New York University).

Gibbon, D. *(1976): Perspectives of intonation analysis.* München, Forum Linguisticum.

Giet, F. *(1956):* «Kann mann in einer Tonsprache flüstern?» *Lingua,* V, 372-381.

Gili Gaya, S. *(1921):* «La *r* simple en la pronunciación española». *RFE,* VIII, 271-280.

— *(1924):* «Influencia del acento y de las consonantes en las curvas de entonación». *RFE,* XI, 154-177.

Gjerdman, Olof *(1924):* «Critical remarks on intonation research». *School of Oriental Studies,* London Institution, III.

Graham, Rosemary *(1978):* «Intonation and emphasis in Spanish and English». *Hispania,* 61, 95-101.

Grammont, M. *(1960): Traité de phonétique.* Paris, 6.ª edición.

Grégoire, A. *(1933): Apprentissage du langage.* Paris.

Gribenski, André *(1951): L'audition.* Paris.

Grundstrom, A. *(1972):* «Des formes acoustiques de l'intonation interrogative en français». *SoI,* 97-103.

Guerra, Rafael *(1981):* «Estudio estadístico de la sílaba en español». *RFE* (en prensa).

Guirao, M., y Manrique, A. M. B. *(1975):* «Identification of Argentine Spanish vowels». *J. Psycholing. Res.*, 4, 17-25, y, resumido en *P 7th ICPhS*, 514-520.

Gutiérrez Araus, M. L. *(1978): Estructuras sintácticas del español actual.* Madrid, S. G. E. L. [el último capítulo del libro está dedicado a las relaciones entre sintaxis y entonación].

Gutiérrez Eskildsen, R. M. *(1938):* «La entonación en el lenguaje afectivo». *Investigaciones Lingüísticas*, 5, 78-85.

Hadding-Koch, K. *(1956):* «Recent work on intonation». *SL*, X, 77-96.

— *(1961): Acoustico-phonetic studies in the intonation of southern Swedish.* Lund: C. W. K. Gleerup.

— *(1965):* «On the physiological background of intonations». *SL*, XX, 55-60.

— y Petersson, Lennart *(1965): Instrumentell Fonetik.* Lund.

— y Studdert-Kennedy, M. *(1963):* «A study of semantic and phsycophysical test responses to controled variations in fundamental frequency». *SL*, 17, 65-76.

— v — *(1964):* «An experimental study of some intonation contours». *Phonetica*, XI, 175-185. Recogido en Fry, ed., *1976*, 431-441.

— y — *(1965):* «Intonation contours evaluated by American and Swedish test subjects». *P 5th ICPhS*, 326-331.

Haggard, Mark P. *(1963):* «In defence of the formant». *Phonetica*, X, 231-233. [Responde al trabajo de Oeken.]

— Ambler, Stephen, y Callow, Mo. *(1970):* «Pitch as a voicing cue». *JASA*, 47, 613-617.

Hála, Bohuslav *(1956): Nature acoustique des voyelles.* Praze, N. K. U. Acta Universitatis Carolinae, vol. V.

— *(1959):* «Zur Frage der Anzahl der Vokalformanten». *ZfPh*, 12, 59-67.

— *(1965):* «Sur la hiérarchie des éléments phoniques des sons du langage». *P 5th ICPhS*, 332-335.

— *(1966): La sílaba. Su naturaleza, su origen y sus transformaciones.* Madrid, C. S. I. C., CPh, III. Trad. aumentada del artículo del mismo título, publicado en *Orbis*, X, *1961*, 69-143.

Halle, M. *(1957):* «In defense of the number two». *Studies Presented to J. Whatmough on his 60th Birthday.* The Hague, Mouton.

— *(1959): The sound pattern of Russian.* 'S-Gravenhage, Mouton. 2.ª ed., 1971.

—; Hughes, G. W., y Radley, J. P. A. *(1957):* «Acoustic properties of stop consonants». *JASA*, 29, 107-116. Recogido en Lehiste, ed., *1967*, 170-179, y en Fry, ed., *1976*, 162-176.

Halliday, M. A. K. *(1964):* «Intonation in English grammar». *Transactions of the Philological Society*, 143-169.

Bibliografía   459

— *(1967)*: *Intonation and grammar in British English*. The Hague.

Hammarström, Göran *(1963)*: «Prosodeme und Kontureme». *Phonetica*, X, 194-202.

— *(1974)*: *Las unidades lingüísticas en el marco de la lingüística moderna*. Madrid, Gredos.

Hanson, Göte *(1961)*: «Phoneme perception. A factorial investigation». *Språkvetenskapliga Sällskapets i Uppsala Förhandlingar*, 1958-1960, 109-147.

— *(1967)*: *Dimensions in speech sound perception*. Ericsson Technics n.° 1.

Harris, Cyril M., y Waite, William M. *(1963)*: «Response of spectrum analyzers of the Bank of filters Type to signals generated by vowel sounds». *JASA*, 35, 1972-1977.

— y Weiss, Mark R. *(1964)*: «Effects of speaking condition on pitch». *JASA*, 36, 933-936.

Harris, Katherine Safford *(1958)*: «Cues for the discrimination of American English fricatives in spoken syllables». *L and S*, 1, 1-7. Recogido en Fry, ed., *1976*, 284-297.

—; Hoffman, Howard S.; Liberman, Alvin M.; Delattre, Pierre C., y Cooper Franklin S. *(1958)*: «Effect of third-formant transitions on the perception of the voiced stop consonants». *JASA*, 30, 122-126.

Harris, Z. *(1944)*: «Simultaneous components in phonology». *Language*, 20, 181-205.

Hattori, Shirô; Yamamoto, Kengo, y Fujimura, Osamu *(1958)*: «Nasalization of vowels in relation to nasals». *JASA*, 30, 267-274.

Haugen, Einar *(1949)*: «Phoneme or prosodeme?» *Language*, XXV, 278-282.

Hecker, M. *(1962)*: «Studies of nasal consonants with an articulatory speech synthesizer». *JASA*, 34, 179-187.

Heike, Georg, y Hall, Ross D. *(1969)*: «Vowel patterns of three English speakers: A comparative acoustic and auditive description». *Linguistics*, 54, 13-38.

Heintz, J. M., y Stevens, K. N. *(1961)*: «On the properties of voiceless fricative consonants». *JASA*, 33, 589-596. Recogido en Lehiste, ed., *1967*, 220-227.

Helmholtz, Hermann L. F. *(1930)*: *On the sensations of tone as a physiological basis for the theory of music*. Traducida del alemán por Alexander J. Ellis. 5.ª ed. London, Longmans, Green and Co.

Hill, Archibald A. *(1961)*: «Suprasegmentals, prosodies, prosodemes». *Language*, XXXVII, 457-468.

Hirst, D. J. *(1974)*: «Intonation and context». *Linguistics*, 141, 1-16. [Desde el punto de vista de la gramática generativa.]

— *(1976):* «L'intonation et la double articulation du langage». *Phonetica,* 29, 396-403.

Hockett, C. F. *(1955): A manual of phonology.* Baltimore, Waverley Press.

Hoffman, Howard S. *(1958):* «Study of some cues in the perception of the voiced stop consonants». *JASA,* 30, 1035-1041.

Holbrook, A., y Fairbanks, G. *(1962):* «Diphthong formants and their movements». *Journal of Speech and Hearing Research,* 5, 38-58. Recogido en Lehiste, ed., *1967,* 249-272.

Holder, M. *(1968):* «Étude sur l'intonation comparée de la phrase énonciative en français canadien et en français standard». *SPh,* 1, 175-191.

Holmes, J. N.; Mattingly, Ignatius G., y Shearme, J. N. *(1964):* «Speech synthesis by rule». *L and S,* 7, 127-143.

House, A. S. *(1956):* «Analog studies of the nasalization of vowels». *J. of Speech and Hearing Disorders,* 21, 218-232.

— *(1957):* «Analog studies of nasal consonants». *J. of Speech and Hearing Disorders,* 22, 190-204.

— y Stevens, K. N. *(1955):* «Auditory testing of a simplified description of vowel articulation». *JASA,* 27, 882-887.

— y — *(1957):* «Analog studies of the nasalization of vowels». *Journal of Speech and Hearing Disorders,* 22, 190-205.

Householder, F. *(1956):* «Unreleased p t k in American English». *For Roman Jakobson,* 353-360.

Hughes, G., y Halle, M. *(1956):* «Spectral properties of fricative consonants». *JASA,* 28, 303-310. Recogido en Fry, ed., *1976,* 151-161.

Hultzén, Lee S. *(1957):* «Communication in intonation: general American». *Study and Sounds,* 317-333.

— *(1959):* «Information points in intonation». *Phonetica,* IV, 107-120.

— *(1962):* «Significant and nonsignificant in intonation». *P 4th ICPhS,* 658-661.

— *(1964):* «Grammatical Intonation». *In Honour of Daniel Jones.* D. Abercrombie et al., eds. London, 85-95.

Husson, Raoul *(1957):* «Facteurs acoustiques des voyelles humaines nasalisées et genèse physiologique de ces facteurs». *Comptes rendus des séances de l'Académie des Sciences,* 244, 2551-2553.

— *(1960): La voix chantée.* Paris.

— *(1962): Physiologie de la phonation.* Paris.

— *(1965):* «Sur la genèse des sons de voyelles». *Phonetica,* 13, 43-45.

— y Pimonow, Leonid *(1957):* «Facteurs acoustiques des voyelles humaines (non nasalisées) et fréquence de coupure du pavillon pharyngobuccal». *Comptes rendus des séances de l'Académie des Sciences,* 244, 1261-1263.

Ingemann, Frances *(1968):* «Identification of the speaker's sex from voiceless fricatives». *JASA,* 44, 1142-1144.

Isačenko, Alexander V. *(1965):* «Zur Akustik des tschechischen ř-Lautes». *Phonetica,* 12, 1-12.

— *(1966):* «La perception des éléments prosodiques». *Cahiers de linguistique théorique et appliquée.* Bucarest, 3, 69-73.

— y Schädlich, H. J. *(1970): A model of standard German intonation.* The Hague, Mouton.

Isenberg, D., y Gay, T. *(1978):* «Acoustic correlates of perceived stress in an isolated synthetic disyllable». *JASA,* 64, S21 (Abstract).

Ivić, P. *(1972):* «On the nature of prosodic phenomena». *SoI,* 117-121.

Jakobson, Roman *(1936):* «On the identification of phonemic entities». *P 2th ICPhS,* Cambridge. También en Jakobson, *1962,* I, 418-425.

— *(1939):* «Observations sur le classement phonologique des consonnes». En Jakobson, *1962,* 272-279.

— *(1957):* «Mufaxxama-the 'emphatic' phonemes in Arabic». *Studies Presented to Joshua Whatmough,* The Hague. También en Jakobson, *1962,* 510-522.

— *(1962): Selected writings. I. Phonological studies.* The Hague, Mouton and Co.

— *(1962 a):* «The phonemic concept of distinctive features». *P 4th ICPhS,* 440-455.

— *(1962'b):* «Retrospect». En Jakobson, *1962,* 631-658.

— *(1963): Essais de linguistique générale.* Prólogo y traducción de N. Ruwet. Paris.

—; Fant, C.; Gunnar, M., y Halle, Morris *(1952): Preliminaries to speech analysis. The distinctive features and their correlates.* Massachusetts.

— y Halle, M. *(1956): Fundamentals of language.* La Haya. (Trad. española: *Fundamentos del lenguaje,* Madrid, 1967).

Janota, P. *(1967):* «Perception of stress by Czech listeners». *P 6th ICPhS,* 457-462.

Jassem, W. *(1952): Intonation of conversational English.* Wroclaw.

— *(1958):* «A phonologic and acoustic classification of polish vowels». *ZfPh,* 11, 299-319.

— *(1959):* «The phonology of polish stress». *Word,* 15, 252-269.

— *(1962):* «Noise spectra of Swedish English and polish fricatives». *Proc. of Speech Communication Seminar.* Stockholm, Royal Inst. Tech.

— *(1965):* «The formants of fricative consonants». *L and S,* 8, 1-16.

— *(1972):* «Statistical parameters of the distributions of average short-term F_0 values as personal voice characteristics». *SoI,* 123-125.

Johansson, Kurt *(1969):* «Transitions as place cues for voiced stop consonants: direction or extent?» *SL,* XXIII, 69-82.

Jones, D. *(1909): Intonation curves.* Leipzig-Berlin.

— *(1949): An outline of English phonetics.* London.

— *(1957): An outline of English phonetics.* Cambridge, 8.ª ed.

Jones, S. *(1932):* «The accent in French-What is accent?» *MPh,* 40, 74-75.

Joos, Martin *(1948): Acoustic phonetics.* Baltimore.

Jurgens Buning, J. E., y van Schooneveld, C. H. *(1961): The sentence intonation of contemporary standard Russian, as a linguistic structure,* Mouton and Co., s'Gravenhage.

Kaplan, Harold M. *(1960): Anatomy and physiology of speech.* New York, McGraw-Hill Book Co.

Karcevskij, Serge *(1931):* «Sur la phonologie de la phrase». *TCLP,* 4, 188-227.

Katwijk, A. van *(1972):* «On the perception of stress». *SoI,* 127-135.

Keith Smith, J. E., y Klem, Laura *(1961):* «Vowel recognition using a multiple discriminant function». *JASA,* 33, 358.

Kempelen, Wolfgang von *(1791): Mechanismus der menschlichen Sprache nebst einer sprechenden Maschine.* Faksimile-Neudruck der Ausgabe Wien. Stuttgart, 1970.

Kim, C.-W. *(1968):* Reseña a P. Lieberman: *Intonation, perception and language. Language,* 44, 830-842.

Kimbrough Oller *(1979):* «Syllable timing in Spanish, English and Finnish». *Proc. of the IPS-77 Congress, Florida 1977. Current Issues in the Phonetic Sciences.* Amsterdam.

King, H. V. *(1952):* «Outline of Mexican Spanish phonology». *SL,* X, 51-62.

Kingdon, R. *(1958): The groundwork of English intonation.* London, New York, Toronto.

Klichnikova, Z. I. *(1965):* «Intonacii a kak sredstuo sviazi častej složnogo predloženia». [La entonación como medio de yunción de oraciones compuestas]. *Phonetica,* 12, 171-174.

Kloster Jensen, Martin *(1958):* «Recognition of word tones in whispered speech». *Word,* 14, 187-196.

— *(1972):* «Interferenz zwischen Wort- und Satzunterscheidender Sprechmelodie». *SoI,* 137-141.

Koenig, W. *(1949):* «A new frequency scale for acoustic measurements». *Bell Labs Record,* 27, 299-301.

—; Dunn, H. K., y Lacy, L. Y. *(1946):* «The sound spectrograph». *JASA,* 17, 19-49. Recogido en Lehiste, ed., *1967,* 3-33, y en Fry, ed., *1976,* 77-91.

Konopczynski, Gabrielle *(1973):* «La distinction voyelle-consonne reconsidérée à partir de quelques théories phonologiques et de recherches récentes sur la perception des sons du langage». *TIPhS*, 5, 129-149.

Köster, J. P. *(1972):* «Extreme Intonationsmodulation und ihre Registrierung». *Sol*, 143-147.

Kuhlmann, W. *(1951):* «Tonhöhenbewegung im Englischen», *ZfPh*, 5, 1-15.

Kunøe, Mette *(1972): Barnesprog*. Copenhague.

Kurath, H. *(1964): A phonology and prosody of modern English*. Carl-Winter Universitätsverlag. Heidelberg.

Kvavik, K. H., y Olsen, C. L. *(1974):* «Theories and methods in Spanish intonational studies. Survey». *Phonetica*, 30, 65-100.

Ladefoged, P. *(1956):* «The classification of vowels». *Lingua*, 5, 113-128.

— *(1962): Elements of acoustic phonetics*. London, Oliver and Boyd.

— *(1963):* «Some physiological parameters in speech». *L and S*, 6, 109-119.

— *(1964):* «Some possibilities in speech synthesis». *L and S*, 7, 205-214.

— *(1967): Three areas of experimental phonetics*. Oxford University Press, London.

— y Broadbent, D. E.: «Information conveyed by vowels». *JASA*, 29, 98-104. Recogido en Lehiste, ed., *1967*, 326-332.

—; Draper, M. H., y Whitteridge, D. *(1958):* «Syllables and stress». *Miscellanea Phonetica*, III, 1-4.

— y McKinney, N. P. *(1963):* «Loudness, sound, pressure, and subglottal pressure in speech». *JASA*, 35, 454-460.

Lafon, Jean-Claude *(1961): Message et phonétique. Introduction à l'étude acoustique et physiologique du phonème*. Paris, P. U. F.

Lane, H. L. *(1963):* «Foreign accent and speech distortion». *JASA*, 35, 451-453.

Laver, J. D. M. H. *(1965):* «Variability in vowel perception». *L and S*, 8, 95-121.

Lehiste, I. *(1961):* «Some acoustic correlates of accent in Serbo-Croatian». *Phonetica*, 7, 114-117.

— *(1964): Acoustical characteristics of selected English consonants*. The Hague, Mouton.

— *(1964 a):* «Acoustic characteristics of /h/ and whispered speech». En Lehiste, *1964*, 141-180.

— *(1964 b):* «Some allophones of /l/ in American English». En Lehiste, *1964*, 10-50.

— *(1964 c):* «Some allophones of /r/ in American English». En Lehiste, *1964*, 51-115.

— *(1964 d):* «A study of /w/ and /y/ in American English». En Lehiste, *1964*, 116-140.

— *(1967): Readings in acoustic phonetics*. The M. I. T. Press, Massachusetts.

— *(1967 a):* «Suprasegmental features, segmental features and long components». *P 10th ICL,* IV, 3-8.

— *(1970): Suprasegmentals.* Cambridge, Mass., M. I. T. Press.

— y Peterson, G. E. *(1959):* «The identification of filtered vowels». *Phonetica,* 4, 161-177.

— y — *(1959 a):* «Vowel amplitude and phonemic stress in American English». *JASA,* 31, 428-435. Recogido en Lehiste, ed., *1967,* 183-190, y en Fry, ed., *1976,* 355-368.

— y — *(1961):* «Transitions, glides and diphthongs». *JASA,* 33, 268-277. Recogido en Lehiste, ed., *1967,* 228-237.

— y — *(1961 a):* «Some basic considerations in the analysis of intonation». *JASA,* 33, 419-425. Recogido en Fry, ed., *1976,* 378-393.

Léon, P. R. *(1970):* «Systématique des fonctions expressives de l'intonation». *SPh,* 3, 57-74.

— *(1971):* «Où en sont les études sur l'intonation». *P 7th ICPhS,* 113-156.

— *(1972):* «Patrons expressifs de l'intonation». *SoI,* 149-155.

— y Martin, P. *(1970): Prolégomènes à l'étude des structures intonatives. SPh,* 2.

Liberman, A. M. *(1957):* «Some results of research on speech perception». *JASA,* 29, 117-123.

—; Delattre, Pierre, y Cooper, Franklin S. *(1952):* «The role of selected stimulus variables in the perception of the unvoiced stop consonants». *American Journal of Psychology,* 65, 497-517.

—; — y — *(1958):* «Some cues for the distinction between voiced and voiceless stops in initial position». *L and S,* 1, 153-167.

—; —; — y Gerstman, L. *(1954):* «The role of consonant-vowel transitions in the perception of the stop and nasal consonants». *Psychol. Monogr.,* 379, 1-14. Recogido en Fry, ed., *1976,* 315-331.

Liberman, A. M.; Delattre, P. C.; Gerstman, L. J., y Cooper, F. S. *(1956):* «Tempo of frequency change as a cue for distinguishing classes of speech sounds». *Journal of Experimental Psychology,* 52, 127-137. Recogido en Lehiste, ed., *1967,* 159-169.

—; Harris, Katherine Safford; Eimas, Peter; Lisker, Leigh, y Bastian, Jarvis *(1961):* «An effect of learning on speech perception: the discrimination of durations of silence with and without phonemic significance». *L and S,* 4, 175-195.

—; Ingemann, Frances; Lisker, Leigh; Delattre, Pierre, y Cooper, F. S. *(1959):* «Minimal rules for synthesizing speech». *JASA,* 31, 1490-1499. Recogido en Lehiste, ed., *1967,* 333-342, y en Fry, ed., *1976,* 445-466.

Lieberman, Ph. *(1960):* «Some acoustic correlates of word stress in American English». *JASA,* 32, 451-454. Recogido en Fry, ed., *1976,* 394-401.

— *(1964):* «Intonation and the syntactic processing of speech». *Models for the Perception of Speech and Visual Form.* Massachusetts, The M. I. T Press, 314-319.

— *(1965):* «On the acoustic basis of the perception of intonation by linguists». *Word,* 21, 40-54.

— *(1967): Intonation, perception and language.* Cambridge, M. I. T. Press.

—; Harris, Katherine S., y Sawashima, Masayuki *(1970):* «On the physical correlates of some prosodic features». *SPh,* 3, 33-56.

—; Knudson, R., y Mead, J. *(1969):* «Determination of the rate of change of fundamental frequency with respect to subglottal air pressure during sustained phonation». *JASA,* 45, 1537-1543.

— y Michaels, S. B. *(1962):* «Some aspects of fundamental frequency, envelope amplitude and the emotional content of speech». *JASA,* 34, 922-927.

—; Sawashima, M.; Harris, K. S., y Gay, T. *(1970):* «The articulatory implementation of the breath-group and prominence: crico-thyroid muscular activity in intonation». *Language,* 46, 312-327.

Lienard, J. S. *(1970):* «La synthèse de la parole. Historique et réalisations actuelles». *Rev. d'Acoustique,* 11, 204-213.

— *(1977): Le processus de la communication parlée. Introduction à l'analyse et à la synthèse de la parole.* Paris, Masson.

Lindblom, Björn *(1962):* «Accuracy and limitations of sona-graph measurements». *P 4th ICPhS,* 188-202.

— *(1963):* «Spectrographic study of vowel reduction». *JASA,* 35, 1773-1781.

— y Sundberg, Johan E. F. *(1971):* «Acoustical consequences of lip, tongue, jaw, and larynx movement». *JASA,* 50, 1166-1179.

Lindner, Gerhart *(1969): Einführung in die experimentelle Phonetik.* München, Max Hüber Verlag.

Lindqvist-Gauffin, J., y Sundberg, J. *(1976):* «Acoustic properties of the nasal tract». *Phonetica,* 33, 161-168.

Lisker, Leigh *(1948):* «The distinction between [œ] and [ɛ]: a problem in acoustic analysis». *Language,* XXIV, 397-407.

— *(1957):* «Linguistic segments, acoustic segments and synthetic speech». *Language,* 33, 370-374.

— *(1957 a):* «Minimal cues for separating /w, r, l, y/ in intervocalic position». *Word,* 13, 256-267.

— y Abramson, Arthur S. *(1964):* «A cross-language study of voicing in initial stops: acoustical measurements». *Word,* 20, 384-422.

— y Abramson, Arthur S. *(1967):* «Some effects of context on voice onset time in English stops». *L and S*, 10, 1-28.

Lotz, John; Abramson, Arthur S.; Gerstman, Louis J.; Ingemann, Frances, y Nemser, William J. *(1960):* «The perception of English stops by speakers of English, Spanish, Hungarian, and Thai: a tapecutting experiment». *L and S*, 3, 71-77.

Lyons, J. *(1973): Introducción en la lingüística teórica.* Trad. de R. Cerdà. Barcelona, Teide, 2.ª ed.

Magdics, Klara *(1963):* «Research on intonation during the past ten years». *Acta Linguistica*, 13, 133-165.

— *(1965):* «Acoustic correlates of some Hungarian emotive intonation patterns». *P 5th ICPhS*, 392-396.

Majewski, W., y Blasdell, R. I. *(1968):* «Influence of fundamental frequency cues on the perception of some synthetic intonation contours». *JASA*, 45, 450-457.

Malécot, A. *(1956):* «Acoustic cues for nasal consonants; an experimental study involving a tape-splicing technique». *Language*, 32, 274-284.

Malmberg, Bertil *(1952):* «Le problème du classement des sons du langage et quelques questions connexes». *SL*, 6, 1-56. Recogido en Malmberg, *1971*, 67-108.

— *(1955):* «The phonetic basis for syllable division». *SL*, 9, 80-87. Recogido en Lehiste, ed., *1967*, 293-300.

— *(1955 a):* «Observations on the Swedish word accent». *Haskins Laboratories Report.*

— *(1956):* «Distinctive features of Swedish vowels». *For Roman Jakobson*, 316-321.

— *(1956 a):* «Questions de méthode en phonétique synchronique». *SL*, 10, 1-44.

— *(1962): La Phonétique.* Paris, P.U.F. (trad. esp. en EUDEBA, Buenos Aires, 1964).

— *(1962 a):* «Analyse instrumentale et structurale des faits d'accents». *P 4th ICPhS*, 456-475. Recogido en Malmberg, *1971*, 211-221.

— *(1965): Estudios de fonética hispánica.* Madrid, C.S.I.C. Collectanea Phonetica, I.

— *(1966):* «Analyse des faits prosodiques. Problèmes et méthodes». *Cahiers de linguistique théorique et appliquée*, 1, 99-107, y en Malmberg, *1971*, 222-230.

— *(1967):* «Réflexions sur les traits distinctifs et le classement des phonèmes». *To honor Roman Jakobson*, II, 1247-1251.

— *(1967 a):* «Analyse prosodique et analyse grammaticale». *Word*, 23, 374-378.

— *(1967 b):* «Ton et intonation à différents niveaux de la communication linguistique». *BSLP*, 62, VIII-XII.

— ed. *(1968): Manual of Phonetics.* Amsterdam, North-Holland Publ. Co.

— *(1969): Lingüística estructural y comunicación humana. Introducción al mecanismo del lenguaje.* Versión española de Eulalia Rodón Binué. Madrid, Gredos.

— *(1971): Phonétique générale et romane.* The Hague, Mouton.

— *(1972):* «Caractère linguistique de l'intonation de la phrase». *SoI,* 157-159.

Martin, P. *(1970):* «La reconnaissance de patrons intonatifs». *SPh,* 3, 175-191.

— *(1972):* «Reconnaissance automatique de patrons intonatifs». *SoI,* 161-164.

Martinet, A. *(1954):* «Accent et tons». *Miscellanea Phonetica,* 2, 13-24.

— *(1956): La description phonologique avec application au parler franco-provençal d'Hauteville (Savoie).* Paris.

— *(1957-58):* «Substance phonique et traits distinctives». *BSLP,* LIII, 72-85.

— *(1960): Éléments de Linguistique générale.* Paris.

— *(1968): Le Langage.* Paris, Gallimard.

— *(1973):* «Función y segmentación en prosodia». *RLA,* 11, 5-14.

Martínez Álvarez, J. *(1969):* «Datos espectrográficos sobre las consonantes africadas del bable de Quirós». *Archivum,* XIX, 343-348.

Mártony, János; Cederlund, C.; Liljencrants, J., y Lindblom, B. *(1962):* «On the analysis and synthesis of vowels and fricatives». *P 4th ICPhS,* 208-213.

Mathews, M. V.; Pierce, R., y Guttman, N. *(1962):* «Sounds from digital computer». *Gravesaner Blätter,* Mainz, n.° 23, 24.

Matluck, Joseph H. *(1963):* «La é trabada en la ciudad de México: estudio experimental». *Anuario de Letras,* III, 5-34.

— *(1965):* «Entonación hispánica». *Anuario de Letras,* V, 5-32.

Matras, Jean Jacques *(1948): L'acoustique appliquée.* Paris.

— *(1961): Le son.* Paris, P. U. F.

Mattingly, Ignatius G. *(1966):* «Synthesis by rule of prosodic features». *L and S,* 9, 1-13.

Maurand, Georges *(1974):* «Contribution à l'étude du rôle syntaxique de l'intonation». *Annales de l'Université de Toulouse-Le Mirail,* X, 3-25.

Meinhold, Gottfried *(1972):* «Probleme der Intonations-statistik». *SoI,* 165-173.

Menon, K. M. N.; Rao, P. V. S., y Thosar, R. B. *(1974):* «Formant transitions and stop consonant perception in syllables». *L and S,* 17, 27-46.

Mettas, Odette *(1963):* «Étude sur les facteurs ectosémantiques de l'intonation en français». *TrLiLi,* I, 143-154.

— *(1965):* «Aperçu historique sur les appareils de synthèse de la parole». *TrLiLi,* III, 185-200.

— (1971): Les techniques de la phonétique instrumentale et l'intonation. Université Libre de Bruxelles, Institut de Phonétique, Bruxelles.

Meyer-Eppler, W. (1955): «Experimentelle Untersuchungen zum Mechanismus von Stimme und Gehör in der lautsprachlichen Kommunikation». Forschungsberichte des Wirtschafts- und Verkehrsministeriums Nordrhein-Westfalen, n.° 221, 18-19.

— (1957): «Realization of prosodic features in whispered speech». JASA, 29, 104-106. Recogido en Lehiste, ed., 1967, 180-182, y Bolinger, ed., 1972, 385-390.

Mijawaki, K.; Liberman, A. M.; Fujimura, O.; Strange, W., y Jenkins, J. J. (1973): «Gross-language study of the perception of the F_3 cue for [r] versus [l] in speech and non-speech-like patterns». Haskins Laboratories, Status Report on Speech Research, 33, 67-77.

Miller, George A. (1956): Langage et communication. Trad. de l'anglais par C. Thomas. Paris, P. U. F.

Miller, J. D. (1961): «Word tone recognition in vietnamese whispered speech». Word, 17, 11-15.

Miller, R. L. (1953): «Auditory tests with synthetic vowels». JASA, 25, 114-121.

Mol, H. (1970): Fundamentals of phonetics. II: Acoustical models generating the formants of the vowel phonemes. The Hague-Paris, Mouton.

— (1972): «The investigation of intonation». Sol, 175-178.

— y Uhlenbeck, E. M. (1956): «The linguistic relevance of intensity in stress». Lingua, V, 205-213.

— y — (1957): «The correlation between interpretation and production of speech sounds». Lingua, VI, 333-353.

Moles, Abraham A. (1966): «Les méthodes de la phonétique expérimentale». En Phonétique et Phonation, ed. de A. Moles y B. Vallancien, Paris, 15-60.

Morton, John, y Carpenter, Alan (1962): «Judgement of the vowel colour of natural and artificial sounds». L and S, 5, 190-204.

— y Jassem, Wiktor (1965): «Acoustic correlates of stress». L and S, 8, 159-181.

Munson, W. A., y Gardner, M. B. (1950): «Loudness patterns —a new approach». JASA, 22, 177-190.

Nakata, K. (1959): «Synthesis and perception of nasal consonants». JASA, 31, 661-666.

— (1959 a): «Synthesis of nasal consonants by a terminal-analog synthesizer». J. Radio Res. Lab. Tokyo, 6, 243-254.

— (1960): «Synthesis and perception of Japanese fricative sounds». J. Radio Res. Lab., 7, 319-333.

Nakatani, L., y Aston, C. H. *(1978):* «Perceiving stress patterns of words in sentences». *JASA,* 63, 555 (Abstract).

Navarro Tomás, T. *(1918):* «Diferencias de duración entre las consonantes españolas». *RFE,* V, 367-393.

— *(1948): Manual de entonación española.* New York.

— *(1950): Manual de pronunciación española,* 6.ª ed., Madrid, C. S. I. C.

— *(1964):* «La medida de la intensidad». *BFUCh,* XVI, 231-235. [Réplica al trabajo de Contreras *(1963)*].

Nork, O. A. *(1965):* «K voprosu o sintaktisceskoi funkcii intonatsii». [Sobre la función sintáctica de la entonación]. *Phonetica,* 12, 178-181.

Obrecht, Dean H., y Babcock, William R. *(1964):* «Some further experiments in the perception of resonant consonants». *L and S,* 7, 238-242.

Obregón Muñoz, Hugo *(1975):* «La entonación española y el enfoque funcional». *Anuario de Letras,* XIII, 55-87.

O'Connor, J. D.; Gerstman, L.; Liberman, A. M.; Delattre, P.; Cooper, F. S. *(1957):* «Acoustic cues for the perception of initial /w, j, r, l/ in English». *Word,* 13, 24-44. Recogido en Fry, ed., *1976,* 298-314.

Ochiai, Yoshiyuki *(1957):* «Memoirs on nasalics». *MFE,* 9, 147-153.

— *(1958):* «Fondamentales des qualités phonétique et vocalique des paroles par rapport au timbre, obtenues en employant des voyelles japonaises vocalisées par des sujets japonais». *MFE,* 10, 197-201.

— *(1959):* «Étude plus detaillée sur l'enveloppe des patrons du timbre des vocales orales, particulièrement au point de vue de la structure des vallons». *MFE,* 11, 89-102.

— *(1961):* «Mémoire sur l'analyse de la qualité des voyelles». *Phonetica,* 7, 148-159.

— *(1962):* «Sur les caractères essentiels du rapport et du produit des fréquences de deux formants principaux dans la perception du timbre des voyelles». *Acustica* (Stuttgart), 12, 373-385.

— *(1962 a):* «Sur la formation et la distribution des deux qualités essentielles, phonémique et vocale, des sons des voyelles». *ZfPh,* XV, 219-226.

— *(1963):* «Timbre study on nasalics. Part V: study on open and blocked nasalizations, artificially derived from five oral vowels by closing respectively the terminals of nasal and buccal passages». *MFE,* 15, 95-109.

— *(1964):* «Einige Beiträge zur Stimmkunde vom Standpunkt der Vokalklangfarbequalitäten». *Acustica* (Stuttgart), 14, 303-312.

— *(1965):* «Recherche sur les voyelles françaises, au point de vue du timbre phonémique et vocal». *ZfPh,* 18, 243-279.

— *(1965 a):* «Classification et localisation des voyelles françaises dans l'espace du timbre à trois dimensions, en introduisant le formant musical». *Acustica* (Stuttgart), 15, 26-38.

— y Fukumura, Teruo *(1956):* «Timbre study of vocalic voices viewed from subjective phonal aspect. Part III: generalized treatment of timbre confusion». *MFE,* 8, 222-239.

— y — *(1956 a):* «Beiträge zur erkenntnis der klangfarbestruktur bei vokalischen klangbildern». *MFE,* 8, 1-10.

— y — *(1956 b):* «Timbre study of vocalic voices viewed from subjective phonal aspect. Part I: preliminary studies on naturalness and articulation qualities actually and directly measured with respect to bandeliminating distortion». *MFE,* 8, 1-18.

— y — *(1957):* «Timbre study on nasalics. Part I: symbolic description of timbre patterns of generalized vocalics». *MFE,* 9, 154-159.

— y — *(1957 a):* «Timbre study on nasalics. Part III: study on pattern difference of several vocalics attributable to changes in nasal-cavity conditions». *MFE,* 9, 291-305.

— y — *(1960):* «Sur les qualités essentielles des vocales». *Annales des télécommunications,* 15, 277-291.

— y — *(1961):* «On fundamental qualities of vowel sounds in speech communication». *Review of the Electrical Communication Laboratory,* 8, 1960, 410-425; 509-529; 9, 1-19.

—; — y Hattori, Akira *(1956):* «Timbre study of vocalic voices viewed from subjective phonal aspect. Part II: preliminary studies on timbre confusion of phoneme and voice». *MFE,* 8, 203-221.

—; — y Nakatani, Kunio *(1957 a):* «Timbre study on nasalics. Part II: preliminary experimental representation of timbre-patterns of sustained nasals». *MFE,* 9, 160-173.

—; — y Sakurai, Takashi *(1962):* «Study on a particular problem of timbre pattern of oral vowels —crevasse phenomena in formant structure— due to vocal forcing in pitch and level». *MFE,* 14, 187-196.

— y Mori, Ryo-Ichi *(1958):* «Étude expérimentale sur la durée vocalique». *MFE,* 10, 57-63.

— y Oda, Moriya *(1959):* «Sur l'intensité sonore subjective des vocales soutenues ayant les significations phonémique et vocalique». *MFE,* 11, 103-111.

Oeken, F. W. *(1963):* «Kritisches zur Formanttheorie der Vokale». *Phonetica,* X, 22-23.

Ohala, J., y Ladefoged, P. *(1970):* «Sub-glottal pressure variations and glottal frequency». *JASA,* 47, 104.

Orlik, K. *(1947):* «Une contribution à l'étude de la nature acoustique des voyelles». *ANPhE,* XX, 97-102.

Páez Urdaneta, Iraset *(1979):* «Apertura y cerrazón vocálicas en español: evidencia idiolectal». *Letras* (Caracas), 36, 129-157.

Palmer, Harold F. *(1922): English intonation.* Cambridge.

Panconcelli-Calzia, G. *(1955):* «Das Flüstern in seiner physio-pathologischen Bedeutung». *Lingua,* IV, 369-378.

Parmenter, C. E., y Blanc, L. *(1933):* «An experimental study of accent in French and in English». *PMLA,* 48, 598-607.

Paul, Allan P.; House, Arthur S., y Stevens, Kenneth N. *(1964):* «Automatic reduction of vowel spectra: an analysis-by-synthesis method and its evaluation». *JASA,* 36, 303-308.

Peterson, Gordon E. *(1951):* «The phonetic value of vowels». *Language,* 27, 541-553.

— *(1952):* «The information-bearing elements of speech». *JASA,* 24, 629-637.

— *(1954):* «Phonetics, phonemics and pronunciation: spectrographic analysis». *MSLL,* 6, 7-18.

— *(1954 a):* «Acoustical vowel relationships». *MSLL,* 7, 62-73.

— *(1959):* «Vowel formant measurements». *Journal of Speech and Hearing Research,* junio, 2, 173-183.

— *(1961):* «Automatic speech recognition procedures». *L and S,* 4, 200-219.

— *(1961 a):* «Parameters of vowel quality». *Journal of Speech and Hearing Research,* 4, 10-29.

— y Barney, H. L. *(1952):* «Control methods used in a study of the vowels». *JASA,* 24, 175-184. Recogido en Lehiste, ed., *1967,* 118-127, y en Fry, ed., *1976,* 104-122.

—; Wang, W. S.-Y.; Sivertsen, Eva *(1958):* «Segmentation techniques in speech synthesis». *JASA,* 30, 739-746.

— and Sivertsen, Eva *(1960):* «Objectives and techniques of speech synthesis». *L and S,* 3, 84-95.

Pétursson, Magnús *(1974):* «Peut-on interpréter les données de la radio-cinématographie en fonction du tube acoustique à section uniforme?» *Phonetica,* 29, 22-79.

Piéron, Henri *(1960): La sensation.* Paris.

Pike, E. G. *(1949):* «Controlled infant intonation». *Language Learning,* 2, 21-24.

Pike, K. L. *(1947): Phonemics.* Michigan.

— *(1953): The intonation of American English.* Ann Arbor, Michigan.

— *(1961): Tone languages.* Michigan.

— *(1965):* «On the grammar of intonation». *P 5th ICPhS,* 105-117.

Pilch, H. (1966): «Intonation. Experimentelle und strukturelle Daten». Cahiers de linguistique théorique et appliquée, 3, 131-136.

— (1972): «Intonation als distinktive kategorie». SoI, 191-195.

Pinson, Elliot N. (1963): «Pitch-synchronous time-domain estimation of formant frequencies and bandwidths». JASA, 35, 1264-1273.

Poncin, J. (1970): «Synthèse de parole par mots». Rev. d'Acoustique, 9, 17-20.

Pos, H. J. (1939): «Perspectives du structuralisme». TCLP, 8, 71-78.

Potter, R. K. (1946): «Technical aspects of visible speech». JASA, 46, 11-89.

—; Kopp, G. A., y Green, H. C. (1947): Visible speech. New York, O. van Nostrand, Co.

— y Peterson, G. E. (1948): «The representation of vowels and their movements». JASA, 20, 528-535.

— y Steinberg, J. C. (1950): «Toward the specification of speech». JASA, 22, 807-820.

Pulgram, E. (1959): Introduction to the spectrography of speech. The Hague, Mouton and Co.

Py, Bernard (1971): La interrogación en el español hablado de Madrid. Bruxelles.

Quilis, Antonio (1960): «El método espectrográfico (Notas de fonética experimental)». RFE, XLIII, 415-428.

— (1964): «Datos fisiológico-acústicos para el estudio de las oclusivas españolas y de sus correspondientes alófonos fricativos». Homenajes, I, 33-42.

— (1964 a): Estructura del encabalgamiento en la métrica española. Madrid, C. S. I. C.

— (1966): «Sobre los alófonos dentales de /s/». RFE, XLIX, 335-343.

— (1966 a): «Datos para el estudio de las africadas españolas». Mélanges de Linguistique et de Philologie Romanes offerts à M. P. Gardette, Strasbourg, TrLiLi, IV, 403-412.

— (1970): «El elemento esvarabático en los grupos [pr, br, tr...]». Phonétique et Linguistique Romane (Mélanges G. Straka), I, 99-104.

— (1970 a): Album de Fonética acústica. Universidad de Madrid.

— (1971): «Caracterización fonética del acento español». TrLiLi, IX, 53-72.

— (1975): «Las unidades de entonación». Revista Española de Lingüística, 5, 261-279.

— (1975 a): «Caracterización acústica de /x/ en Chile». Studia Hispanica in Honorem R. Lapesa, III, 387-390.

— (1976): «Cantidad de información proporcionada por los fonemas españoles». Studia Humanistica, I, 81-91.

— (1977): «Realización y percepción de los rasgos prosódicos en el habla cuchicheada, en español». *Homenaje a D. Vicente García de Diego,* RDTP, XXXIII, 289-317.

— *(1978):* «Frecuencia de los esquemas acentuales en español». En *Homenaje a E. Alarcos Llorach* (en prensa).

— *(1980):* «La entonación en el proceso de la adquisición del lenguaje». *Cauce,* 3, 101-105.

— *(1981):* «Las funciones de la entonación». *Homenaje al Prof. Ambrosio Rabanales.* Santiago de Chile (en prensa).

— y Carril, R. B. *(1971):* «Análisis acústico de [r̃] en algunas zonas de Hispanoamérica». *RFE,* LIV, 271-316.

— y Esgueva, M. *(1980):* «Realización de los fonemas vocálicos españoles en posición fonética normal». *RFE* (en prensa).

— y — *(1980 a):* «Frecuencia de los fonemas en el español hablado». *Lingüística Española Actual,* II, 1-25.

—; Esgueva, M; Gutiérrez, M. L., y Cantarero, M. *(1979):* Características acústicas de las consonantes líquidas laterales en español. Madrid, C. S. I. C.

—; —; — y — *(1979 a):* «Características acústicas de las consonantes laterales españolas». *Lingüística Española Actual,* I, 233-343.

— y Fernández, J. A. *(1979):* Curso de Fonética y Fonología españolas para estudiantes angloamericanos, 9.ª ed. Madrid, C. S. I. C.

— y Vaquero, M. *(1973):* «Realizaciones de /č/ en el área metropolitana de San Juan de Puerto Rico». *RFE,* LVI, 1-52.

Rabiner, Lawrence R. *(1968):* «Digital-formant synthesizer for speech-synthesis studies». *JASA,* 43, 822-828.

Raffler-Engel, Walburga von *(1972):* «The relationship of intonation to the first vowel articulation in infants». *SoI,* 197-201.

Rann, A. *(1957-58):* «Word stress in Estonian». *Lingua,* VII, 349-355.

Real Academia Española *(1959):* Gramática de la Lengua española. Madrid.

Reid, J. R. *(1958):* «A note on Spanish intonation». *Lingua,* VII, 433-435.

Rigault, A. *(1961):* «Rôle de la fréquence, de l'intensité et de la durée vocaliques dans la perception de l'accent en français». *P 4th ICPhS,* 735-748.

— *(1964):* «Réflexions sur le statut phonologique de l'intonation». *P 9th ICL,* 849-856.

— *(1970):* «L'accent dans deux langues à accent fixe: le français et le tchèque». *SPh,* 3, 1-12.

Rivara, René *(1973):* «Pour une description intégrée de l'intonation». *Linguistics,* 117, 59-76.

Rodón, E. *(1967):* «On the grammatical relevance of prosodemes». *P 10th ICL,* II, 721-724.

Romportl, Milan *(1962):* «Zum Wesen der Intonation». *P 4th ICPhS*, 749-752.

— *(1972):* «Intonological typology». *SoI*, 221-227.

— *(1973):* «Vocalic Formants and the classification of vowels», en Romportl, *1973 a*, 28-36.

— *(1973 a): Studies in phonetics.* The Hague, Mouton.

Rosen, G. *(1958):* «A dynamic analog speech synthesizer». *JASA*, 30, 201-209.

—; Stevens, K. N., y Heinz, J. M. *(1956):* «Dynamic analog of the vocal tract». *JASA*, 28, 767.

Rosetti, A. *(1963): Sur la théorie de la syllabe.* 2.ª ed., The Hague, Mouton.

Rossi, M. *(1967):* «Sur la hiérarchie des paramètres de l'accent». *P 6th ICPhS*, 779-786.

— *(1971):* «Le seuil de glissando ou seuil de perception des variations tonales pour les sons de la parole». *Phonetica*, 23, 1-33 y *SoI*, 229-235.

Rousselot, P. J. *(1924): Principes de Phonétique Expérimentale.* Paris, H. Didier.

Ruwet, N. *(1963):* «Préface» a los *Essais de Linguistique générale*, de R. Jakobson. Paris.

Sakai, T., y Sei-Ichi, I. *(1960):* «New instruments and methods for speech analysis». *JASA*, 32, 441-450.

Santerre, Laurent, y Bothorel, André *(1969-70):* «Mesures et interprétation de la ligne d'intensité sur les sonogrammes». *TIPhS*, 2, 82-90.

Sapon, S. M. *(1958-59):* «Étude instrumentale de quelques contours mélodiques fondamentaux dans les langues romanes» (incluido el español). *RFE*, XLII, 166-177.

Schatz, C. *(1954):* «The role of context in the perception of stops». *Language*, 30, 47-57.

Scholes, Robert J. *(1967):* «Phoneme categorization of synthetic vocalic stimuli by speakers of Japanese, Spanish, Persian and American English». *L and S*, 10, 46-68.

— *(1967 a):* «Categorial responses to synthetic vocalic stimuli by speakers of various languages». *L and S*, 10, 252-282

Schubiger, M. *(1958): English intonation, its form and function.* Tübingen.

— *(1964):* «The interplay and co-operation of word-order and intonation in English». *In Honour Daniel Jones*, 255-265.

— *(1965):* «English intonation and German modal particles: a comparative study». *Phonetica*, 12, 65-84. Recogido en Bolinger, ed., *1972*, 175-193.

Schwartz, Martin F. *(1968):* «Identification of speaker sex from isolated, voiceless fricatives». *JASA*, 43, 1178-1179.

Segerbäck, Börje *(1965):* «La réalisation d'une opposition de tonèmes dans des dissyllabes chuchotés. Étude de phonétique expérimentale». *SL*, XIX, 1-54.

Seiler, Hansjakob *(1962):* «On the syntactic role of word order and of prosodic features». *Word*, 18, 121-131.

Sharf, Donald J. *(1962):* «Duration of poststress intervocalique stops and preceding vowels». *L and S*, 5, 26-30.

— *(1964):* «Vowel duration in whispered and in normal speech». *L and S*, 7, 89-97.

— *(1966):* «Variations in vowel intensity measurements». *L and S*, 9, 250-256.

Sholtz, P. N., y Bakis, R. *(1962):* «Spoken digit recognition using vowel-consonant segmentation». *JASA*, 34, 1-5.

Siertsema, B. *(1962):* «Timbre, pitch and intonation». *Lingua*, XI, 388-398.

Silva-Fuenzalida, I. *(1956-57):* «La entonación en el español y su morfología». *BFUCh*, IX, 177-187.

Sivertsen, Eva *(1961):* «Segment inventories for speech synthesis». *L and S*, 4, 27-90.

Skaličková, A. *(1967):* «The English diphthongs». *P 6th ICPhS*, 833-836.

Skelton, R. B. *(1950): A spectrographic analysis of Spanish vowel sounds.* Dissertation, University of Michigan.

— *(1970):* «Individuality in the vowel triangle». *Phonetica*, 21, 129-137.

Slawson, A. W. *(1968):* «Vowels quality and musical timbre as functions of spectrum envelope and fundamental frequency». *JASA*, 43, 87-101.

Smith, C. P. *(1953):* «Selective compression of speech sounds». *JASA*, 29, 832.

Smith, Svend *(1972):* «Elektromechanische Registrierung der Intonation». *SoI*, 247-249.

Stevens, K. N. *(1953):* «Synthesis of speech sounds by an electromechanical vocal tract». *MSLL*, 4, 53-58.

— *(1968):* «On the relation between speech movements and speech perception». *ZfPh*, 21, 102-106.

— y House, A. S. *(1955):* «Development of a quantitative description of vowel articulation». *JASA*, 27, 484-493. Recogido en Lehiste, ed., *1967*, 34-43.

— y — *(1956):* «Studies of formant transitions using a vocal tract analog». *JASA*, 28, 578-585.

—; Kasowski, S., y Fant, C. G. M. *(1953):* «An electrical analog of the vocal tract». *JASA*, 25, 734-742.

Stevens, S. S. *(1950):* «Introduction: a definition of communication». *JASA*, 6, 689-690.

Stockwell, R. P. *(1960):* «The place of intonation in a generative grammar of English». *Language*, 36, 360-367.

— *(1972):* «The role of intonation: reconsiderations and other considerations», en Bolinger, ed., *1972,* 87-109.

—; Bowen, J. D., y Silva-Fuenzalida, I. *(1956):* «Spanish juncture and intonation». *Language,* XXXII, 641-665.

Stowe, Arthur M., y Hampton, Donald B. *(1961):* «Speech synthesis with prerecorded syllables and words». *JASA,* 33, 810-811.

Straka, G. *(1956):* «Notes de phonétique générale et française». *Bulletin de la Faculté des Lettres de Strasbourg,* marzo, 278-285.

— *(1963):* «La division du langage en voyelles et consonnes peut-elle être justifiée?» *TrLiLi,* I, 17-99.

— *(1965):* *Album Phonétique.* Québec.

Strevens, P. *(1958):* «The performance of PAT». *Rev. do Lab. de Fonét. Exp. de Coimbra,* 4, 5-12.

— *(1960):* «Spectra of fricative noise in human speech». *L and S,* 3, 32-49. Recogido en Lehiste, ed., *1967,* 202-219, y en Fry, ed., *1976,* 132-150.

Szmidt, Y. *(1968):* «Étude de la phrase interrogative en français canadien et en français standard». *SPh,* 1, 192-209.

Tarnóczy, T. *(1948):* «Resonance data concerning nasals, laterals, and trills». *Word,* 4, 71-77. Recogido en Lehiste, ed., *1967,* 111-117.

— *(1962):* «Vowel formant bandwidth and synthetic vowels». *JASA,* 34, 859-860.

't Hart, J., y Cohen, A. *(1967):* «Experiments with artificial intonation contours». *P 6th ICPhS,* 429-432.

Thompson, Carl L, y Hollien, Harry *(1970):* «Some contextual effects on the perception of synthetic vowels». *L and S,* 13, 1-13.

Torrego, Esther *(1974): Aportación al estudio de los gestos y sus relaciones en el español hablado.* Tesis doctoral, Madrid.

Torsoueva-Leontieva, Irina *(1976):* «Les recherches soviétiques dans le domaine de la théorie de l'intonation». *Bull. de l'Institut de Phonétique de Grenoble,* V, 1-12.

Trager, G. L., y Smith, H. L. *(1935): An outline of English structure.* Norman, Oklahoma.

Treon, Martin A. *(1970):* «Fricative and plosive perception-identification as a function of phonetic context in CVCVC utterance». *L and S,* 13, 54-64.

Trubetzkoy, N. S. *(1949): Principes de Phonologie.* Paris.

Truby, H. M. *(1965):* «Duration as an alternate synthesis-parameter for intensity and vowel-quality». *P 5th ICPhS,* 551-554.

Uldall, Elizabeth *(1960):* «Attitudinal meanings conveyed by intonation contours». *L and S,* 3, 223-234.

— *(1964):* «Dimensions of meaning in intonation». *In honour of Daniel Jones,* ed. D. Abercrombie, et al. London, Longmans, 271-279.

— *(1964 a):* «Transitions in fricative noise». *L and S,* 7, 13-15.

Ungeheuer, Gerold *(1962): Elemente einer Akustischen Theorie der Vokalartikulation.* Berlin, Springer Verlag.

— *(1967):* «El lenguaje estudiado a la luz de la teoría de la información». En *Lingüística y Comunicación,* Buenos Aires, Ed. Nueva Visión.

Urrutia Cárdenas, H. *(1976):* «Análisis fónico del español en el sur de Chile: los segmentos vocálicos átonos y tónicos (Provincia de Valdivia)». *Estudios Filológicos,* 11, 161-179.

Vasilyev, V. A. *(1965):* «Sintaksičeskaja rol' intonacii v angliiskom i russkom jazykax». [El papel sintáctico de la entonación (en inglés y ruso)]. *Phonetica,* 12, 137-140.

Vieregge, Wilhelm H. *(1970): Untersuchungen zur Akustischen Artikulation der Plosivlaute.* München, S. Karger.

Waesberghe, J. Smith van *(1957):* «Phonetics in its relation to musicology», en L. Kaiser, *Manual of Phonetics,* Amsterdam, North-Holand, 372-384.

Wajskop, M. *(1967):* «Identification de voyelles en fonction de leur durée». *P 6th ICPhS,* 997-1000.

— *(1971):* «Seuils de reconnaissance de voyelles isolées». *Revue d'Acoustique,* 13, 20-22.

Wakita, H. *(1976):* «A vowel feature space from acoustic speech waveforms». *JASA,* 59, S. 71.

Wallis, E. *(1951):* «Intonational stress patterns of contemporary Spanish». *Hispania,* XXX, 143-147.

Wang, William S-Y *(1959):* «Transition and release as perceptual cues for final plosives». *Journal of Speech and Hearing Research,* 2, 66-73. Recogido en Lehiste, ed., *1967,* 343-350.

Ward, Ida C. *(1958): The phonetics of English.* Cambridge.

Weibel, E. S. *(1955):* «Vowel synthesis by means of resonant circuits». *JASA,* 27, 858-865.

Weinreich, Uriel *(1956):* «Notes on the Yiddish rise-fall intonation contour». *For Roman Jakobson,* 633-643.

Welch, Peter D., y Wimpress, Richard S. *(1961):* «Two multivariate statistical computer programs and their application to the vowel recognition problem». *JASA,* 33, 426-434.

Wells, R. S. *(1945):* «The pitch phonemes of English». *Language,* 21, 27-39.

Wendhal, R. W. *(1959):* «Fundamental frequency and absolute vowel identification» (Abstract). *JASA,* 31, 109-110.

Westin, Kjell; Buddenhagen, R. G., y Obrecht, Dean H. *(1966):* «An experimental analysis of the relative importance of pitch, quantity, and intensity as cues to phonemic distinctions in southern Swedish». *L and S*, 9, 114-126.

Whitley, S. *(1976):* «Stress in Spanish: two approaches». *Lingua*, 39, 301-332.

Wiik, Kalevi *(1965): Finish and English vowels*. Turku.

Willis, Clodius *(1971):* «Synthetic vowel categorization and dialectology». *L and S*, 14, 213-228.

Wimmer, Christine *(1975):* «La prosodie et le système de la langue». *TrLiLi*, XIII, 277-297.

Wise, C. M. *(1965):* «Acoustic structure of English diphthongs and semi-vowels vis-à-vis their phonemic symbolization». *P 5th ICPhS*, 589-593.

— y Chong, L. P.-H. *(1957):* «Intelligibility of whispering in a tone language». *Journal of Speech and Hearing Disorders*, 22, 335-338.

Witting, Claes *(1962):* «A method of evaluating listeners' transcriptions of intonation on the basis of instrumental data». *L and S*, 5, 138-150.

Wodarz, H. W. *(1960):* «Über vergleichende Satzmelodische Untersuchungen». *Phonetica*, 5, 75-98.

— *(1962):* «Über syntaktische und expressive Relevanz der Intonation». *P 4th ICPhS*, 800-804.

Wode, H. *(1966):* «Englische Satzintonation». *Phonetica*, 15, 129-218.

Zagorska Brooks, Maria *(1968): Nasal vowels in contemporary standard Polish*. The Hague, Mouton.

Zierer, Ernesto *(1963):* «A comparison of some basic intonation patterns in American English, German and Peruvian Spanish». *Lenguaje y Ciencias*, Trujillo, Perú, 16.

Zimnyaya, I. A. *(1965):* «Relevant and irrelevant changes in fundamental frequency». *Phonetica*, 12, 151-154.

Zwiner, E. *(1932):* «A contribution to the theory of pitch curves». *ANPhE*, 7, 38-51.

— *(1952):* «Probleme der Sprachmelodie». *ZfPh*, VI, 1-12.

ÍNDICE DE MATERIAS

INDICE DE NOMBRES PROPIOS

ÍNDICE GENERAL

BIBLIOTECA ROMÁNICA HISPÁNICA

Dirigida por: DÁMASO ALONSO

I. TRATADOS Y MONOGRAFÍAS

1. Wartburg, W. von: *La fragmentación lingüística de la Romania*. Segunda edición aumentada. Reimpresión. 208 págs. 17 mapas.
2. Wellek, R. y Warren, A.: *Teoría literaria*. Prólogo de Dámaso Alonso. Cuarta edición. Reimpresión. 432 págs.
3. Kayser, W.: *Interpretación y análisis de la obra literaria*. Cuarta edición revisada. Reimpresión. 594 págs.
4. Peers, E. A.: *Historia del movimiento romántico español*. 2 vols. Segunda edición. Reimpresión. 1.026 págs.
5. Alonso, A.: *De la pronunciación medieval a la moderna en español*. 2 vols.
9. Wellek, R.: *Historia de la crítica moderna (1750-1950)*. 3 vols.
10. Baldinger, K.: *La formación de los dominios lingüísticos en la Península Ibérica*. Segunda edición corregida y muy aumentada. 496 págs. 23 mapas.
11. Marley, S. G. y Bruerton, C.: *Cronología de las comedias de Lope de Vega*. 694 págs.
12. Martí, A.: *La preceptiva retórica española en el Siglo de Oro*. Premio Nacional de Literatura. 346 págs.
13. Aguiar e Silva, V. M. de: *Teoría de la literatura*. Segunda reimpresión. 550 págs.
14. Hörmann, H.: *Psicología del lenguaje*. 496 págs.
15. Rodríguez Adrados, F.: *Lingüística indoeuropea*. 2 vols. 1.152 págs.

II. ESTUDIOS Y ENSAYOS

1. Alonso, D.: *Poesía española (Ensayo de métodos y límites estilísticos)*. Quinta edición. Reimpresión. 672 págs. 2 láminas.
2. Alonso, A.: *Estudios lingüísticos (Temas españoles)*. Tercera edición. Reimpresión. 286 págs.
3. Alonso, D. y Bousoño, C.: *Seis calas en la expresión literaria española (Prosa-Poesía-Teatro)*. Cuarta edición. 446 págs.
4. García de Diego, V.: *Lecciones de lingüística española (Conferencias pronunciadas en el Ateneo de Madrid)*. Tercera edición. Reimpresión. 234 págs.
5. Casalduero, J.: *Vida y obra de Galdós (1843-1920)*. Cuarta edición ampliada. 312 págs.
6. Alonso, D.: *Poetas españoles contemporáneos*. Tercera edición aumentada. Reimpresión. 424 págs.
7. Bousoño, C.: *Teoría de la expresión poética*. Premio «Fastenrath». 2 vols. Sexta edición aumentada. 1.120 págs.

45. Alonso, D.: *Dos españoles del Siglo de Oro (Un poeta madrileñista, latinista y francesista en la mitad del siglo XVI. El Fabio de la «Epístola Moral»: su cara y cruz en Méjico y en España)*. Reimpresión. 258 págs.

46. Criado de Val, M.: *Teoría de Castilla la Nueva (La dualidad castellana en la lengua, la literatura y la historia)*. Segunda edición ampliada. 400 págs. 8 mapas.

47. Schulman, I. A.: *Símbolo y color en la obra de José Martí*. Segunda edición. 498 págs.

49. Casalduero, J.: *Espronceda*. Segunda edición. 280 págs.

51. Pierce, F.: *La poesía épica del Siglo de Oro*. Segunda edición revisada y aumentada. 396 págs.

52. Correa Calderón, E.: *Baltasar Gracián (Su vida y su obra)*. Segunda edición aumentada. 426 págs.

53. Martín-Gamero, S.: *La enseñanza del inglés en España (Desde la Edad Media hasta el siglo XIX)*. 247 págs.

54. Casalduero, J.: *Estudios sobre el teatro español (Lope de Vega, Guillén de Castro, Cervantes, Tirso de Molina, Ruiz de Alarcón, Calderón, Jovellanos, Moratín, Larra, Duque de Rivas, Bécquer, Valle Inclán, Buñuel)*. Cuarta edición aumentada. En prensa.

57. Casalduero, J.: *Sentido y forma de las «Novelas ejemplares»*. Segunda edición corregida. Reimpresión. 272 págs.

58. Shepard, S.: *El Pinciano y las teorías literarias del Siglo de Oro*. Segunda edición aumentada. 210 págs.

60. Casalduero, J.: *Estudios de literatura española («Poema de Mío Cid», Arcipreste de Hita, Renacimiento y Barroco, «El Lazarillo», Cervantes, Jovellanos, Duque de Rivas, Espronceda, Bécquer, Galdós, Ganivet, Valle Inclán, Antonio Machado, Gabriel Miró, Jorge Guillén)*. Tercera edición aumentada. 478 págs.

61. Coseriu, E.: *Teoría del lenguaje y lingüística general (Cinco estudios)*. Tercera edición revisada y corregida. Reimpresión. 330 págs.

62. Miró Quesada, S. A.: *El primer virrey-poeta en América (Don Juan de Mendoza y Luna, marqués de Montesclaros)*. 274 págs.

63. Correa, G.: *El simbolismo religioso en las novelas de Pérez Galdós*. Reimpresión. 278 págs.

64. Balbín, R. de: *Sistema de rítmica castellana*. Premio «Francisco Franco» del C. S. I. C. Tercera edición aumentada. 422 págs.

65. Ilie, P.: *La novelística de Camilo José Cela*. Tercera edición aumentada. 330 págs.

67. Cano Ballesta, J.: *La poesía de Miguel Hernández*. Segunda edición aumentada. Reimpresión. 356 págs.

69. Videla, G.: *El ultraísmo (Estudios sobre movimientos poéticos de vanguardia en España)*. Segunda edición. 246 págs.

71. Herrero, J.: *Fernán Caballero: un nuevo planteamiento*. 346 págs.

72. Beinhauer, W.: *El español coloquial*. Prólogo de Dámaso Alonso. Tercera edición aumentada y actualizada. 556 págs.

73. Hatzfeld, H.: *Estudios sobre el barroco.* Tercera edición aumentada. 562 págs.
74. Ramos, V.: *El mundo de Gabriel Miró.* Segunda edición corregida y aumentada. 526 págs.
75. García Blanco, M.: *América y Unamuno.* 434 págs. 2 láminas.
76. Gullón, R.: *Autobiografías de Unamuno.* Reimpresión. 390 págs.
80. Maravall, J. A.: *El mundo social de «La Celestina».* Premio de los Escritores Europeos. Tercera edición. Reimpresión. 188 págs.
82. Asensio, E.: *Itinerario del entremés desde Lope de Rueda a Quiñones de Benavente (Con cinco entremeses inéditos de Don Francisco de Quevedo).* Segunda edición revisada. 374 págs.
83. Feal Deibe, C.: *La poesía de Pedro Salinas.* Segunda edición. 270 págs.
84. Gariano, C.: *Análisis estilístico de los «Milagros de Nuestra Señora» de Berceo.* Segunda edición corregida. 236 págs.
85. Díaz-Plaja, G.: *Las estéticas de Valle-Inclán.* Reimpresión. 298 págs.
89. Lorenzo, E.: *El español de hoy, lengua en ebullición.* Prólogo de Dámaso Alonso. Tercera edición actualizada y aumentada. 284 págs.
90. Zuleta, E. de: *Historia de la crítica española contemporánea.* Segunda edición notablemente aumentada. 482 págs.
91. Predmore, M. P.: *La obra en prosa de Juan Ramón Jiménez.* Segunda edición ampliada. 322 págs.
92. Snell, B.: *La estructura del lenguaje.* Reimpresión. 218 págs.
93. Serrano de Haro, A.: *Personalidad y destino de Jorge Manrique.* Segunda edición revisada. 450 págs.
94. Gullón, R.: *Galdós, novelista moderno.* Tercera edición revisada y aumentada. 374 págs.
95. Casalduero, J.: *Sentido y forma del teatro de Cervantes.* Reimpresión. 288 págs.
96. Risco, A.: *La estética de Valle-Inclán en los esperpentos y en «El Ruedo Ibérico».* Segunda edición. 278 págs.
97. Szertics, J.: *Tiempo y verbo en el romancero viejo.* Segunda edición. 208 págs.
98. Batllori, M., S. I.: *La cultura hispano-italiana de los jesuitas expulsos (Españoles-Hispanoamericanos-Filipinos. 1767-1814).* 698 págs.
99. Carilla, E.: *Una etapa decisiva de Darío (Rubén Darío en la Argentina).* 200 págs.
100. Flys, M. J.: *La poesía existencial de Dámaso Alonso.* 344 págs.
101. Chasca, E. de: *El arte juglaresco en el «Cantar de Mío Cid».* Segunda edición aumentada. 418 págs.
102. Sobejano, G.: *Nietzsche en España.* 688 págs.
104. Lapesa, R.: *De la Edad Media a nuestros días (Estudios de historia literaria).* Reimpresión. 310 págs.
105. Rossi, G. C.: *Estudios sobre las letras en el siglo XVIII (Temas españoles. Temas hispano-portugueses. Temas hispano-italianos).* 336 págs.
106. Albornoz, A. de: *La presencia de Miguel de Unamuno en Antonio Machado.* 374 págs.

107. Gariano, C.: *El mundo poético de Juan Ruiz*. Segunda edición corregida y ampliada. 272 págs.
109. Fogelquist, D. F.: *Españoles de América y americanos de España*. 348 págs.
110. Pottier, B.: *Lingüística moderna y filología hispánica*. Reimpresión. 246 págs.
111. Kock, J. de: *Introducción al Cancionero de Miguel de Unamuno*. 198 págs.
112. Alazraki, J.: *La prosa narrativa de Jorge Luis Borges (Temas-Estilo)*. Segunda edición aumentada. 438 págs.
113. Debicki, A. P.: *Estudios sobre poesía española contemporánea (La generación de 1924-1925)*. Segunda edición ampliada. 398 págs.
114. Zardoya, C.: *Poesía española del siglo XX (Estudios temáticos y estilísticos)*. 4 vols. (Segunda edición muy aumentada de la obra *Poesía española del 98 y del 27*). 1.398 págs.
115. Weinrich, H.: *Estructura y función de los tiempos en el lenguaje*. Reimpresión. 430 págs.
116. Regalado García, A.: *El siervo y el Señor (La dialéctica agónica de Miguel de Unamuno)*. 220 págs.
117. Beser, S.: *Leopoldo Alas, crítico literario*. 372 págs.
118. Bermejo Marcos, M.: *Don Juan Valera, crítico literario*. 256 págs.
119. Salinas de Marichal, S.: *El mundo poético de Rafael Alberti*. Reimpresión. 272 págs.
120. Tacca, O.: *La historia literaria*. 204 págs.
121. *Estudios críticos sobre el modernismo*. Introducción, selección y bibliografía general por H. Castillo. Reimpresión. 416 págs.
122. Macrí, O.: *Ensayo de métrica sintagmática (Ejemplos del «Libro de Buen Amor» y del «Laberinto» de Juan de Mena)*. 296 págs.
123. Zamora Vicente, A.: *La realidad esperpéntica (Aproximación a «Luces de bohemia»)*. Premio Nacional de Literatura. Segunda edición ampliada. 220 págs.
125. Goode, H. D.: *La prosa retórica de Fray Luis de León en «Los nombres de Cristo» (Aportación al estudio de un estilista del Renacimiento español)*. 186 págs.
126. Green, O. H.: *España y la tradición occidental (El espíritu castellano en la literatura desde «El Cid» hasta Calderón)*. 4 vols.
127. Schulman, I. A. y González, M. P.: *Martí, Darío y el modernismo*. Reimpresión. 268 págs.
128. Zubizarreta, A. de: *Pedro Salinas: El diálogo creador*. Prólogo de J. Guillén. 424 págs.
129. Fernández-Shaw, G.: *Un poeta de transición. Vida y obra de Carlos Fernández Shaw (1865-1911)*. 340 págs. 1 lámina.
130. Camacho Guizado, E.: *La elegía funeral en la poesía española*. 424 páginas.
131. Sánchez Romeralo, A.: *El villancico (Estudios sobre la lírica popular en los siglos XV y XVI)*. 624 págs.
132. Rosales, L.: *Pasión y muerte del Conde de Villamediana*. 252 págs.

162. Ribbans, G.: *Niebla y soledad (Aspectos de Unamuno y Machado)*. 332 págs.
163. Scholberg, K. R.: *Sátira e invectiva en la España medieval*. 376 págs.
164. Parker, A. A.: *Los pícaros en la literatura (La novela picaresca en España y Europa, 1599-1753)*. Segunda edición. 218 págs. 11 láminas.
165. Rudat, E. M.: *Las ideas estéticas de Esteban de Arteaga (Orígenes, significado y actualidad)*. 340 págs.
166. San Miguel, A.: *Sentido y estructura del «Guzmán de Alfarache» de Mateo Alemán*. Prólogo de F. Rauhut. 312 págs.
167. Marcos Marín, F.: *Poesía narrativa árabe y épica hispánica (Elementos árabes en los orígenes de la épica hispánica)*. 388 págs.
168. Cano Ballesta, J.: *La poesía española entre pureza y revolución (1930-1936)*. 284 págs.
169. Corominas, J.: *Tópica hespérica (Estudios sobre los antiguos dialectos, el substrato y la toponimia romances)*. 2 vols. 840 págs.
170. Amorós, A.: *La novela intelectual de Ramón Pérez de Ayala*. 500 págs.
171. Porqueras Mayo, A.: *Temas y formas de la literatura española*. 196 págs.
172. Brancaforte, B.: *Benedetto Croce y su crítica de la literatura española*. 152 págs.
173. Martín, C.: *América en Rubén Darío (Aproximación al concepto de la literatura hispanoamericana)*. 276 págs.
174. García de la Torre, J. M.: *Análisis temático de «El Ruedo Ibérico»*. 362 págs.
175. Rodríguez-Puértolas, J.: *De la Edad Media a la edad conflictiva (Estudios de literatura española)*. 406 págs.
176. López Estrada, F.: *Poética para un poeta (Las «Cartas literarias a una mujer» de Bécquer)*. 246 págs.
177. Hjelmslev, L.: *Ensayos lingüísticos*. 362 págs.
178. Alonso, D.: *En torno a Lope (Marino, Cervantes, Benavente, Góngora, los Cardenios)*. 212 págs.
179. Pabst, W.: *La novela corta en la teoría y en la creación literaria (Notas para la historia de su antinomia en las literaturas románicas)*. 510 págs.
180. Rumeu de Armas, A.: *Alfonso de Ulloa, introductor de la cultura española en Italia*. 192 págs. 2 láminas.
181. León, P. R.: *Algunas observaciones sobre Pedro de Cieza de León y la Crónica del Perú*. 278 págs.
182. Roberts, G.: *Temas existenciales en la novela española de postguerra*. Segunda edición corregida y aumentada. 326 págs.
184. Durán, A.: *Estructura y técnicas de la novela sentimental y caballeresca*. 182 págs.
185. Beinhauer, W.: *El humorismo en el español hablado (Improvisadas creaciones espontáneas)*. Prólogo de R. Lapesa. 270 págs.
186. Predmore, M. P.: *La poesía hermética de Juan Ramón Jiménez (El «Diario» como centro de su mundo poético)*. 234 págs.
187. Manent, A.: *Tres escritores catalanes: . Carner, Riba, Pla*. 338 págs.

188. Bratosevich, N. A. S.: *El estilo de Horacio Quiroga en sus cuentos*. 204 págs.
189. Soldevila Durante, I.: *La obra narrativa de Max Aub (1929-1969)*. 472 págs.
190. Pollmann, L.: *Sartre y Camus (Literatura de la existencia)*. 286 págs.
191. Bobes Naves, M.ª del C.: *La semiótica como teoría lingüística*. Segunda edición revisada y ampliada. 274 págs.
192. Carilla, E.: *La creación del «Martín Fierro»*. 308 págs.
193. Coseriu, E.: *Sincronía, diacronía e historia (El problema del cambio lingüístico)*. Tercera edición. 290 págs.
194. Tacca, O.: *Las voces de la novela*. Segunda edición corregida y aumentada. 206 págs.
195. Fortea, J. L.: *La obra de Andrés Carranque de Ríos*. 240 págs.
196. Náñez Fernández, E.: *El diminutivo (Historia y funciones en el español clásico y moderno)*. 458 págs.
197. Debicki, A. P.: *La poesía de Jorge Guillén*. 362 págs.
198. Doménech, R.: *El teatro de Buero Vallejo (Una meditación española)*. 372 págs.
199. Márquez Villanueva, F.: *Fuentes literarias cervantinas*. 374 págs.
200. Orozco Díaz, E.: *Lope y Góngora frente a frente*. 410 págs. 8 láminas.
201. Muller, Ch.: *Estadística lingüística*. 416 págs.
202. Kock, J. de: *Introducción a la lingüística automática en las lenguas románicas*. 246 págs.
203. Avalle-Arce, J. B.: *Temas hispánicos medievales (Literatura e historia)*. 390 págs.
204. Quintián, A. R.: *Cultura y literatura españolas en Rubén Darío*. 302 páginas.
205. Caracciolo Trejo, E.: *La poesía de Vicente Huidobro y la vanguardia*. 140 págs.
206. Martín, J. L.: *La narrativa de Vargas Llosa (Acercamiento estilístico)*. 282 págs.
207. Nolting-Hauff, I.: *Visión, sátira y agudeza en los «Sueños» de Quevedo*. 318 págs.
208. Phillips, A. W.: *Temas del modernismo hispánico y otros estudios*. 360 págs.
209. Mayoral, M.: *La poesía de Rosalía de Castro*. Prólogo de R. Lapesa. 596 págs.
210. Casalduero, J.: *«Cántico» de Jorge Guillén y «Aire nuestro»*. 268 págs.
211. Catalán, D.: *La tradición manuscrita en la «Crónica de Alfonso XI»*. 416 págs.
212. Devoto, D.: *Textos y contextos (Estudios sobre la tradición)*. 610 páginas.
213. López Estrada, F.: *Los libros de pastores en la literatura española (La órbita previa)*. 576 págs. 16 láminas.
214. Martinet, A.: *Economía de los cambios fonéticos (Tratado de fonología diacrónica)*. 564 págs.

215. Sebold, R. P.: *Cadalso: el primer romántico «europeo» de España.* 294 págs.
216. Cambria, R.: *Los toros: tema polémico en el ensayo español del siglo XX.* 386 págs.
217. Percas de Ponseti, H.: *Cervantes y su concepto del arte (Estudio crítico de algunos aspectos y episodios del «Quijote»).* 2 vols. 690 págs.
218. Hammarström, G.: *Las unidades lingüísticas en el marco de la lingüística moderna.* 190 págs.
219. Salvador Martínez, H.: *El «Poema de Almería» y la épica románica.* 478 págs.
220. Casalduero, J.: *Sentido y forma de «Los trabajos de Persiles y Segismunda».* 236 págs.
221. Bandera, C.: *Mimesis conflictiva (Ficción literaria y violencia en Cervantes y Calderón).* Prólogo de R. Girard. 262 págs.
222. Cabrera, V.: *Tres poetas a la luz de la metáfora: Salinas, Aleixandre y Guillén.* 228 págs.
223. Ferreres, R.: *Verlaine y los modernistas españoles.* 272 págs.
224. Schrader, L.: *Sensación y sinestesia (Estudios y materiales para la prehistoria de la sinestesia y para la valoración de los sentidos en las literaturas italiana, española y francesa).* 528 págs.
225. Picon Garfield, E.: *¿Es Julio Cortázar un surrealista?* 266 págs. 5 láminas.
226. Peña, A.: *Américo Castro y su visión de España y de Cervantes.* 318 págs.
227. Palmer, L. R.: *Introducción crítica a la lingüística descriptiva y comparada.* 586 págs. 1 lámina.
228. Pauk, E.: *Miguel Delibes: Desarrollo de un escritor (1947-1974).* 330 páginas.
229. Molho, M.: *Sistemática del verbo español (Aspectos, modos y tiempos).* 2 vols. 780 págs.
230. Gómez-Martínez, J. L.: *Américo Castro y el origen de los españoles: Historia de una polémica.* 242 págs.
231. García Sarriá, F.: *Clarín o la herejía amorosa.* 302 págs.
232. Santos Escudero, C.: *Símbolos y Dios en el último Juan Ramón Jiménez.* 566 págs.
233. Taylor, M. C.: *Sensibilidad religiosa de Gabriela Mistral.* 232 págs. 4 láminas.
234. *De la teoría lingüística a la enseñanza de la lengua.* Publicada bajo la dirección de J. Martinet, con la colaboración de O. Ducrot, D. François, F. François, B.-N. Grunig, M. Mahmoudian, A. Martinet, G. Mounin, T. Tabouret-Keller y H. Walter. 262 págs.
235. Trabant, J.: *Semiología de la obra literaria (Glosemántica y teoría de la literatura).* 370 págs.
236. Montes, H.: *Ensayos estilísticos.* 186 págs.
237. Cerezo Galán, P.: *Palabra en el tiempo (Poesía y filosofía en Antonio Machado).* 614 págs.

270. Anderson, J. M.: *Aspectos estructurales del cambio lingüístico.* 374 páginas.

271. Bousoño, C.: *El irracionalismo poético (El símbolo).* Premio Nacional de Literatura 1978. 458 págs.

272. Coseriu, E.: *El hombre y su lenguaje (Estudios de teoría y metodología lingüística).* 270 págs.

273. Rohrer, Ch.: *Lingüística funcional y gramática transformativa (La transformación en francés de oraciones en miembros de oración).* 324 págs.

274. Francis, A.: *Picaresca, decadencia, historia (Aproximación a una realidad histórico-literaria).* 230 págs.

275. Picoche, J. L.: *Un romántico español: Enrique Gil y Carrasco (1815-1846).* 398 págs.

276. Ramírez Molas, P.: *Tiempo y narración (Enfoque de la temporalidad en Borges, Carpentier, Cortázar y García Márquez).* 218 págs.

277. Pêcheux, M.: *Hacia el análisis automático del discurso.* 374 págs.

278. Alonso, D.: *La «Epístola moral a Fabio», de Andrés Fernández de Andrada (Edición y Estudio).* 286 págs. 4 láminas.

279. Hjelmslev, L.: *La categoría de los casos (Estudio de gramática general).* 346 págs.

280. Coseriu, E.: *Gramática, semántica, universales (Estudios de lingüística funcional).* 270 págs.

281. Martinet, A.: *Estudios de sintaxis funcional.* 342 págs.

282. Granda, G. de: *Estudios lingüísticos hispánicos, afrohispánicos y criollos.* 522 págs.

283. Marcos Marín, F.: *Estudios sobre el pronombre.* 338 págs.

284. Kimball, J. P.: *La teoría formal de la gramática.* 222 págs.

285. Carreño, A.: *El romancero lírico de Lope de Vega.* Premio Ramón Menéndez Pidal, 1976. 302 págs.

286. Marcellesi, J. B. y Gardin, B.: *Introducción a la sociolingüística (La lingüística social).* 448 págs.

287. Martín Zorraquino, M.ª A.: *Las construcciones pronominales en español (Paradigma y desviaciones).* 414 págs.

288. Bousoño, C.: *Superrealismo poético y simbolización.* 542 págs.

289. Spillner, B.: *Lingüística y literatura (Investigación del estilo, retórica, lingüística del texto).* 252 págs.

290. Kutschera, F. von: *Filosofía del lenguaje.* 410 págs.

291. Mounin, G.: *Lingüística y filosofía.* 270 págs.

292. Corneille, J. P.: *La lingüística estructural (Su proyección, sus límites).* 434 págs.

293. Krömer, W.: *Formas de la narración breve en las literaturas románicas hasta 1700.* 316 págs.

294. Rohlfs, G.: *Estudios sobre el léxico románico.* Reelaboración parcial y notas de M. Alvar. Edición conjunta revisada y aumentada. 444 págs.

295. Matas, J.: *La cuestión del género literario (Casos de las letras hispánicas).* 256 págs.

III. MANUALES

2. Moreno Báez, E.: *Nosotros y nuestros clásicos.* Segunda edición corregida. Reimpresión. 180 págs.
3. Alonso, D.: *Cuatro poetas españoles (Garcilaso-Góngora-Maragall-Antonio Machado).* Reimpresión 186 págs.
6. Alonso, D.: *Del Siglo de Oro a este siglo de siglas (Notas y artículos a través de 350 años de letras españolas).* Segunda edición. 294 páginas. 3 láminas.
8. Serrano Poncela, S.: *Formas de vida hispánica (Garcilaso-Quevedo-Godoy y los ilustrados).* 166 págs.
9. Ayala, F.: *Realidad y ensueño.* 156 págs.
10. Baquero Goyanes, M.: *Perspectivismo y contraste (De Cadalso a Pérez de Ayala).* 246 págs.
11. Sánchez, L. A.: *Escritores representativos de América.* Primera serie. 3 vols. Tercera edición. 628 págs.
12. Gullón, R.: *Direcciones del modernismo.* Segunda edición aumentada. 274 págs.
13. Sánchez, L. A.: *Escritores representativos de América.* Segunda serie. 3 vols. Reimpresión. 696 págs.
14. Alonso, D.: *De los siglos oscuros al de Oro (Notas y artículos a través de 700 años de letras españolas).* Segunda edición. Reimpresión. 294 págs.
17. Torre, G. de: *La difícil universalidad española.* 314 págs.
18. Río, A. del: *Estudios sobre literatura contemporánea española.* Reimpresión. 324 págs.
19. Sobejano, G.: *Forma literaria y sensibilidad social (Mateo Alemán, Galdós, Clarín, el 98 y Valle-Inclán).* 250 págs.
20. Serrano Plaja, A.: *Realismo «mágico» en Cervantes («Don Quijote» visto desde «Tom Sawyer» y «El idiota»).* 240 págs.
21. Díaz-Plaja, G.: *Soliloquio y coloquio (Notas sobre lírica y teatro).* 214 págs.
22. Torre, G. de: *Del 98 al Barroco.* 452 págs.
23. Gullón, R.: *La invención del 98 y otros ensayos.* 200 págs.
24. Ynduráin, F.: *Clásicos modernos (Estudios de crítica literaria).* 224 páginas.
25. Connolly, E.: *Leopoldo Panero: La poesía de la esperanza.* Prólogo de J. A. Maravall. 236 págs.
26. Blecua, J. M.: *Sobre poesía de la Edad de Oro (Ensayos y notas eruditas).* 310 págs.
27. Boisdefre, P. de: *Los escritores franceses de hoy.* 168 págs.
28. Sopeña Ibáñez, F.: *Arte y sociedad en Galdós.* 182 págs.
29. García-Viñó, M.: *Mundo y trasmundo de las leyendas de Bécquer.* 300 págs.
30. Balseiro, J. A.: *Expresión de Hispanoamérica.* Prólogo de F. Monterde. 2 vols. Segunda edición revisada. 520 págs.
31. Arrom, J. J.: *Certidumbre de América (Estudios de letras, folklore y cultura).* Segunda edición ampliada. 230 págs.